LORI NELSON SPIELMAN

MORGEN KOMMT EIN NEUER HIMMEL

ROMAN

Aus dem Amerikanischen von
Andrea Fischer

✵ | KRÜGER

Erschienen bei FISCHER Krüger
12. Auflage September 2014

Die Originalausgabe erschien 2013 unter dem Titel
›The Life List‹ bei Bantam Books, Random House, Inc., New York.
© 2013 by Lori Nelson Spielman
Published by Arrangement with Lori Nelson Spielman.
Dieses Werk wurde vermittelt durch die Literarische Agentur
Thomas Schlück GmbH, 30827 Garbsen.

Für die deutschsprachige Ausgabe:
© S. Fischer Verlag GmbH, Frankfurt am Main 2014

Satz: Dörlemann Satz, Lemförde
Druck und Bindung: CPI books GmbH, Leck
Printed in Germany
ISBN 978-3-8105-1330-4

Für meine Eltern, Frank und Joan Nelson

»Wer nach außen schaut, träumt;
wer nach innen schaut, erwacht.«
Carl Gustav Jung

1

Stimmengemurmel dringt durch das Treppenhaus hinauf, undeutlich, irritierend, fern. Mit zitternden Händen schließe ich die Tür hinter mir. Die Welt verstummt. Ich lehne den Kopf gegen die Tür und atme tief ein. Das Zimmer riecht noch immer nach ihr – nach Eau d'Hadrien und Ziegenmilchseife. Das Eisenbett quietscht leise, als ich mich darauf lege. Ein Geräusch, so beruhigend wie das Klirren ihres Windspiels im Garten oder der Klang ihrer sanften Stimme, wenn sie mir sagte, wie lieb sie mich hat. An dieses Bett bin ich schon gekommen, als sie es noch mit meinem Vater teilte, habe über Bauchschmerzen geklagt oder über Gespenster unter meinem Bett. Jedes Mal holte Mama mich zu sich unter die Decke, hielt mich ganz fest, strich mir übers Haar und flüsterte: »Morgen kommt ein neuer Himmel, mein Schatz, wart's nur ab.« Und wie durch ein Wunder erwachte ich am nächsten Morgen und sah bernsteingelbe Strahlen durch die Spitzengardine fallen.

Ich streife meine neuen schwarzen Pumps ab und reibe mir erleichtert die Füße. Rutsche nach hinten und lehne mich gegen die gelben Kopfkissen mit dem Paisleymuster. Dieses Bett werde ich behalten, beschließe ich. Egal, wer es haben will – es gehört mir. Auch dieses edle, alte Brownstone-Haus wird mir fehlen. »Das ist so robust wie Großmama«, hat meine Mutter gerne über ihr Heim gesagt. Doch für mich war kein Haus, kein Mensch jemals so zuverlässig wie Großmamas Tochter, meine Mutter Elizabeth Bohlinger.

Plötzlich habe ich eine Idee. Ich blinzle die Tränen weg und springe aus dem Bett. Sie hat die Flasche doch irgendwo hier oben versteckt, das weiß ich genau. Aber wo? Ich ziehe die Tür des Wandschranks auf. Blind tasten meine Hände zwischen der Designerkleidung umher. Ich zerre an den Seidenblusen, die sich wie ein Theatervorhang teilen. Da liegt sie im Schuhregal, wie ein Baby in der Wiege: eine Flasche Krug Champagner, die die letzten vier Monate im Kleiderschrank verbracht hat.

Kaum halte ich sie in den Händen, überfallen mich Schuldgefühle. Dieser Champagner gehört meiner Mutter, nicht mir. Sie hat sich die unverschämt teure Flasche geleistet, als wir von ihrem ersten Arzttermin nach Hause kamen, und sie umgehend versteckt, damit sie nicht mit den anderen Flaschen im Keller verwechselt würde. Sie sei ein Symbol der Hoffnung, hat meine Mutter erklärt. Wenn man ihr am Ende der Behandlung bescheinigte, dass sie gesund wäre, würde sie den teuren Champagner zusammen mit mir öffnen, um das Wunder des Lebens zu feiern.

Ich knibbele an der Alufolie und beiße mir auf die Lippe. Ich kann ihn nicht trinken. Die Flasche war für einen feierlichen Anlass gedacht, nicht für eine trauernde Tochter, die zu labil ist, um das Beerdigungsessen durchzustehen.

Ich entdecke einen anderen Gegenstand, er muss hinter der Champagnerflasche versteckt gewesen sein. Ich hole ihn heraus. Es ist ein schmales rotes Büchlein – ein Tagebuch, vermute ich –, zugebunden mit einem verblichenen, gelben Bändchen. Der Ledereinband ist rissig und abgegriffen. *Für Brett*, hat Mama auf den herzförmigen Geschenkanhänger geschrieben. *Bewahr es auf für einen Tag, an dem Du Dich stärker fühlst. Heute trinke ein Glas auf uns, mein Liebling. Was waren wir zwei für ein gutes Team! In Liebe, Mama*

Ich fahre mit dem Finger über ihre Handschrift, die nicht so regelmäßig war, wie man es von einem so schönen Menschen erwartet hätte. Es brennt mir in der Kehle. Auch wenn meine Mutter mir ein glückliches Ende versprochen hatte, wusste sie, dass der Tag kommen würde, an dem ich Hilfe bräuchte. Sie hat mir für heute Champagner und für die Zukunft einen kleinen Teil ihres Lebens, ihrer persönlichen Gedanken und Grübeleien in Form eines Tagebuchs hinterlassen.

Ich kann nicht bis morgen warten. Ich betrachte das Büchlein, will lesen, was sie geschrieben hat. Am liebsten sofort. Nur ein kurzer Blick, mehr nicht. Doch als ich an dem gelben Band nestele, sehe ich sie plötzlich vor mir. Sie schüttelt tadelnd den Kopf. Ich schiele auf die Karte und bin hin- und hergerissen zwischen ihren Wünschen und meinen. Schließlich lege ich das Büchlein beiseite. »Dir zuliebe warte ich«, flüstere ich und hauche einen Kuss auf den Deckel.

Ein Schluchzen steigt in mir auf und durchbricht die Stille. Ich versuche noch, es aufzuhalten, aber es ist zu spät. Ich fange an zu zittern, schlinge die Arme um meinen Körper und vergehe fast vor Sehnsucht nach meiner Mutter. Wie soll ich bloß ohne sie weiterleben? Ich bin doch ihr kleines Mädchen.

Ich greife nach dem Champagner, klemme die Flasche zwischen die Knie und lasse den Korken knallen. Er schießt quer durchs Zimmer und trifft das offene Fläschchen Kytril, ihr Mittel gegen die Übelkeit, das auf dem Nachttisch steht. Klirrend kippt es um, die kleinen Tabletten kullern heraus. Ich sammle sie schnell wieder ein und denke daran, wie ich meine Mutter das erste Mal darum bat, sie zu nehmen. Sie hatte gerade ihre erste Chemotherapie hinter sich und gab sich mir zuliebe zuversichtlich. »Mir geht's gut, wirklich. Ich hatte schon schlimmere Schmerzen.«

Aber in der Nacht überrollte sie die Übelkeit wie ein Tsunami. Mama nahm die weiße Tablette und bat später um eine zweite. Ich blieb neben ihr liegen, bis das Medikament Wirkung zeigte und sie einschlafen konnte. Ich schmiegte mich an sie, in diesem Bett, strich ihr übers Haar und drückte sie eng an mich, genau wie sie es so oft mit mir gemacht hatte. Dann schloss ich voller Verzweiflung die Augen und flehte Gott an, meine Mutter gesund zu machen.

Er erhörte mich nicht.

Ich lasse die Tabletten in das Plastikfläschchen fallen, drehe den Deckel aber nicht zu, sondern stelle sie an den Rand des Nachttischs, nah ans Bett, damit sie gut drankommt. Aber ... meine Mutter ist ja nicht mehr da. Sie wird keine Tablette mehr brauchen.

Ich aber brauche den Champagner. »Auf dich, Mama«, flüstere ich, und meine Stimme bricht. »Ich war so stolz darauf, deine Tochter zu sein. Das wusstest du doch, oder?«

Es dauert nicht lange, da dreht sich das Zimmer, aber immerhin lässt der Schmerz nach. Ich stelle die Flasche auf den Boden und schlage die Daunendecke zurück. Der kühle Baumwollsatinstoff riecht schwach nach Lavendel. Es fühlt sich dekadent an, hier zu liegen, abseits der Menschen, die sich im Erdgeschoss tummeln. Ich wühle mich tiefer in die Kissen, um noch einen kurzen Moment der Stille zu genießen, bevor ich wieder nach unten gehe. Nur noch eine Minute ...

Ein lautes Klopfen schreckt mich auf. Ich fahre hoch. Es dauert ein wenig, bevor mir klarwird, wo ich bin ... Verdammt, das Essen! Ich schieße aus dem Bett, will zur Tür und stolpere dabei über die Champagnerflasche.

»Autsch! Ah, so'n Mist!«

»Alles in Ordnung, Brett?«, fragt meine Schwägerin Catherine in der offenen Tür. Bevor ich etwas erwidern kann, kommt sie mit einem spitzen Schrei herein. Sie hockt sich vor den nassen Fleck und hebt die Flasche auf. »Mein Gott! Du hast einen Clos du Mesnil von 1995 umgekippt?«

»Zuerst habe ich das meiste davon getrunken.« Ich lasse mich neben sie sinken und betupfe den Perserteppich mit dem Saum meines Kleides.

»Du meine Güte, Brett. Diese Flasche hat mindestens siebenhundert Dollar gekostet.«

»Tja.« Ich rappele mich auf und schiele auf meine Uhr, aber die Ziffern sind verschwommen. »Wie spät ist es?«

Catherine streicht ihr schwarzes Leinenkleid glatt. »Gleich zwei. Das Essen wird gerade serviert.« Sie schiebt sich eine Strähne hinters Ohr. Obwohl ich sie um gut zehn Zentimeter überrage, fühle ich mich in ihrer Gegenwart immer wie ein ungestümes Kleinkind. Fast rechne ich damit, dass sie an ihrem Finger leckt und meinen Haarwirbel glättet. »Du siehst wirklich schlecht aus, Brett«, sagt sie und zupft an meiner Perlenkette. »Deine Mutter wäre die erste, die dir sagen würde, dass du dich trotz deiner Trauer nicht vernachlässigen darfst.«

Das stimmt nicht. Meine Mutter würde sagen, ich sähe hübsch aus, selbst wenn mein Make-up verlaufen wäre. Sie würde nicht sagen, ich hätte ein Vogelnest auf dem Kopf, sondern würde behaupten, dass meine langen kastanienbraunen Locken durch die Luftfeuchtigkeit krauser würden, dass meine aufgedunsenen, rotgeränderten Augen immer noch den seelenvollen braunen Augen eines Poeten glichen.

Ich spüre, wie mir die Tränen kommen, und wende mich ab. Wer soll jetzt mein Selbstbewusstsein stärken, da meine Mutter nicht mehr ist? Ich bücke mich nach der leeren Flasche, aber der Boden kippt und dreht sich. O Gott! Ich bin auf einem Segelboot, mitten in einem Wirbelsturm. Ich halte mich an der Bettkante fest, als wäre sie meine Rettungsleine, und warte, dass sich der Sturm legt.

Catherine neigt den Kopf zur Seite, betrachtet mich, klopft sich mit ihrem perfekt manikürten Finger auf die Unterlippe. »Hör zu, Süße, warum bleibst du nicht einfach hier? Ich bringe dir einen Teller hoch.«

Hier bleiben? Von wegen! Das ist das Essen zu Ehren meiner Mutter. Ich muss nach unten. Aber ich kann alles nur ganz verschwommen sehen und meine Schuhe nicht finden. Ich drehe mich um meine eigene Achse. Was suche ich noch mal? Barfuß stolpere ich zur Tür, dann fällt es mir wieder ein. »Ach ja, die Schuhe. Kommt raus, egal wo ihr euch versteckt!« Ich gehe in die Hocke und spähe unters Bett.

Catherine packt mich am Arm und zieht mich hoch. »Hör auf, Brett! Du bist betrunken. Ich stecke dich jetzt ins Bett, dann kannst du deinen Rausch ausschlafen.«

»Nein!« Ich wehre sie ab. »Ich muss nach unten.«

»Musst du nicht. Deine Mutter würde nicht wollen, dass du ...«

»Ah, da sind sie ja.« Ich finde meine neuen schwarzen Pumps und versuche, die Füße hineinzuschieben. Mann, in der letzten Stunde müssen sie um zwei Nummern gewachsen sein. So gut ich kann, torkele ich durch den Flur, die Füße nur halb in den Schuhen. Die Hände ausgestreckt, um das Gleichgewicht zu halten, taumle ich wie eine Flipperkugel von einer Wand zur anderen. Hinter mir höre ich Catherine. Ihre Stimme ist streng, aber leise, als spreche sie durch zusammengebissene Zähne.

»Brett! Bleib sofort stehen!«

Sie ist bescheuert, wenn sie glaubt, dass ich das Beerdigungsessen ausfallen lasse. Es findet zu Ehren meiner Mutter statt. Meiner wunderbaren, liebevollen Mutter ...

Ich stehe oben auf der Treppe, versuche noch immer, meine geschwollenen Füße in die Barbie-Schühchen zu quetschen. Auf halber Höhe knicke ich plötzlich mit dem Knöchel um.

»Aua!«

Alle Gäste, die gekommen sind, um meiner Mutter die letzte Ehre zu erweisen, drehen sich zu mir um. Ich sehe entsetzte Frauen, die die Hand vor den Mund schlagen, und Männer, die mir erschrocken entgegen stürzen, um mich aufzufangen.

Wie ein Häufchen Elend lande ich unten in der Eingangshalle, das schwarze Kleid bis zum Oberschenkel hochgeschoben, ein Schuh fehlt.

Das Geräusch klappernden Geschirrs weckt mich. Ich wische mir den Speichel aus dem Mundwinkel und setze mich auf. Mein Kopf dröhnt und fühlt sich schwer an. Ich blinzele mehrmals und sehe mich um. Ich bin im Haus meiner Mutter. Gut. Sie hat bestimmt ein Aspirin für mich. Ich merke, dass es im Wohnzimmer dunkel ist, Menschen huschen umher, stapeln Teller und Gläser in braune Plastikwannen. Was ist hier los? Dann trifft es mich wie mit einem Baseballschläger. Mein Hals zieht sich zu, ich lege die Hand auf den Mund. Der große Schmerz, das Leid und die Traurigkeit stürzen von neuem auf mich ein.

Ich habe gehört, ein langer Kampf gegen den Krebs sei schlimmer als ein kurzer, aber ich bin nicht überzeugt, ob das auch für die Hinterbliebenen gilt. Die Diagnose und der Tod meiner Mutter folgten so schnell aufeinander, dass es fast surreal wirkte, wie ein Albtraum, aus dem ich mit einem Schrei der Erleichterung erwache. Aber stattdessen wache ich viel zu oft auf, habe im Schlaf die Tragödie vergessen und bin gezwungen, den Verlust immer wieder aufs Neue zu durchleben, wie Bill Murray in *Und täglich grüßt das Murmeltier.* Werde ich je damit leben können, den Menschen in meinem Leben zu vermissen, der mich bedingungslos geliebt hat? Werde ich je an meine Mutter denken können, ohne dass sich meine Brust vor Kummer zusammenzieht?

Ich reibe mir die pochenden Schläfen, und verschwommene Szenen erscheinen vor meinem inneren Auge, erinnern mich an das demütigende Fiasko auf der Treppe. Am liebsten würde ich im Boden versinken.

»Hey, du Schlafmütze!« Shelley, meine andere Schwägerin, kommt mit der dreimonatigen Emma auf dem Arm zu mir herüber.

»O Gott!«, stöhne ich und schlage die Hände vors Gesicht. »Ich bin so was von dämlich.«

»Warum? Meinst du, du bist die Einzige, die jemals zu viel getrunken hat? Wie geht's deinem Knöchel?«

Ich hebe eine Tüte mit größtenteils geschmolzenen Eiswürfeln von meinem Fuß und drehe ihn im Kreis. »Geht schon wieder.« Ich schüttele den Kopf. »Der wird schneller wieder fit als mein Ego. Wie konnte ich meiner Mutter so was antun?« Ich lege die

15

Tüte mit Eiswasser auf den Boden und erhebe mich vom Sofa. »Auf einer Skala von eins bis zehn, Shel, wie schlimm war ich?«

Sie winkt ab. »Ich hab allen erzählt, dass du unter Erschöpfung leidest. Haben sie mir abgekauft. War auch nicht besonders schwer, denn du sahst aus, als hättest du seit Wochen nicht geschlafen.« Sie wirft einen Blick auf die Uhr. »Hör zu, Jay und ich machen uns gleich auf den Weg, es ist schon nach sieben.«

In der Eingangshalle sehe ich Jay, der vor seinem dreijährigen Sohn kniet und die Arme von Trevor in eine grellgelbe Regenjacke schiebt, in der der Kleine aussieht wie ein Feuerwehrmann in Miniatur. Als seine kristallblauen Augen mich entdecken, quietscht er: »Tante Bwett!«

Mein Herz tut einen Hüpfer, und ich hoffe im Stillen, dass mein Neffe niemals lernt, das *R* auszusprechen. Ich gehe zu ihm und wuschele durch seine Haare. »Wie geht's meinem großen Jungen?«

Jay hakt den Metallverschluss an Trevors Kragen ein und richtet sich auf. »Da ist sie ja.« Wenn mein Bruder nicht die verräterischen Krähenfüße über seinen Lachgrübchen hätte, sähe er eher aus wie sechsundzwanzig als wie sechsunddreißig. Er legt den Arm um mich. »Ausgeschlafen?«

»Tut mir wirklich leid«, sagte ich und wische die verschmierte Wimperntusche unter meinem Auge weg.

Er drückt mir einen Kuss auf die Stirn. »Kein Problem. Uns ist allen klar, dass es für dich am schwersten ist.«

Damit meint er, dass ich von den drei Bohlinger-Kindern als einzige noch keine eigene Familie habe. Mama hat mir am meisten bedeutet. Mein Bruder hat Mitleid mit mir.

»Wir trauern doch alle«, sage ich und löse mich von ihm.

»Aber du warst ihre Tochter«, sagt mein ältester Bruder Joad, der gerade um die Ecke in die Eingangshalle kommt. Sein drahtiger Körper verschwindet fast hinter einem gewaltigen Blumenstrauß. Anders als Jay, der seine schütteren Strähnen streng nach hinten kämmt, rasiert Joad sich den Schädel glatt wie ein Ei, was ihm zusammen mit seiner randlosen Brille das Aussehen eines hippen Künstlers verleiht. Er gibt mir einen Kuss auf die Wange. »Ihr beide hattet eine besondere Beziehung. Jay und ich hätten es ohne dich nicht geschafft, besonders zum Ende hin.«

Das stimmt. Als bei Mama im vergangenen Frühjahr Eierstockkrebs diagnostiziert wurde, überzeugte ich sie, mit meiner Unterstützung dagegen zu kämpfen. Ich war diejenige, die sie nach der Operation pflegte, die bei jeder Chemo neben ihr saß, die auf eine zweite, dann eine dritte Meinung bestand. Und als sich alle Experten einig waren, dass Mama kaum Chancen hatte, war ich bei ihr, als sie beschloss, die strapaziöse Behandlung zu beenden.

Jay drückt mir die Hand, seine blauen Augen glänzen vor Tränen. »Wir sind für dich da. Das weißt du doch, oder?«

Ich nicke und ziehe ein Taschentuch heraus.

Shelley kommt in die Eingangshalle, Emmas Kindersitz in der Hand, und unterbricht unsere stille Trauer. »Schatz, könntest du den Elefantenbaum mitnehmen, den meine Eltern geschenkt haben?«, fragt sie ihren Mann und wirft erst Joad, dann mir einen kurzen Blick zu. »Ihr wollt ihn doch nicht haben, oder?«

Joad weist mit dem Kinn auf den Blumenstrauß in seinen Armen, falls sie ihn übersehen haben sollte. »Hab selbst die Hände voll.«

»Ihr könnt ihn haben«, sage ich und staune, dass sich jemand Gedanken um eine Pflanze macht, wo unsere Mutter doch gerade erst gestorben ist.

Meine Geschwister verlassen mit ihren Angetrauten das Brownstone-Haus und treten in den nebligen Septemberabend, während ich in der Palisandertür stehe, wie Mama es immer tat. Catherine geht als letzte. Sie schiebt ein Hermès-Tuch in ihre Wildlederjacke.

»Bis morgen«, sagt sie und drückt mir einen rosafarbenen Kuss auf die Wange.

Ich stöhne. Als ob es nicht schon genug Spaß macht zu entscheiden, wer welche Pflanze bekommt, wird am nächsten Morgen um halb elf das gesamte Vermögen unserer Mutter an ihre Kinder verteilt, wie auf einer Feier zur Verleihung des Bohlinger-Preises. In wenigen Stunden werde ich Geschäftsführerin von Bohlinger Cosmetics und damit Catherines Chefin sein – und ich bin alles andere als überzeugt, ob ich damit umgehen kann.

Die stürmische Nacht findet irgendwann ein Ende und weicht einem wolkenlosen blauen Morgen. Ein gutes Omen, finde ich. Auf dem Rücksitz eines Lincoln Town Car blicke ich durch die Scheibe auf das aufgewühlte Ufer des Lake Michigan und gehe im Kopf durch, was ich sagen werde: *Oh, ich bin überwältigt! Was für eine Ehre! Ich werde unsere Mutter niemals ersetzen können, aber ich werde mein Bestes tun, um die Firma weiter voranzubringen.*

Mein Kopf dröhnt, und ich schimpfe wieder mit mir, den verfluchten Champagner getrunken zu haben. Was habe ich mir nur dabei gedacht? Mir geht es nicht gut – nicht nur körperlich. Wie konnte ich das meiner Mutter bloß antun? Und wie soll ich erwarten, dass meine Geschwister mich noch ernst nehmen? Ich hole den Kompaktpuder aus der Handtasche und betupfe meine Wangen. Heute muss ich gefasst und tüchtig wirken – wie eine Geschäftsführerin eben. Meine Brüder müssen spüren, dass ich mit der Verantwortung umgehen kann, auch wenn ich nicht immer in der Lage bin, mit Alkohol umzugehen. Werden sie stolz auf ihre kleine Schwester sein, die mit vierunddreißig von der Werbefachfrau zur Direktorin eines großen Unternehmens wird? Ich glaube schon, trotz des Debakels vom Vortag. Sie sind selbst in ihren Berufen erfolgreich, und, abgesehen von ihren Aktien, haben sie nur wenig mit dem Familienbetrieb zu tun. Shelley ist Logopädin und als Mama voll beschäftigt. Es ist ihr piepegal, wer die Firma ihrer Schwiegermutter führt.

Es ist Catherine, vor der ich Angst habe.

Meine Schwägerin, Absolventin der angesehenen Wharton

School of Business und Mitglied der amerikanischen Synchronschwimmermannschaft bei den Olympischen Spielen 1992, hat den Grips, die Beharrlichkeit und den Ehrgeiz, drei Firmen gleichzeitig zu leiten. In den vergangenen zwölf Jahren war sie stellvertretende Geschäftsführerin von Bohlinger Cosmetics und Mamas rechte Hand. Ohne Catherine wäre das Unternehmen ein kleines, wenn auch florierendes Heimgewerbe geblieben. Doch als Catherine an Bord kam, überzeugte sie Mama, das Angebot zu vergrößern. Anfang 2002 erfuhr Catherine von einer neuen Kategorie der Oprah Winfrey Show, die »Meine Empfehlungen« heißen sollte. Einundzwanzig Wochen nacheinander schickte sie exklusiv verpackte Pakete mit Bohlingers organischen Seifen und Cremes ins Fernsehstudio, zusammen mit Fotos und Zeitungsartikeln über die Firma, die umweltfreundlich nur mit Naturprodukten arbeitet. Als Catherine gerade die zweiundzwanzigste Lieferung vorbereitete, rief Oprah Winfreys Produktionsfirma an. Die Talkmasterin hätte Bohlingers organische Gesichtsmaske mit Schwarztee und Traubenkernen ausgewählt und wolle sie in der Show empfehlen.

Die Folge wurde gesendet, und die Verkaufszahlen explodierten. Plötzlich wollte jedes Schönheitsstudio und jedes hochwertige Kaufhaus die Bohlinger-Linie haben. Innerhalb von sechs Monaten wurde die Produktion vervierfacht. Drei große Firmen boten fast unanständige Summen, um Bohlinger Cosmetics vom Fleck weg zu kaufen, doch Catherine überzeugte meine Mutter, das Unternehmen zu behalten. Stattdessen eröffnete sie Läden in New York, L. A., Dallas und Miami; zwei Jahre später expandierte sie auf die Märkte in Übersee. Auch wenn ich mir gerne einbilden würde, dass mein Marketingtalent zum Erfolg beitrug, wurde die Firma in erster Linie durch Catherine Humphries-Bohlinger zu einem millionenschweren Konzern.

Das ist unbestritten. Catherine ist die Bienenkönigin, und als Leiterin der Marketingabteilung bin ich bis jetzt eine ihrer loyalen Arbeiterinnen gewesen. Aber in wenigen Minuten werden wir die Rollen tauschen. Ich werde Catherines Chefin werden – eine Vorstellung, die mir eine Heidenangst einjagt.

Als meine Mutter im vergangenen Juni mit ihrer Chemotherapie kämpfte und nur noch selten bei Bohlinger Cosmetics auftauchte, rief mich Catherine in ihr Büro.

»Es ist wichtig, dass du einen Überblick über das Unternehmen bekommst, Brett«, sagte sie, die Hände vor sich gefaltet auf ihrem Kirschbaumschreibtisch. »So gerne wir auch die Augen davor verschließen möchten, aber unser Leben wird sich ändern. Du musst auf deine Rolle vorbereitet sein.«

Sie glaubte, meine Mutter würde sterben! Wie konnte sie bloß vom Schlimmsten ausgehen? Aber Catherine war realistisch, sie irrte sich nur selten. Ich erschauderte.

»Die Firmenanteile deiner Mutter werden in deinen Besitz übergehen, wenn sie verstirbt. Schließlich bist du ihre einzige Tochter und das einzige Kind, das in der Firma arbeitet. Und du bist hier länger angestellt als jeder andere.«

Ich hatte einen Kloß im Hals. Meine Mutter prahlte immer, dass ich noch Windeln trug, als ich zur Firma stieß. Sie stopfte mich in die Babytrage, hievte mich auf den Rücken, und dann zog sie los, um in den ortsansässigen Läden und auf Bauernmärkten ihre Seifen und Cremes anzupreisen.

»Und als Mehrheitsaktionärin«, fuhr Catherine fort, »hast du Anrecht auf die Position der Geschäftsführerin.«

Irgendetwas in ihrem kühlen, gefassten Tonfall brachte mich auf die Frage, ob sie das störte. Aber wer wollte es ihr verübeln? Die Frau war hervorragend. Und ich – ich war zufällig Elizabeths Tochter.

»Ich werde dich darauf vorbereiten – nicht dass du nicht schon so weit wärst, aber ein bisschen mehr Einblick tut immer gut.« Sie öffnete ihren Kalender im Computer. »Wir können morgen früh anfangen, Punkt acht.« Das war keine Frage, das war ein Befehl.

Also setzte ich mich jeden Morgen auf einen Stuhl neben Catherine und hörte zu, wie sie mir die Geschäftskontakte in Übersee, die internationale Steuergesetzgebung und die täglichen Abläufe in der Firma erklärte. Sie schickte mich zu einem einwöchigen Seminar an der Harvard Business School, damit ich die neuesten Managementkniffe lernte, und schrieb mich in Internet-Workshops zu Themen wie Budgetstraffung oder Mitarbeiterführung ein. Auch wenn ich mich oft überrumpelt fühlte, erwog ich nie auszusteigen. Ich würde mich geehrt fühlen, die Krone zu tragen, die bisher meiner Mutter gehört hatte. Ich hoffte bloß, dass meine Schwägerin nicht bedauern würde, mir beim Polieren geholfen zu haben.

Der Fahrer meiner Mutter setzt mich an der Randolph Street 200 ab, und ich schaue an dem Gebäude aus Granit und Stahl hinauf, dem Aon Center von Chicago. Büroräume in diesem Wolkenkratzer müssen ein Vermögen kosten. Mamas Anwalt ist offenbar kein Versager. Ich fahre hinauf in den 32. Stock, und um Punkt zehn Uhr dreißig führt mich Claire, eine attraktive Rothaarige, in Mr Midars Büro, wo meine Brüder und ihre Frauen bereits an einem rechteckigen Mahagonitisch sitzen.

»Darf ich Ihnen einen Kaffee bringen, Ms Bohlinger?«, fragt Claire. »Oder vielleicht einen Tee? Wasser?«

»Nein, danke.« Ich nehme den Stuhl neben Shelley und schaue mich um. Mr Midars Büro ist eine eindrucksvolle Mischung aus Alt und Neu. Die Einrichtung selbst ist kühl-modern, Granit und Glas, jedoch aufgelockert durch Orientteppiche und einige antike Möbelstücke. Der Raum wirkt übersichtlich und beruhigend.

»Nett hier«, bemerke ich.

»Ja, oder?«, sagt Catherine auf der anderen Seite des Tisches.

»Ich liebe Stone-Architektur.«

»Ich auch. Hier wurde ja genug Granit für einen ganzen Steinbruch verbraucht.«

Catherine schmunzelt, als sei ich ein Dreikäsehoch, der gerade einen Witz gemacht hat. »Ich meinte Edward Durell Stone«, sagt sie. »Den Architekten.«

»Ah, ja.« Gibt es denn nichts, was diese Frau nicht weiß? Statt mich zu beeindrucken, gibt mir Catherines Intelligenz immer das Gefühl, dumm zu sein, ihre Stärke vermittelt mir das Gefühl, schwach zu sein, und durch ihr Können fühle ich mich so überflüssig wie Shapewear am Körper von Victoria Beckham. Ich habe Catherine wirklich gern, aber meine Minderwertigkeitskomplexe beeinträchtigen diese Zuneigung – ob aufgrund meiner Unsicherheit oder Catherines Arroganz, weiß ich nicht genau. Meine Mutter sagte mal zu mir, ich besäße Catherines Verstand, aber nur einen Bruchteil ihres Selbstbewusstseins. Dann flüsterte sie: »Gott sei Dank.« Es war das einzige Mal, das ich sie schlecht über die ach so kluge Katharina die Große reden hörte, aber diese kleine unzensierte Bemerkung spendet mir unglaublichen Trost.

»Ursprünglich wurde das Gebäude für die Standard Oil Company errichtet«, fährt sie fort, als würde es mich interessieren. »1973, wenn ich mich nicht irre.«

Jay rollt auf seinem Stuhl zurück, aus Catherines Gesichtsfeld heraus, und gähnt demonstrativ. Joad hingegen ist ganz gefesselt vom Wissen seiner Frau.

»Sehr gut, Schatz. Das dritthöchste Gebäude in Chicago«, sagt er und sieht Catherine an, als warte er auf Bestätigung. Auch wenn mein großer Bruder einer der angesehensten jungen Architekten dieser Stadt ist, spüre ich doch, dass auch er ein wenig eingeschüchtert ist von den Talenten der Frau, die er geheiratet hat. »Größer sind nur der Trump Tower und der Willis Tower.«

Catherine sieht mich an. »Der Willis Tower, weißt du? Der ehemalige Sears Tower.«

»Der Sears Tower?«, frage ich und reibe mir mit gespielter Verwunderung das Kinn. »Wofür braucht ein Kaufhaus wie Sears so einen riesigen Turm?«

Jay auf der anderen Seite des Tisches grinst. Aber Catherine beäugt mich, als sei sie nicht ganz sicher, ob ich scherze. Dann fährt sie mit ihrer Lektion fort. »Dieses Gebäude hat dreiundachtzig Stockwerke und ...«

Der Vortrag zum Thema Architektur findet ein abruptes Ende, als die Tür aufgeht und ein großer Mann mit zerzaustem Haar leicht atemlos hereinkommt. Er muss um die vierzig sein. Er fährt sich mit der Hand durchs dunkle Haar und rückt seine Krawatte zurecht. »Hallo, alle zusammen«, grüßt er und begibt sich an den Tisch. »Ich bin Brad Midar. Tut mir leid, dass Sie warten mussten.« Er geht um den Tisch herum und reicht jedem von uns die Hand, während wir uns mit Namen vorstellen. Sein eindringlicher Blick wird von einem leichten Überbiss gemildert, der ihm einen jungenhaften Charme verleiht. Ich frage mich, ob meine Brüder dasselbe denken wie ich. Warum hat unsere Mutter diesen jungen Hüpfer engagiert, einen völlig Fremden, statt Mr Goldblatt zu nehmen, der seit Jahren der Anwalt unserer Familie ist?

»Ich komme gerade von einem Termin auf der anderen Seite der Stadt«, erklärt Midar und setzt sich auf den Stuhl am Kopfende, mir schräg gegenüber. »Ich habe nicht damit gerechnet, dass es so lange dauert.«

Er legt eine Aktenmappe auf den Tisch. Ich schiele zu Catherine hinüber, die mit Stift und Block dasitzt, um sich Notizen zu machen. Ich zucke zusammen. Warum habe ich nicht daran gedacht, mir Notizen zu machen? Wie will ich ein großes Unternehmen leiten, wenn ich noch nicht mal an einen Schreibblock denken kann?

Mr Midar räuspert sich. »Zuerst einmal möchte ich Ihnen sagen, wie leid mir Ihr Verlust tut. Ich habe Elizabeth sehr gemocht. Wir haben uns erst im Mai kennengelernt, direkt nach ihrer Diagnose, aber irgendwie habe ich das Gefühl, als hätte ich sie sehr lange gekannt. Ich konnte gestern nach der Beerdigung leider nicht lange beim Essen bleiben. Aber ich möchte gerne sagen, dass ich als ihr Freund da war, nicht nur als Anwalt.«

Auf der Stelle mag ich diesen Mann, der sich Zeit genommen hat, zur Beerdigung meiner Mutter zu gehen – einer Frau, die er höchstens sechzehn Wochen lang gekannt hat. Ich denke an den Anwalt in meinem Leben, meinen Freund Andrew, der meine Mutter seit vier Jahren kannte, aber sich keine Zeit freischaufeln konnte, um an dem Essen gestern teilzunehmen. Ich verdränge den Kummer. Immerhin steckt Andrew mitten in einem Prozess. Und er hatte sich ja für die Beerdigung frei genommen.

»Gleichwohl«, fährt Mr Midar fort, »fühle ich mich geehrt, als ihr Nachlassverwalter zu fungieren. Sollen wir beginnen?«

Eine Stunde später verfügen die von meiner Mutter bevorzugten Wohltätigkeitsorganisationen über deutlich mehr Kapital, und Jay und Joad Bohlinger sind so reich, dass sie für den Rest des Lebens die Hände in den Schoß legen könnten. Wie hat Mama nur so viel Geld anhäufen können?

»Brett Bohlinger wird ihr Erbe zu einem späteren Zeitpunkt antreten.« Mr Midar nimmt die Lesebrille ab und schaut mich an. »Hier ist ein Sternchen. Das erkläre ich später genauer.«

»Gut«, sage ich und kratze mich am Kopf. Warum wollte Mama mir mein Erbe nicht direkt geben? Vielleicht hat sie das in dem kleinen roten Tagebuch erklärt, das sie mir hinterlassen hat. Doch dann dämmert es mir. Ich soll die ganze Firma bekommen, die inzwischen Millionen wert ist. Gott allein weiß, wie sie sich unter meiner Führung machen wird. Ein dumpfer Schmerz sticht mir in den Schläfen.

»Als nächstes geht es um das Haus Ihrer Mutter.« Mr Midar setzt seine Lesebrille wieder auf, sucht die betreffende Stelle in seinen Unterlagen und liest vor: »North Astor Street 113 und der gesamte Hausrat werden zwölf Monate lang unangetastet bleiben. Weder das Gebäude noch das Mobiliar dürfen in dieser Zeit verkauft oder vermietet werden. Meine Kinder dürfen das Haus höchstens dreißig Tage in Folge bewohnen, aber gerne Gegenstände für ihren persönlichen Bedarf verwenden.«

»Im Ernst?« Joad sieht Mr Midar fragend an.»Wir haben doch alle selbst ein Haus. Wir müssen ihres nicht behalten.«

Ich spüre, dass ich rot anlaufe, und senke den Blick auf meine Fingernägel. Mein Bruder ist offensichtlich der Meinung, ich sei Miteigentümerin der Wohnung, in der ich mit Andrew lebe. Auch wenn ich dort wohne, und mehr Geld hineingesteckt habe als er, seit Andrew sie vor drei Jahren gekauft hat, stehe ich nicht mit im Grundbuch. Technisch gesehen gehört sie ihm. Das stört mich auch nicht, meistens jedenfalls nicht. Geld ist mir nie wichtig gewesen, anders als für Andrew.

»Bruderherz, das ist Mamas Testament«, sagt Jay in seinem gutmütigen Ton.»Wir müssen ihren Wunsch respektieren.«

Joad schüttelt den Kopf.»Ach, das ist doch verrückt! Zwölf Monate lang exorbitante Steuern zahlen. Ganz zu schweigen von dem Unterhalt des alten Dinosauriers.«

Jetzt schüttele ich den Kopf. Joad hat das Temperament unseres Vaters geerbt: entscheidungsfreudig, pragmatisch, frei von Sentimentalitäten. Seine ungerührte Art kann von Vorteil sein, beispielsweise in der vergangenen Woche, als es darum ging, die Beerdigung vorzubereiten. Aber jetzt wirkt er respektlos. Würde es Joad überlassen, hätte er wahrscheinlich bis zum Abend ein Schild mit der Aufschrift ZU VERKAUFEN im Vorgarten und einen Container in die Einfahrt gestellt. Stattdessen werden wir nun Zeit haben, Mamas Habseligkeiten zu sichten und uns nachdenklich von einem Teil nach dem anderen zu verabschieden. Für Andrews Geschmack ist das Haus zu altbacken, aber es ist möglich, dass einer meiner Brüder sich doch noch entschließt, Mamas geliebten Besitz zu übernehmen.

In dem Jahr, als ich an die Northwestern University wechselte, erwarb Mama das heruntergekommene Brownstone, das gerade zwangsversteigert werden sollte. Mein Vater schimpfte, sie sei verrückt, sich so ein gewaltiges Projekt aufzuhalsen. Aber da war er schon nicht mehr ihr Ehemann. Mama war frei, ihre eigenen Entscheidungen zu treffen. Sie sah etwas Besonderes in dem

Haus, trotz morscher Decken und schäbiger Bodenbeläge. Es brauchte Jahre des Verzichts und harter Arbeit, aber schließlich setzten sich Mamas Beharrlichkeit und ihr Weitblick durch. Heute ist das Haus aus dem neunzehnten Jahrhundert im heiß begehrten Gold-Coast-Viertel von Chicago ein Vorzeigeobjekt. Meine Mutter, Tochter eines Stahlarbeiters, machte immer gerne Witze, sie sei wie Louise Jefferson von ihrer Heimatstadt Gary in Indiana »aufgestiegen«. Es ist schade, dass mein Vater nicht lange genug lebte, um die spektakuläre Umwandlung des Hauses – und der Frau – zu sehen, die er meiner Meinung nach immer unterschätzt hatte.

»Sind Sie sicher, dass unsere Mutter vollkommen zurechnungsfähig war, als sie das Testament aufsetzte?«, unterbricht Joad meine Gedanken.

Das Lächeln des Anwalts hat etwas Verschwörerisches. »Oh, sie war völlig zurechnungsfähig, und wie. Ich darf Ihnen versichern, dass Ihre Mutter sehr genau wusste, was sie tat. Ganz im Gegenteil, ich habe noch nie eine so ausführliche Planung erlebt.«

»Machen wir weiter«, sagt Catherine, ganz die Managerin. »Um das Haus kümmern wir uns, wenn es so weit ist.«

Mr Midar räuspert sich. »Gut, kommen wir jetzt zu Bohlinger Cosmetics?«

Mein Kopf dröhnt, ich spüre vier Augenpaare auf mir. Wieder erinnere ich mich an den Zwischenfall vom Vortag und werde starr vor Panik. Welche Geschäftsführerin betrinkt sich auf dem Beerdigungsessen ihrer Mutter? Ich habe diese Ehre nicht verdient. Aber jetzt ist es zu spät. Wie eine für einen Oscar nominierte Schauspielerin bemühe ich mich, ein neutrales Gesicht zu machen. Catherine sitzt mit gezücktem Stift neben mir, um auch noch das letzte Detail der Testamentsregelung festzuhalten. Ich gewöhne mich besser schon mal daran. Untergebene oder nicht, diese Frau wird mich den Rest meines Berufslebens im Auge haben.

»Meine Anteile an Bohlinger Cosmetics sowie der Titel der Geschäftsführerin gehen an meine …«

Ganz locker bleiben. Nicht Catherine ansehen.

»… Schwiegertochter«, höre ich wie im Traum. »Catherine Humphries-Bohlinger.«

2

»Wie bitte?«, stoße ich hervor. Schlagartig wird mir klar, dass ich den verfluchten Oscar nicht gewonnen habe, und zu meinem Entsetzen benehme ich mich alles andere als huldvoll. Ganz im Gegenteil, ich bin unverhohlen angepisst.

Mr Midar sieht mich über seine Schildpattbrille hinweg an. »Entschuldigung? Soll ich das noch mal wiederholen?«

»J…ja«, stammele ich, und meine Augen wandern in der Hoffnung auf demonstrative Gesten der Unterstützung von einem Familienmitglied zum anderen. Jays Blick ist voller Mitleid, aber Joad gelingt es nicht, mich anzusehen. Er kritzelt auf seinem Block herum, sein Kiefer zuckt unkontrolliert. Und Catherine, nun ja, die hätte wirklich Schauspielerin werden können, denn ihr ungläubiger Gesichtsausdruck wirkt völlig überzeugend.

Mr Midar beugt sich zu mir herüber und sagt langsam, als wäre ich eine kranke alte Frau:»Die Firmenanteile Ihrer Mutter gehen an Ihre Schwägerin Catherine.« Er hält mir das offizielle Dokument hin.»Sie bekommen alle eine Kopie des Schriftstücks, aber Sie dürfen gerne hier Einblick nehmen.«

Empört winke ich ab und bemühe mich, erst mal ruhig zu atmen.»Nein, danke«, bringe ich hervor.»Machen Sie bitte weiter. Tut mir leid.« Ich lasse mich nach hinten sinken und beiße mir auf die Lippe, um nicht zu zittern. Da muss irgendwo ein Fehler vorliegen. Ich … ich habe mich so angestrengt. Ich wollte, dass sie stolz auf mich ist. Hat Catherine mir eine Falle gestellt? Nein, so gemein wäre sie nicht.

»Das wäre es im Großen und Ganzen zu diesem Teil der Testamentsverkündung. Ich muss mit Brett noch etwas unter vier Augen besprechen.« Midar sieht mich an. »Haben Sie jetzt Zeit, oder sollen wir einen gesonderten Termin vereinbaren?« Ich habe mich im Nebel verloren, suche einen Weg nach draußen. »Heute geht schon«, sagt eine Stimme, die annähernd wie meine klingt.

»Also gut.« Er sieht alle am Tisch an. »Noch Fragen, bevor wir Schluss machen?«

»Bei uns ist alles geklärt«, sagt Joad. Er erhebt sich vom Stuhl und begibt sich zur Tür wie ein Gefangener zum Hofgang. Catherine prüft auf ihrem Handy, ob sie Nachrichten bekommen hat, und Jay schüttelt Midar überschwänglich die Hand. Mich streift er mit einem kurzen Blick, schaut aber schnell beiseite. Zweifellos ist es meinem Bruder peinlich. Und mir ist schlecht. Die einzige, die mir nicht ausweicht, ist Shelley mit ihren ungezähmten braunen Locken und den liebevollen grauen Augen. Sie breitet die Arme aus und zieht mich an sich. Nicht einmal sie weiß, was sie sagen soll.

Nacheinander geben auch Shelley und Joad dem Anwalt die Hand, derweil hocke ich schweigend daneben wie ein aufmüpfiger Schüler, der nachsitzen muss. Kaum sind die anderen weg, schließt Mr Midar die Tür. Es ist so leise, dass ich das Blut in meinen Schläfen rauschen höre. Midar nimmt wieder seinen Platz am Kopfende ein, so dass wir im rechten Winkel zueinander sitzen. Sein Gesicht ist glatt und gebräunt, die braunen Augen passen nicht so recht zu seinen kantigen Zügen.

»Ist alles in Ordnung?«, fragt er, als erwarte er tatsächlich eine Antwort. Er lässt sich bestimmt stundenweise bezahlen.

»Mir geht's gut«, erwidere ich. *Arm, verwaist und gedemütigt, aber mir geht's gut. Wirklich.*

»Ihre Mutter machte sich Sorgen, dass der heutige Tag für Sie besonders schwer werden würde.«

»Ach ja?«, sage ich mit einem verbitterten Lachen. »Sie hat

wirklich gedacht, es würde mich verletzen, aus ihrem Testament gestrichen zu werden?«

Er tätschelt mir die Hand. »Das stimmt so nicht ganz.«

»Ich bin ihre einzige Tochter und bekomme nichts. Nada. Nicht mal ein symbolisches Möbelstück. Ich bin ihre Tochter, verdammt nochmal.«

Ich entziehe ihm meine Hand und vergrabe sie in meinem Schoß. Mein Blick fällt auf meinen Smaragdring, schweift ab zu meiner Rolex und bleibt schließlich an dem Armband von Cartier hängen. Ich schaue auf und sehe so etwas wie Abscheu über Mr Midars hübsches Gesicht huschen.

»Ich weiß, was Sie denken«, sage ich. »Sie denken, ich bin egoistisch und verwöhnt. Sie meinen, es ginge mir nur um Geld oder Macht.« Mir schnürt sich die Kehle zu. »Aber die Sache ist so: Gestern wollte ich nur eines haben, nämlich Mamas Bett. Mehr nicht. Ich wollte einfach nur ihr antikes, altes …« Ich reibe mir den Hals. »… Bett, um mich hineinzulegen und sie zu spüren …«

Zu meinem Entsetzen fange ich an zu weinen. Anfangs zaghaft, dann wird mein Wimmern zu einem hässlichen Schluchzen. Midar stürzt zu seinem Schreibtisch, sucht nach Taschentüchern. Er reicht mir eins und tätschelt mir den Rücken, während ich mich bemühe, mich zusammenzureißen. »Entschuldigung«, bringe ich hervor. »Das ist alles … sehr schwer für mich.«

»Das verstehe ich.« Der traurige Schatten, der über sein Gesicht gleitet, macht mir Hoffnung, dass er es ehrlich meint.

Ich tupfe meine Augen trocken. *Tief durchatmen.* »Gut«, sage ich. Jeden Moment kann ich erneut die Fassung verlieren. »Sie sagten, Sie müssten noch etwas mit mir besprechen.«

Der Anwalt zieht einen zweiten Aktenordner aus einer Ledermappe und legt ihn vor mich auf den Tisch. »Für Sie hat Elizabeth sich etwas anderes überlegt.«

Er schlägt den Ordner auf und reicht mir einen vergilbten Zettel. Ich betrachte ihn. Er ist glattgestrichen, man sieht, dass er einmal zerknüllt gewesen sein muss. »Was ist das?«

»Eine Liste mit Lebenszielen«, erwidert er. »*Ihre Liste.*«
Es dauert eine Weile, bevor mir klarwird, dass es tatsächlich meine Handschrift ist. Die geschwungene Handschrift einer Vierzehnjährigen. Offenbar hatte ich eine Liste mit Lebenszielen verfasst, auch wenn ich mich nicht daran erinnern kann. Neben einigen Punkten entdecke ich Kommentare meiner Mutter.

Meine Lebensziele
1.* Ein Kind bekommen, vielleicht zwei
2. ~~Nick Nicol küssen~~
3. ~~Bei den Cheerleadern aufgenommen werden~~ *Glückwunsch! War das wirklich so wichtig?*
4. ~~Beste Noten bekommen~~ *Perfektion wird überschätzt*
5. ~~Skifahren in den Alpen~~ *Was hatten wir für einen Spaß!*
6.* Einen Hund anschaffen
7. ~~Die Antwort wissen, wenn Schwester Rose mich drannimmt, weil ich mit Carrie getuschelt habe~~
8. ~~Nach Paris fliegen~~ *Ach, diese wunderschönen Erinnerungen!*
9.* Für immer die Freundin von Carrie Newsome sein!
10. ~~An die Northwestern University gehen~~ *Ich bin so stolz auf meine Tochter!*
11. ~~Immer freundlich und höflich sein~~ *Weiter so!*
12.* Armen Menschen helfen
13.* Ein richtig schönes Haus kaufen
14.* Ein Pferd kaufen
15. ~~Bei einem Stierrennen mitlaufen~~ *Das lässt du schön bleiben!*
16. ~~Französisch lernen~~ *Très bien!*
17.* Mich in den Richtigen verlieben
18.* Live auftreten, auf einer richtig großen Bühne
19.* Eine gute Beziehung zu meinem Vater haben
20.* Eine tolle Lehrerin werden!

»Hm«, mache ich und überfliege die Liste. »Nick Nicol küssen. Cheerleader werden ...« Lächelnd schiebe ich sie zu Mr Midar zurück. »Niedlich. Wo haben Sie die her?«

»Von Elizabeth. Sie hat sie all die Jahre aufbewahrt.«

Ich lege den Kopf schräg. »Ähm ... was? Sie hat mir meine alte Liste mit Lebenszielen hinterlassen? Die bekomme ich?«

Mr Midar lächelt nicht. »So ungefähr.«

»Was soll das?«

Er rückt mit seinem Stuhl näher an mich heran. »Also, es geht um Folgendes: Elizabeth fand diese Liste vor vielen Jahren im Mülleimer bei Ihnen zu Hause. Nach und nach hakte sie Ziele ab, wann immer Sie eins erreicht hatten.« Er weist auf *Französisch lernen*. »Sehen Sie?«

Meine Mutter hatte die Worte durchgestrichen und *Très bien* dahinter geschrieben.

»Aber zehn Punkte auf der Liste sind noch offen.«

»Das ist doch albern. Das sind ganz andere Ziele, als ich heute habe.«

Mr Midar schüttelt den Kopf. »Ihre Mutter fand, dass sie auch heute noch gültig sind.«

Ich verziehe das Gesicht, beleidigt, dass sie mich nicht besser kannte. »Tja, da hat sie sich aber geirrt.«

»Sie möchte gerne, dass Sie die Liste vervollständigen.«

Mir fällt die Kinnlade runter. »Das soll ja wohl ein Witz sein!« Ich halte ihm den Zettel vors Gesicht. »Die habe ich vor zwanzig Jahren geschrieben! Gerne füge ich mich dem Willen meiner Mutter, aber ganz bestimmt nicht bei diesen Lebenszielen!«

Er streckt die Hand aus wie ein Verkehrspolizist. »Hoho, ich bin bloß der Überbringer der Nachricht.«

Ich atme tief durch und nicke. »Tut mir leid.« Ich lasse mich zurück auf den Stuhl fallen und reibe mir die Stirn. »Was hat sie sich nur dabei gedacht?«

Mr Midar blättert in der Akte und zieht einen blassrosa Umschlag hervor. Ich erkenne ihn sofort. Mamas Lieblingsschreibpapier von Crane. »Elizabeth hat Ihnen einen Brief geschrieben und mich gebeten, ihn laut vorzulesen. Fragen Sie mich nicht, warum ich Ihnen den nicht einfach geben darf. Sie hat darauf bestanden, dass er vorgelesen wird.« Er grinst mich verschmitzt an. »Sie können doch lesen, oder?«

Ich verkneife mir ein Lächeln. »Hören Sie, ich habe keine Ahnung, was sich meine Mutter dabei gedacht hat. Bis heute hätte ich gesagt, wenn sie Sie gebeten hat, ihn laut vorzulesen, dann hatte sie ihre Gründe dafür. Aber seit heute halte ich mich mit solchen Aussagen lieber zurück.«

»Ich vermute, es stimmt trotzdem. Sie hatte ihre Gründe.«

Als der Anwalt den Umschlag aufschlitzt, bekomme ich Herzklopfen. Ich zwinge mich, aufrecht zu sitzen, und falte die Hände im Schoß.

Midar rückt seine Lesebrille zurecht und räuspert sich.

»Liebe Brett, zuerst einmal möchte ich Dir sagen, wie unglaublich leid mir alles tut, was Du in den vergangenen vier Monaten durchmachen musstest. Du warst mein Rückgrat, meine Seele, und ich danke Dir dafür. Ich wollte Dich noch nicht verlassen. Wir hatten noch so viel vor, nicht wahr? Aber Du bist stark, Du wirst das überstehen, Du wirst sogar aufblühen, auch wenn Du mir das jetzt nicht glaubst. Ich weiß, dass Du heute traurig bist. Lass die Traurigkeit eine Zeitlang bei Dir verweilen.

Ich wäre so gerne bei Dir, um Dich in dieser Zeit der Trauer zu begleiten. Ich würde Dich in die Arme nehmen und Dich fest drücken, bis Du keine Luft mehr bekommst, so wie früher, als Du klein warst. Oder ich würde Dich zum Essen einladen. Wir würden uns einen gemütlichen Tisch im The Drake *suchen, und ich würde mir Deine Ängste und Sorgen anhören, würde Dir über den Arm streicheln, damit Du spürst, dass mich Deine Sorgen berühren.«*

Midars Stimme klingt leicht belegt. Er sieht mich an. »Alles in Ordnung?«

Ich nicke, unfähig zu sprechen. Er drückt mir den Arm, bevor er weiterliest.

»Du musst heute sehr verwirrt gewesen sein, als Deine Brüder ihr Erbe bekamen, aber Du nicht. Und ich kann mir nur ansatzweise vorstellen, wie wütend Du gewesen sein musst, als Catherine den Hauptgewinn bekam. Aber vertrau mir. Ich weiß, was ich tue, es ist alles in Deinem besten Interesse.«

Midar lächelt mich an. »Ihre Mutter hat Sie sehr geliebt.«

»Ich weiß«, flüstere ich und lege die Hand auf meine bebende Unterlippe.

»Vor ungefähr zwanzig Jahren wollte ich eines Tages Deinen Papierkorb leeren und entdeckte diesen zerknüllten Notizzettel darin. Ich war natürlich zu neugierig, um ihn wegzuwerfen. Du kannst Dir bestimmt vorstellen, wie ich mich freute, als ich ihn glättete und entdeckte, dass Du eine Liste mit Lebenszielen verfasst hattest. Ich weiß nicht genau, warum Du sie weggeworfen hast, denn ich finde sie großartig. Ich habe Dich an dem Abend damals danach gefragt, weißt Du noch?«

»Nein«, sage ich laut.

»Du hast zu mir gesagt, Träume wären nur was für Spinner. Du sagtest, Du würdest nicht an Träume glauben. Ich denke, es könnte etwas mit Deinem Vater zu tun gehabt haben. An dem Nachmittag hätte er Dich eigentlich zu einem Ausflug abholen sollen, aber er kam nicht.«

Ein Schmerz fährt mir ins Herz, es ballt sich zu einer Kugel aus Scham und Wut zusammen. Ich beiße mir auf die Unterlippe und kneife die Augen zu. Wie oft hat mein Vater mich im Stich gelassen? Ich konnte es nicht mehr zählen. Nach den ersten zwölf Malen hätte ich es besser wissen müssen. Aber ich war zu naiv. Ich glaubte an Charles Bohlinger. Wenn ich nur fest genug glaubte, würde mein Vater ganz bestimmt auftauchen, wie der Weihnachtsmann.

»Deine Lebensziele rührten mich sehr. Manche waren lustig, wie Nr. 7. Andere voller Ernst und Mitgefühl, wie Nr. 12: Armen Menschen helfen. Du warst immer so großzügig, Brett, so eine nachdenkliche, sensible Seele. Es schmerzt mich, wenn ich

jetzt sehe, dass so viele Deiner Lebensziele unerfüllt geblieben sind.«

»Das sind nicht mehr meine Ziele, Mama. Ich habe mich verändert.«

»Natürlich hast Du Dich verändert«, liest Midar vor.

Ich reiße ihm den Brief aus der Hand. »Steht das da wirklich?«

Er weist auf die Zeile. »Ja, hier!«

Die Härchen auf meinen Armen stellen sich auf. »Seltsam. Lesen Sie weiter!«

»Natürlich hast Du Dich verändert, aber, mein Schatz, ich befürchte, dass Du Deine wahren Sehnsüchte vergessen hast. Hast Du heute überhaupt noch Ziele?«

»Aber sicher«, sage ich und zerbreche mir insgeheim den Kopf, damit mir überhaupt eins einfällt. »Vor dem heutigen Tag hatte ich gehofft, Bohlinger Cosmetics zu leiten.«

»Das Unternehmen hat nie zu Dir gepasst.«

Bevor ich nach dem Brief greifen kann, beugt sich Mr Midar vor und weist auf den Satz.

»Du meine Güte! Es ist fast so, als könnte sie mich hören.«

»Vielleicht wollte sie deshalb, dass ich den Brief vorlese, damit Sie mit ihr so eine Art Zwiegespräch führen.«

Ich trockne meine Tränen mit dem Taschentuch. »Sie hatte immer schon einen sechsten Sinn. Wenn ich Kummer hatte, brauchte ich es ihr nicht zu sagen. Sie wusste es. Und wenn ich versuchte, sie vom Gegenteil zu überzeugen, sah sie mich nur an und sagte: ›Brett, du vergisst, dass du meine Tochter bist. Ich bin der einzige Mensch, dem du nichts vormachen kannst.‹«

»Schön«, sagt Mr Midar. »So eine Beziehung ist etwas ganz Besonderes.«

Da sehe ich einen Schmerz in seinen Augen aufblitzen. »Haben Sie ein Elternteil verloren?«

»Nein, meine Eltern leben beide noch. In Champaign, südlich von Chicago.«

Aber er verrät nicht, ob sie gesund sind. Ich gehe nicht weiter darauf ein.

»*Ich bedaure es, dass ich Dich die ganzen Jahre für Bohlinger Cosmetics habe arbeiten lassen ...*«

»Mama! Vielen Dank auch!«

»*Du bist viel zu sensibel für diese Umgebung. Du bist eine geborene Lehrerin.*«

»Lehrerin? Aber ich hasse die Schule!«

»*Du hast es nie richtig ausprobiert. In jenem Jahr in Meadowdale hast Du diese schreckliche Erfahrung gemacht, weißt Du noch?*«

Ich nicke heftig. »Oh, und wie ich mich erinnere. Es war das längste Jahr meines Lebens.«

»*Und als Du weinend zu mir kamst, frustriert und voller Angst, habe ich Dich natürlich gerne mit in die Firma genommen und in der Marketingabteilung eine Stelle für Dich gefunden. Ich hätte alles dafür getan, um den Schmerz und Kummer aus Deinem hübschen Gesicht zu verbannen. Ich habe zwar von Dir gefordert, Deine Lehrbefugnis nicht abzugeben, aber ich habe zugelassen, dass Du Deinen wahren Traum preisgabst. Ich habe zugelassen, dass Du in einem bequemen, gut bezahlten Beruf arbeitetest, der Dich weder herausforderte noch wirklich fesselte.*«

»Ich mag meinen Beruf«, sage ich.

»*Angst vor Veränderung macht träge. Was mich wieder auf Deine Liste bringt. Schaue Dir bitte Deine Ziele an, während Brad weiterliest.*«

Er legt die Liste vor uns, und ich lese sie erneut, diesmal sorgfältiger.

»*Von den ursprünglich zwanzig Zielen habe ich ein Sternchen an die zehn übriggebliebenen gemacht, die Du anstreben sollst. Beginnen wir mit Nr. 1: Ein Kind bekommen, vielleicht zwei.*«

Ich stöhne. »Das ist doch verrückt!«

»*Ich habe Sorge, dass für immer ein Schatten auf Deinem Herzen liegen wird, wenn Du keine Kinder – oder zumindest eins – in*

Deinem Leben hast. Ich kenne sicherlich viele kinderlose Frauen,
die damit glücklich sind, aber ich glaube nicht, dass Du zu ihnen
gehörst. Du warst ein kleines Mädchen, das Puppen liebte und
nicht schnell genug zwölf werden konnte, um Babysitten zu
dürfen. Du warst das Mädchen, das den Kater Toby immer in die
Babydecke wickelte und weinte, wenn er sich freistrampelte und
vom Schaukelstuhl sprang. Weißt Du das noch, mein Liebling?«
Mein Lachen vermischt sich mit einem Seufzer. Mr Midar
reicht mir noch ein Taschentuch.

»Ich liebe Kinder wirklich, aber …« Ich kann den Gedanken
nicht zu Ende aussprechen. Dann müsste ich Andrew die Schuld
geben, und das wäre einfach ungerecht. Aus irgendeinem Grund
wollen die Tränen nicht versiegen. Ich kann sie einfach nicht zurückhalten. Midar wartet, bis ich schließlich auf den Brief zeige
und ihm Zeichen gebe, weiterzulesen.

»Wirklich?«, fragt er und legt mir die Hand auf den Rücken.
Ich nicke, das Taschentuch vor der Nase.
Er schaut zweifelnd drein, gehorcht aber.

»Überspringen wir Nr. 2. Ich hoffe, dass Du Nick Nicol geküsst
hast und dass es schön war.«
Ich lächele. »War es.«
Midar zwinkert mir zu, gemeinsam schauen wir auf meine
Liste.

»Machen wir weiter mit Nr. 6«, liest er. *»Einen Hund anschaf-*
fen. Ich finde, das ist eine großartige Idee! Such Dir einen Welpen
aus, Brett!«
»Einen Hund? Wie kommt sie auf die Idee, dass ich einen
Hund will? Ich habe nicht mal Zeit für einen Fisch, von einem
Hund ganz zu schweigen.« Ich sehe den Anwalt an. »Was ist,
wenn ich diese Ziele nicht erreiche?«

Er holt einen Stapel rosafarbener Umschläge hervor, zusam-
mengehalten von einem Gummi. »Ihre Mutter hat festgelegt,
dass Sie jedes Mal, wenn Sie ein Lebensziel geschafft haben,
zu mir kommen und einen von diesen Umschlägen erhalten. Bei

Erfüllung aller zehn Ziele bekommen Sie den hier.« Er hält mir einen Umschlag hin, auf dem *Erfüllung* steht.

»Was ist da drin?«

»Ihr Erbe.«

»Na klar«, sage ich und reibe mir die Schläfen. Dann sehe ich ihm ins Gesicht. »Haben Sie eine Ahnung, was das alles soll?« Er zuckt mit den Schultern. »Ich schätze, es heißt, dass es einige größere Umbrüche in Ihrem Leben geben wird.«

»Umbrüche? Das Leben, wie ich es kenne, wurde gerade aufgelöst! Und ich soll es wieder so zusammensetzen, wie es sich irgendwann mal ein Kind ausgemalt hat?«

»Hören Sie, wenn das heute zu viel für Sie ist, können wir uns auch ein andermal treffen.«

Ich stehe auf. »Es ist wirklich zu viel. Ich bin heute Morgen in der Erwartung hergekommen, Ihre Kanzlei als Geschäftsführerin von Bohlinger Cosmetics zu verlassen. Ich wollte meine Mutter stolz machen und dem Unternehmen zu neuen Höhenflügen verhelfen.« Die Kehle schnürt sich mir zu, ich muss schlucken. »Stattdessen soll ich mir ein Pferd anschaffen? Unfassbar!« Ich blinzele, um nicht weinen zu müssen, und reiche dem Anwalt die Hand. »Es tut mir leid, Mr Midar. Ich weiß, dass Sie keine Schuld daran haben. Aber im Moment kann ich mich nicht darum kümmern. Ich melde mich.«

Ich bin schon fast draußen, als Midar mir hinterherläuft und mit der Liste wedelt. »Behalten Sie die«, sagt er, »falls Sie es sich noch anders überlegen.« Er drückt sie mir in die Hände. »Die Uhr tickt.«

Ich lege den Kopf schräg. »Was für eine Uhr?«

Verlegen schaut er auf seine teuren Schuhe von Cole Haans. »Bis zum Ende des Monats müssen Sie mindestens ein Ziel erreicht haben. In einem Jahr – das wäre der 13. September nächsten Jahres – muss die gesamte Liste abgearbeitet sein.«

3

Drei Stunden nachdem ich ins Aon Center geschlendert bin, stehe ich wieder auf der Straße. Meine Gefühle erglühen und verglimmen wie ein Meteoritenschauer. Entsetzen. Verzweiflung. Wut. Trauer. Ich öffne die Tür des Lincoln Town Car. »North Astor Street 113«, sage ich zum Fahrer. Das kleine rote Buch. Ich brauche das rote Buch! Heute fühle ich mich stärker – viel stärker; ich denke, ich kann das Tagebuch meiner Mutter nun lesen. Vielleicht steht eine Erklärung darin, vielleicht begründet sie, warum sie mir das antut. Möglich auch, dass es gar kein Tagebuch ist, sondern ein altes Kontenbuch der Firma. Vielleicht befindet sich das Unternehmen finanziell in freiem Fall, weshalb sie es mir nicht hinterlassen hat. Irgendeine Erklärung muss es geben.

Als der Fahrer vor dem Haus hält, reiße ich das Eisentor auf und haste die Betonstufen hinauf. Ohne mir die Mühe zu machen und die Schuhe auszuziehen, laufe ich die Treppe hoch und stürze in Mamas Schlafzimmer.

Meine Augen suchen den sonnenerfüllten Raum ab. Abgesehen von der Lampe und dem Schmuckkästchen ist die Kommode leer. Ich reiße die Schranktüren auf, aber da ist das Büchlein nicht. Ich ziehe Schubladen heraus und mache mich an die Nachttische. Wo ist es bloß? Ich durchwühle ihren Sekretär, aber finde lediglich Postkarten, Stifte, Briefmarken. Panik steigt in mir auf. Wo habe ich verdammt nochmal das Tagebuch gelassen? Ich habe es aus dem Wandschrank genommen und … wohin gelegt? Aufs Bett? Ja. Oder nicht? Ich schlage die Decke zurück, hoffe, dass es in die Bettlaken verwickelt ist. Nichts. Mein Herz klopft laut. Wie konnte ich so unachtsam sein? Ich drehe mich im Kreis, raufe mir die Haare. Was habe ich in Gottes Namen bloß mit dem Tagebuch gemacht? Meine Erinnerung ist verschwommen. War ich so betrunken, dass ich sogar Sachen vergessen habe, die weiter zurückliegen? Moment! Hatte ich das Buch bei mir, als ich die Treppe hinunterfiel? Ich verlasse das Zimmer und laufe die Stufen nach unten.

Nachdem ich zwei Stunden lang unter jedem Kissen, in jeder Schublade, jedem Schrank und selbst im Müll gesucht habe, komme ich zu dem schrecklichen Schluss, dass das Tagebuch verschwunden ist. Fast schon hysterisch rufe ich meine Brüder an, aber die wissen gar nicht, wovon ich rede. Ich sinke auf die Couch und schlage die Hände vors Gesicht. Gott steh mir bei, ich habe meine Beförderung, mein Erbteil und jetzt auch noch das letzte Geschenk meiner Mutter an mich verloren. Kann man noch tiefer sinken?

Als am Mittwochmorgen der Wecker klingelt, wache ich auf, ohne mich an den Albtraum vom Vortag zu erinnern. Ich recke mich, strecke die Hand zum Nachttisch aus und taste nach dem nervigen Knopf. Stelle den Alarm aus, drehe mich auf den Rücken, gönne mir noch einen Moment mit geschlossenen Augen. Dann kommt alles wieder hoch. Ich schlage die Augen auf und verfange mich in einem Netz der Furcht.

Meine Mutter ist tot.

Catherine ist die neue Chefin von Bohlinger Cosmetics.

Ich soll mein Leben quasi in seine Bestandteile zerlegen.

Auf meine Brust legt sich ein Gewicht, so schwer wie ein Elefant. Ich bekomme kaum Luft. Wie soll ich bloß meinen Kollegen und meiner neuen Chefin gegenübertreten, da sie nun wissen, dass meine Mutter mir die Aufgabe nicht zugetraut hat?

Mein Herz rast, ich stütze mich auf die Ellenbogen. In der Loftwohnung ist es kühl wie im Herbst, ich blinzele mehrmals, um mich an die Dunkelheit zu gewöhnen. Es geht nicht. Ich kann nicht zur Arbeit gehen. Noch nicht. Ich lasse mich ins Kopfkissen sinken und blicke empor zu den freiliegenden Metallrohren unter der Decke.

Ich habe keine Wahl. Als ich gestern nach dem Termin mit Mr Midar blau machte, rief meine neue Chefin an und bestand darauf, dass wir uns heute Vormittag treffen. Und so gerne ich Catherine – die Frau, der meine Mutter vertraute – auch gesagt hätte, sie solle zur Hölle fahren, brauche ich einen Job, da ich ja nichts geerbt habe.

Ich schwinge die Beine aus dem Bett. Mit Rücksicht auf Andrew, den ich nicht wecken will, ziehe ich meinen Frotteebademantel vorsichtig vom Haken am Bettpfosten. Da erst entdecke ich, dass Andrew gar nicht da ist. Es ist noch keine fünf Uhr morgens, und mein unglaublich disziplinierter Freund ist bereits unterwegs und joggt. Ich nehme den Bademantel, tappe barfuß über den Eichenboden und trippele die kalten Metallstufen hinunter.

Ich nehme den Kaffee mit ins Wohnzimmer und mache es mir mit der *Tribune* auf dem Sofa gemütlich. Ein neuer Skandal im Rathaus, noch mehr korrupte Regierungsbeamte, doch nichts kann mich von dem ablenken, was mir heute bevorsteht. Werden meine Kollegen Mitleid mit mir haben und mir versichern, wie ungerecht sie Mamas Entscheidung finden? Ich schlage das Kreuzworträtsel auf und suche einen Stift. Oder haben alle im Büro gejubelt und geklatscht, als die Neuigkeit bekannt wurde? Ich stöhne. Ich muss die Schultern durchdrücken, das Kinn heben und alle glauben lassen, es sei meine Idee gewesen, die Firma von Catherine führen zu lassen.

O Mama, warum hast du mich in diese Lage gebracht?

Ich habe einen Kloß im Hals, den ich mit einem Schluck Kaffee hinunterspüle. Dank Catherine und ihrem bescheuerten Termin habe ich keine Zeit zum Trauern. Sie glaubt, sie benähme sich unauffällig, aber ich weiß genau, was sie im Schilde führt.

Heute Vormittag wird sie mir den Trostpreis anbieten – ihre alte Position als stellvertretende Geschäftsführerin. Im Tausch gegen ihre Amnestie und meinen Gehorsam wird sie mich zum Vize machen. Aber sie liegt schwer daneben, wenn sie sich einbildet, dass ich das ohne irgendwelche Bedingungen akzeptieren werde. Ohne Erbe brauche ich eine kräftige Gehaltserhöhung.

Ich muss unwillkürlich lächeln, als Andrew in einer dunkelblauen kurzen Hose und einem T-Shirt der Chicago Cubs verschwitzt vom morgendlichen Joggen hereinkommt. Mit gerunzelter Stirn schaut er auf seinen schwarzen Pulsmesser.

Ich stehe auf. »Guten Morgen, mein Schatz. Wie war das Laufen?«

»Lahm.« Er zieht die Baseballmütze ab und fährt sich mit der Hand durch das kurze blonde Haar. »Nimmst du dir heute Vormittag schon wieder frei?«

Ich bekomme Schuldgefühle, so faul zu sein. »Ja. Ich habe noch nicht genug Kraft.«

Er bückt sich, um seine Schnürsenkel zu lösen. »Ist jetzt fünf Tage her. Warte besser nicht zu lange.«

Andrew geht ins Ankleidezimmer, während ich ihm einen Kaffee hole. Als ich zurückkomme, hat er seinen trainierten Körper auf dem Sofa ausgebreitet. Er hat sich eine frische Jogginghose und ein sauberes T-Shirt angezogen und löst das Kreuzworträtsel, mit dem ich schon angefangen hatte.

»Kann ich helfen?«, frage ich von hinten und beuge mich über seine Schulter.

Er tastet nach seiner Kaffeetasse, ohne vom Rätsel aufzuschauen. Dann trägt er senkrecht *BIRR* ein. Ich schaue nach dem Kästchen: Äthiopische Währung. Wow, ich bin beeindruckt.

»Oh, das da waagerecht …«, sage ich aufgeregt, weil sich mir die Gelegenheit bietet zu zeigen, dass auch ich nicht völlig verblödet bin. »Hauptstadt von Montana … Das ist doch *Helena*.«

»Ich weiß.« Er klopft sich mit dem Stift gegen die Stirn, in Gedanken versunken.

Wann genau haben wir aufgehört, gemeinsam Kreuzworträtsel zu lösen? Früher lagen wir immer zusammen auf dem Sofa, lösten das Rätsel und tranken unseren Kaffee. Und wenn ich hin und wieder eine besonders schwierige Antwort wusste, gab Andrew mir einen Kuss auf die Stirn und sagte, wie sehr er meinen Grips liebe.

Ich will gehen, halte aber auf dem Weg zur Treppe inne. »Andrew?«

»Hm?«

»Bist du für mich da, wenn ich dich brauche?«

Endlich hebt er den Kopf. »Komm mal her!« Er klopft neben sich aufs Sofa. Ich gehe zu ihm, und er legt mir den Arm um die Schultern.

»Bist du immer noch böse, weil ich nicht zum Beerdigungsessen gekommen bin?«, fragt er.

»Nein. Das verstehe ich. Der Prozess ist wichtig.«

Grinsend wirft Andrew den Stift auf den Couchtisch, und ich sehe das süße Grübchen in seiner linken Wange. »Ich muss zugeben, wenn du das so sagst, dann finde selbst ich, dass es lahm klingt.« Er sieht mir in die Augen und wird ernst. »Aber um deine Frage zu beantworten: Natürlich bin ich für dich da. Du musst dir keine Sorgen machen.« Er streicht mir mit dem Daumen über die Wange. »Ich werde dich bei jedem Schritt begleiten, aber du wirst eh eine umwerfende Direktorin werden, ob mit oder ohne meine Hilfe.«

Mein Herz beginnt zu rasen. Als Andrew am Vorabend mit einer Flasche Perrier-Jouët nach Hause kam, um mit mir anzustoßen, hatte ich nicht das Herz – oder den Mut –, ihm zu sagen, dass ich nicht Direktorin von Bohlinger Cosmetics geworden bin und es auch niemals sein werde. Dieser Mann, der nur selten Komplimente macht, erging sich nur so in Lobeshymnen. Ist es zu viel verlangt, wenn ich mich noch einen Tag länger in seiner Anerkennung sonnen möchte? Heute Abend werde ich ihm die Wahrheit sagen, wenn ich die schockierende Mitteilung durch die Nachricht abmildern kann, dass ich die neue Stellvertreterin bin.

Er streicht mir übers Haar. »Und, Chefin, was steht heute auf dem Programm? Sollen in naher Zukunft irgendwelche Anwälte eingestellt werden?«

Was? Er kann doch unmöglich glauben, dass ich gegen den Willen meiner Mutter handeln würde. Ich tue seine Frage als Witz ab, zwinge meine ausgetrocknete Kehle zu lachen. »Glaube ich nicht. Außerdem habe ich heute Vormittag einen Termin mit Catherine.« Es klingt, als hätte ich das Treffen anberaumt. »Wir haben einiges zu besprechen.«

Andrew nickt. »Gute Idee. Vergiss nicht, sie arbeitet jetzt für dich. Zeig ihr, dass du die Hosen anhast.«

Ich spüre, dass ich rot anlaufe, und erhebe mich vom Sofa. »Ich gehe jetzt besser duschen.«

»Ich bin stolz auf dich, Frau Direktorin.«

Ich weiß, dass ich sagen sollte, Catherine sei diejenige, auf die er stolz sein müsse, sie müsse er mit »Direktorin« anreden. Das werde ich auch tun. Auf jeden Fall.

Heute Abend.

Obwohl meine Absätze über den Marmorboden klappern, gelingt es mir, durch die Lobby des Chase Tower zu huschen, ohne bemerkt zu werden. Ich fahre mit dem Aufzug in den 49. Stock und betrete die schicke Zentrale von Bohlinger Cosmetics. Drücke die Glastüren auf und steuere mit gesenktem Blick direkt auf Catherines Büro zu.

Ich stecke den Kopf in das Zimmer an der Ecke, das zuvor meiner Mutter gehörte, und sehe Catherine hinter dem Schreibtisch sitzen, wie immer perfekt gestylt. Sie telefoniert, aber winkt mich herein, hebt einen Zeigefinger, um mir zu signalisieren, dass sie sich in Kürze um mich kümmert. Während sie zum Schluss des Telefonats kommt, schlendere ich durch den so vertrauten Raum und frage mich, was sie mit den Gemälden und

Skulpturen gemacht hat, die Mama so liebte. Hier stehen nun Bücherregale, an den Wänden hängen gerahmte Auszeichnungen. Alles, was vom einst hochheiligen Büro meiner Mutter übrig geblieben ist, sind der atemberaubende Blick auf die Stadt und das Namensschild. Doch bei näherer Betrachtung erkenne ich, dass es gar nicht das Namensschild meiner Mutter ist! Da hängt ein neues. In derselben Schrift steht jetzt mit Messingbuchstaben auf Marmor: CATHERINE HUMPHRIES-BOHLINGER, DIREKTORIN.

Ich schäume vor Wut. Wie lange weiß sie schon, dass sie Mutters Nachfolgerin wird?

»In Ordnung, super. Schicken Sie mir die Zahlen, wenn Sie sie bekommen. Ja. *Supashi-bo, Yoshi. Adiosu.*« Sie legt auf und wendet sich mir zu. »Tokio«, sagt sie kopfschüttelnd. »Diese vierzehn Stunden Zeitunterschied sind ätzend. Ich muss vor Sonnenaufgang hier sein, um da jemanden zu erreichen. Zum Glück arbeiten sie immer bis spät in die Nacht.« Catherine weist über den Schreibtisch auf zwei Louis-Quinze-Sessel. »Setz dich.«

Ich lasse mich in den Sessel sinken, fahre mit den Fingern über die kobaltblaue Seide und versuche mich zu erinnern, ob sie auch schon in Catherines altem Büro standen. »Sieht aus, als wärst du hier schon richtig angekommen«, sage ich, ohne die Häme zurückhalten zu können. »Es ist dir sogar gelungen, dein Namensschild in ... wie viel? Zwanzig Stunden? In zwanzig Stunden anfertigen zu lassen. Dass so was so schnell geht ...«

Catherine steht auf und kommt zu mir herum, rückt den anderen Stuhl so, dass sie mir ins Gesicht sehen kann. »Brett, das ist für uns alle sehr schwer.«

»Für uns alle?« Mein Blick verschwimmt. »Meinst du das ernst? Ich habe gerade meine Mutter *und* ein Unternehmen verloren. Du hast gerade ein gewaltiges Vermögen und die Firma meiner Familie geerbt. Und du hast mich in die Irre geführt. Du hast mir gesagt, ich würde Geschäftsführerin werden. Ich habe mir ein Bein ausgerissen, um die Grundlagen zu lernen!«

Sie wartet und wirkt dabei so gefasst, als hätte ich gerade gesagt, mir gefiele ihr Kleid. Ich schnaube verächtlich und will noch mehr sagen, aber traue mich nicht. Catherine ist schließlich meine Schwägerin – und meine verfluchte Chefin.

Sie beugt sich vor, die blassen Hände auf dem überschlagenen Bein gefaltet. »Es tut mir leid«, sagt sie. »Ganz aufrichtig. Ich war gestern genauso schockiert wie du. Im Sommer hatte ich einen Entschluss gefasst – ein ungeheurer Fehler, sicher. Ich ging davon aus, dass du die Anteile deiner Mutter erben würdest, und sah es als meine Aufgabe an, dich darauf vorzubereiten, sprach aber nicht mit Elizabeth darüber. Ich wollte nicht, dass sie denkt, wir hätten sie schon aufgegeben.« Catherine legt die Hände auf meine Hand. »Glaub mir, es war meine erklärte Absicht, den Rest meines Berufslebens für dich zu arbeiten. Und weißt du was? Ich hätte es mit großem Stolz getan.« Sie drückt mir die Hand. »Ich habe enormen Respekt vor dir, Brett. Du hättest eine wirklich gute Geschäftsführerin abgegeben, wirklich.«

Hätte? Ich kneife die Augen zusammen, unsicher, ob das als Kompliment oder Beleidigung gemeint ist. »Aber das Namensschild«, sage ich. »Wenn du von nichts wusstest, wie kannst du dann schon ein Namensschild haben?«

Catherine lächelt. »Elizabeth. Sie hat es kurz vor ihrem Tod in Auftrag gegeben. Als ich gestern hereinkam, lag es auf dem Tisch.«

Beschämt senke ich den Kopf. »Typisch Mama.«

»Sie war beeindruckend«, sagt Catherine mit glänzenden Augen. »Sie ist ein unerreichbares Vorbild. Für mich wäre es schon ein Erfolg, wenn ich sie nur ansatzweise vertreten könnte.«

Ich werde weich. Offensichtlich trauert auch sie um den Verlust von Elizabeth Bohlinger. Catherine und meine Mutter waren ein perfektes Team: Mama das elegante Aushängeschild der Firma, Catherine ihre unermüdliche Assistentin hinter den Kulissen. Und wenn ich sie jetzt so sehe in ihrem Kaschmirkleid und den Ferragamo-Pumps, mit ihrer glatten elfenbeinfarbenen

Haut und dem edlen Knoten im Nacken, kann ich die Entscheidung meiner Mutter beinahe nachvollziehen. Catherine ist von Kopf bis Fuß Geschäftsführerin, geradezu ein Naturtalent. Dennoch tut es weh. Konnte Mama nicht sehen, dass ich mich im Laufe der Zeit ebenfalls zu einer Catherine entwickelt hätte? »Es tut mir leid«, sage ich. »Wirklich. Es ist nicht deine Schuld, dass Mama mich nicht geeignet fand, BC zu leiten. Du wirst sehr erfolgreich sein.«

»Danke«, flüstert sie und steht auf. Catherine drückt mir die Schulter, geht an mir vorbei und schließt die Tür. Als sie an ihren Platz zurückkehrt, lässt sie mich nicht aus den Augen, ihr Blick ist beängstigend eindringlich.

»Was ich jetzt sagen werde, fällt mir sehr schwer.« Sie beißt sich auf die Unterlippe und läuft rot an. »Ich möchte, dass du dich auf etwas gefasst machst, Brett. Es wird ein Schock für dich sein.«

Ich lache nervös. »Mein Gott, Catherine, du zitterst ja! So aufgeregt habe ich dich noch nie erlebt. Was ist denn?«

»Ich habe einen Auftrag von Elizabeth. Sie hatte einen rosa Umschlag in meiner Schreibtischschublade hinterlegt, in dem ein Zettel war. Ich kann ihn holen, wenn du ihn sehen möchtest.« Sie will aufstehen, aber ich halte sie fest.

»Nein. Was ich jetzt überhaupt nicht brauche, ist noch ein Brief von meiner Mutter. Sag es mir einfach.« Mein Herz rast in meiner Brust.

»Deine Mutter hat mich angewiesen ... Sie will, dass ich ...«

»Was?«, schreie ich fast.

»Du bist gefeuert, Brett.«

4

Ich kann mich nicht daran erinnern, wie ich nach Hause gekommen bin. Ich weiß nur, dass ich in die Wohnung stolpere, die Treppe hoch taumele und ins Bett falle. In den nächsten zwei Tagen besteht mein Leben lediglich aus Schlafen, Aufwachen und Weinen. Am Freitagmorgen ist Andrews Mitgefühl allmählich überstrapaziert. Er setzt sich auf die Bettkante, tadellos in anthrazitfarbenem Anzug und frischem weißen Hemd, und streicht mir über das strähnige Haar.

»Du musst wieder zu dir kommen, Schatz. Diese Beförderung hat dich überwältigt, du versuchst sie zu verdrängen. Das ist ganz natürlich.« Ich will widersprechen, doch er bringt mich mit dem Zeigefinger zum Schweigen. »Ich sage damit nicht, dass du unfähig bist, sondern dass du eingeschüchtert bist. Aber, Süße, du kannst es dir nicht erlauben, mehrere Tage am Stück nicht da zu sein. Das ist nicht wie bei deinem alten Job in der Werbung, wo du es hin und wieder mal langsamer angehen lassen konntest.«

»Langsamer angehen lassen?« Meine Nackenhaare stellen sich auf. Er fand meine alte Stellung als Marketingleiterin also unwichtig! Und was noch schlimmer ist: Nicht mal den Job habe ich behalten. »Du kannst dir nicht vorstellen, was ich momentan durchmache. Ich finde, ich habe ein paar Tage zum Trauern verdient.«

»Hey, ich steh doch auf deiner Seite. Ich versuche nur, dich wieder unter die Leute zu bekommen.«

Ich reibe mir die Schläfen. »Ich weiß. Tut mir leid. Ich bin momentan einfach nicht ich selbst.« Er will aufstehen, aber ich halte ihn am Ärmel fest. Ich muss Andrew die Wahrheit sagen! Mein Vorhaben, am Mittwochabend reinen Tisch zu machen, wurde durchkreuzt, weil ich von meinem Rauswurf erfahren hatte, und seitdem versuche ich den Mut aufzubringen, ihm alles zu erklären.

»Bleib heute bei mir zu Hause, bitte! Wir könnten …«

»Tut mir leid, Süße, aber das geht nicht. Du kannst dir kaum vorstellen, was ich momentan zu tun habe.« Er entzieht sich meinem Griff und glättet den Ärmel seines Mantels. »Ich versuche, früher nach Hause zu kommen.«

Sag es ihm. Jetzt.

»Warte!«

Andrew bleibt in der Tür stehen und sieht sich über die Schulter nach mir um.

Mein Herz schlägt bis zum Hals. »Ich muss dir was sagen.«

Er dreht sich um und sieht mich mit zusammengekniffenen Augen an, als würde er seine sonst so pflegeleichte Freundin plötzlich nicht mehr wiedererkennen. Schließlich kommt er zurück an die Bettkante und küsst mich auf den Scheitel, als wäre ich eine minderbemittelte Fünfjährige. »Hör auf mit dem Quatsch! Du musst einfach nur deinen süßen Hintern aus dem Bett bekommen. Du hast eine Firma zu leiten.« Er tätschelt meine Wange, und ehe ich mich versehe, ist er verschwunden.

Ich höre, wie die Tür ins Schloss fällt, und vergrabe das Gesicht im Kopfkissen. Was soll ich bloß tun? Ich bin nicht die Geschäftsführerin von Bohlinger Cosmetics. Ich bin noch nicht mal eine popelige Angestellte im Marketing. Ich bin eine arbeitslose Versagerin und habe Panik davor, was mein standesbewusster Freund von mir denkt, wenn er es erfährt.

Ich war damals nicht überrascht, als Andrew mir erzählte, er käme aus dem wohlhabenden Bostoner Vorort Duxbury. Er besaß alle Insignien eines Menschen aus reicher Familie: italienische Schuhe, Schweizer Uhr, deutsches Auto. Doch wenn ich ihn nach seiner Kindheit fragte, antwortete er immer ausweichend.

Er habe eine ältere Schwester. Sein Vater besitze eine kleine Firma. Es machte mich fertig, dass er nicht mehr preisgab.

Drei Monate und zwei Flaschen Wein später rückte Andrew schließlich mit der Wahrheit heraus. Wütend, weil ich nicht locker ließ, gestand er mir mit hochrotem Kopf, dass sein Vater ein Möbelschreiner war, dessen Ansprüche weit höher waren als seine Fähigkeiten. Seine Mutter arbeitete in der Feinkostabteilung eines Supermarktes in Duxbury.

Andrew war nicht das Kind reicher Eltern. Aber er wollte verzweifelt als solches wahrgenommen werden.

Ich verspürte damals eine Welle der Zuneigung und Achtung vor Andrew, die ich vorher nicht gekannt hatte. Er war kein privilegiertes Kind. Er war ein Selfmade-Mann, der sich für seinen Erfolg hatte anstrengen müssen. Ich küsste ihn und versicherte ihm, ich sei stolz auf ihn und würde ihn wegen seiner einfachen Herkunft noch viel mehr lieben. Anstatt sich zu freuen, sah er mich verächtlich an. Da wusste ich, dass Andrew an seiner bescheidenen Herkunft nichts Bewundernswertes sah, und die Kindheit inmitten von Besserverdienern eine Wunde hinterlassen hatte.

Ich bekomme Panik.

Der kleine arme Junge hat sein gesamtes Leben als Erwachsener damit verbracht, Beweise seines Erfolgs anzuhäufen, um seine schlichte Herkunft zu kompensieren. Ich frage mich, ob auch ich nur eine dieser Trophäen bin.

Von der Auffahrt schaue ich hoch zu Jays und Shelleys bildschönem Cape-Cod-Haus. Der mit Ziegelsteinen gepflasterte Weg wird von beschnittenen Sträuchern gesäumt, in weißen Betonkübeln stehen dichte Büschel gelber und orangefarbener Chrysanthemen. Ein unbekanntes Gefühl des Neids überfällt mich. Das sprichwörtliche Nest, das sich die beiden gebaut haben, ist schnuckelig und gemütlich, während meines schmuddelig und verwanzt ist.

Ich spähe in ihren grünen Garten und erhasche einen Blick auf meinen Neffen, der mit einem Ball herumläuft. Als ich die Autotür zuwerfe, schaut er auf.

»Tante Bwett!«, ruft er mir zu.

Ich laufe in den Garten, nehme Trevor auf den Arm und drehe mich im Kreis, bis mir schwindelig wird. Zum ersten Mal seit drei Tagen erhellt ein ehrliches Lachen mein Gesicht.

»Wie heißt der beste kleine Junge der Welt?«, frage ich und kitzele ihn am Bauch.

Bevor er antworten kann, kommt Shelley von der Terrasse, das Haar flüchtig zu einem Pferdeschwanz gebunden. Sie trägt eine Jeans, die wohl eigentlich Jay gehört, an den Knöcheln aufgerollt.

»Hey, Schwester!«, ruft sie. Schon bevor Shelley meinen Bruder heiratete, waren wir Freundinnen gewesen und hatten auf dem College zusammengewohnt. Bis heute haben wir einen albernen Spaß daran, uns als Schwestern zu bezeichnen.

»Hey, musst du heute nicht arbeiten?«

Sie kommt in abgewetzten Filzschlappen zu mir herüber.

»Hab gekündigt.«

Ich starre sie ungläubig an. »Nein!«

Shelley bückt sich, um Unkraut zu zupfen. »Jay und ich fanden, es sei das Beste für die Kinder, wenn einer von uns zu Hause bleibt. Durch das Erbe deiner Mutter brauchen wir nicht beide zu arbeiten.«

Trevor windet sich auf meinem Arm, ich setze ihn ab. »Aber du liebst deine Arbeit! Was ist mit Jay? Warum legt der nicht eine Pause ein?«

Sie richtet sich auf, einen ausgerissenen Löwenzahn in der Hand. »Ich bin die Mami. Ist logischer.«

»Du hast also gekündigt. Einfach so?«

»Yep. Zum Glück stand die Frau, die meine Schwangerschaftsvertretung gemacht hat, noch zur Verfügung.« Shelley zupft vertrocknete Samen aus dem Löwenzahn und lässt sie zu

Boden fallen. »Sie hatte gestern das Gespräch und hat heute angefangen. Ich musste sie nicht mal einarbeiten. Passte alles perfekt.«

Ich höre den Unterton in ihrer Stimme und weiß, dass es nicht so perfekt ist, wie sie mich glauben machen will. Shelley hat als Logopädin am Saint Francis Hospital gearbeitet, in der Reha-Abteilung. Sie brachte Erwachsenen mit traumatischen Kopfverletzungen nicht nur das Sprechen bei, sondern auch das Argumentieren, Verhandeln und den Umgang mit anderen Menschen. Sie behauptete immer, es sei nicht nur ein Beruf, sondern ihre Berufung.

»Tut mir leid, aber ich kann mir dich einfach nicht als Hausfrau und Mutter vorstellen.«

»Das macht doch Spaß! Fast alle Frauen in dieser Gegend sind zu Hause. Sie treffen sich jeden Morgen im Park, verabreden sich mit den Kleinen zum Spielen, besuchen Yogakurse für Mutter und Kind. Du würdest nicht glauben, was meine Kinder alles an gesellschaftlichen Aktivitäten verpasst haben, als sie in der Ganztagsbetreuung waren.« Shelleys Blick sucht Trevor, der mit ausgestreckten Armen Flugzeug spielt. »Vielleicht kann die Logopädin in diesem Haus ihren eigenen Kindern ja auch endlich das Sprechen beibringen.« Sie schmunzelt, klingt aber unaufrichtig. »Trevor kann immer noch nicht das …« Sie hält mitten im Satz inne und schaut auf die Uhr. »Moment, musst du nicht eigentlich im Büro sein?«

»Nein. Catherine hat mich rausgeworfen.«

»Ach, du meine Güte! Ich rufe den Babysitter.«

Zu unserem Glück betreibt Megan Weatherby, die dritte in unserem freundschaftlichen Bunde, ihren Beruf als Maklerin eher als Hobby und verkauft nur mit sehr wenig Ehrgeiz Häuser. Und zu Megans Glück ist sie so gut wie verlobt mit Jimmy Northrup, dem Verteidiger der Chicago Bears, so dass eine etwaige Maklercourtage nur ein nettes Zubrot für sie ist. Daher ist Megan, als

Shelley und ich sie auf dem Weg zum Bourgeois Pig anrufen, bereits vor Ort, als hätte sie diese kleine Krise vorausgesehen. Wir haben das Bourgeois Pig im Lincoln Park zu unserem Lieblingscafé erklärt. Es ist gemütlich und kurios, vollgestopft mit Büchern, Antiquitäten und verschlissenen Teppichen. Und der Geräuschpegel ist immer so hoch, dass man quasi immun gegen Lauscher ist. An diesem Tag lockt uns die warme Septembersonne nach draußen, wo Megan an einem schmiedeeisernen Tisch sitzt. Sie trägt schwarze Leggings und einen tief ausgeschnittenen Pulli, der sich eng an die zwei perfekten Erhebungen schmiegt, die ihrer Aussage nach echt sind. Megans blassblaue Augen sind mit grauem Lidschatten und mindestens drei Lagen Wimperntusche dunkel geschminkt. Mit ihrem blonden Haar in der silbernen Spange und dem schwach rosafarbenen Hauch auf der elfenbeinfarbenen Haut schafft sie es immer, ein bisschen unschuldig zu wirken, wie eine Mischung aus Callgirl und Studentin – ein Look, den Männer offenbar unwiderstehlich finden.

Sie ist so in ihren iPad versunken, dass sie uns gar nicht wahrnimmt, als wir uns dem Tisch nähern. Ich halte Shelley am Ellenbogen fest, damit sie stehen bleibt.

»Wir können sie jetzt nicht stören. Guck, sie arbeitet tatsächlich!«

Shelley schüttelt den Kopf. »Das ist bloß Show.« Sie zieht mich näher heran und weist mit dem Kinn in Richtung Bildschirm. »Nur ein Promi-Blog.«

»Hallo, Leute«, sagt Megan und nimmt schnell ihre Sonnenbrille vom Stuhl, bevor Shelley sich darauf setzt. »Hört mal her!« Als wir mit unseren Muffins und Lattes neben ihr Platz nehmen, setzt Megan zu einem Monolog über Angelina und Brads neuestes Handgemenge und Suris total übertriebene Geburtstagsfeier an. Dann geht es mit Jimmy weiter. »Red Lobster! Im Ernst! Ich habe extra ein Wickelkleid von Hervé Léger angezogen, ausgeschnitten bis zum Hintern, und er will mit mir in so ein Schnellrestaurant essen gehen!«

Ich bin der Meinung, dass jede Frau ein Anrecht auf eine absolut dreiste Freundin hat, die einen gleichzeitig vor Peinlichkeit erstarren und vor Spaß johlen lässt, eine Freundin, bei deren derben Kommentaren wir hysterisch kreischen, während wir uns über die Schulter umsehen, ob uns auch niemand hört. Genau so eine Freundin ist Megan.

Wir haben uns vor zwei Jahren über Shelleys jüngere Schwester Patti kennengelernt. Patti und Megan wohnten zusammen in Dallas und wurden bei American Airlines zu Stewardessen ausgebildet. Doch in der letzten Ausbildungswoche konnte Megan eine Tüte nicht erreichen, die hinter einem Behälter in der Gepäckablage eingeklemmt war. Ihre Arme waren offenbar zu kurz für diesen Beruf, ein nicht wahrnehmbarer Makel, von dem Megan seitdem besessen ist. Gedemütigt floh sie nach Chicago, wurde Immobilienmaklerin und lernte über ihr erstes Objekt Jimmy kennen.

»Es stimmt ja, ich liebe diese frittierten Teile im Red Lobster, aber jetzt mal ehrlich!«

Shelley unterbricht sie. »Megan, ich hab dir schon gesagt, Brett braucht unsere Hilfe.«

Megan klappt ihr iPad zu und faltet die Hände auf dem Tisch. »Gut, ich bin ganz Ohr. Wo liegt das Problem, Chica?«

Wenn es nicht um sie selbst geht, kann Megan hervorragend zuhören. Nach ihren gefalteten Händen und dem aufmerksamen Blick zu urteilen, hat sie mir soeben die Bühne überlassen. Das nutze ich voll und ganz aus, schildere jedes Detail vom Plan meiner Mutter, mein Leben zu zerstören.

»Das ist also der Deal: kein Geld, keine Arbeit. Nur zehn dämliche Ziele, die ich im Laufe des nächsten Jahres erreichen soll.«

»Das ist doch hirnrissig«, sagt Megan. »Sag dem Anwalt, er soll sich ins Knie ficken.« Sie reißt mir die Liste aus der Hand. »Ein Kind bekommen. Einen Hund anschaffen. Ein Pferd kaufen.« Sie hebt ihre Chanel-Sonnenbrille hoch und sieht mich an.

»Was hat sich deine Mutter bloß dabei gedacht? Sollst du losziehen und den alten MacDonald auf seiner Farm heiraten?«

Ich muss grinsen. Megan kann so egozentrisch sein, aber in so einem Moment, wenn ich Aufheiterung brauche, würde ich sie nicht gegen zehn Mutter Teresas eintauschen.

»Andrew hat so wenig vom alten MacDonald, wie es nur gerade geht«, sagt Shelley und schüttet ein zweites Päckchen Zucker in ihren Kaffee. »Was hält er eigentlich von der ganzen Sache? Ist er bereit, einen Schritt zuzulegen? Kinder mit dir zu bekommen?«

»Dir ein Pferd zu kaufen?« Megan bricht in schrilles Gelächter aus.

»Ja«, sage ich und betrachte ausgiebig meinen Löffel. »Ganz bestimmt.«

Megans Blick springt hin und her. »Tut mir leid. Ich kann mir nur einfach nicht vorstellen, wie du mitten im Zentrum von Chicago ein Pferd halten willst. Sind bei euch in der Wohnung Haustiere erlaubt?«

»Sehr witzig, Meg.« Ich reibe mir die Schläfen. »So langsam glaube ich, meine Mutter hatte den Verstand verloren. Welche Vierzehnjährige wünscht sich *kein* Pferd? Welches kleine Mädchen will nicht Lehrerin werden, Kinder bekommen, einen Hund und ein schönes Haus haben?«

Shelley streckt die Hand aus. »Gib mir noch mal die Liste.« Ich reiche sie ihr, sie überfliegt sie leise murmelnd. »Für immer die Freundin von Carrie Newsome sein, mich in den Richtigen verlieben, eine gute Beziehung zu meinem Vater haben.« Sie schaut auf. »Das ist doch kinderleicht!«

Ich kneife die Augen zusammen. »Mein Vater ist tot, Shelley.«

»Offenbar will sie, dass du deinen Frieden mit ihm machst. Du weißt schon, sein Grab besuchen, ein paar Blümchen pflanzen. Und guck, Nr. 17 hast du schon geschafft: dich in den Richtigen verlieben. Andrew ist doch der Richtige?«

Ich nicke, auch wenn ich innerlich aus irgendeinem Grund erstarre. Ich kann mich nicht erinnern, wann wir das letzte Mal *Ich liebe dich* zueinander gesagt haben. Aber das ist ganz normal. Nach vier Jahren versteht sich so was von selbst.

»Dann geh zu Mr Midar und sag es ihm. Und heute Abend suchst du diese Carrie Newsome auf Facebook. Schick ihr ein paar Nachrichten. Zack, seid ihr wieder befreundet! Nächstes Ziel erreicht.«

Ich halte den Atem an. Seit Carrie vor fast neunzehn Jahren unser Haus verließ, verletzt und gedemütigt, habe ich nicht mehr mit ihr gesprochen. »Was ist mit Nr. 12? Armen Leuten helfen? Das ist doch nicht so schwer. Ich würde Unicef was spenden oder so.« Ich sehe meine Freundinnen fragend an. »Geht doch, oder?«

»Auf jeden Fall«, stimmt Megan zu.

»Aber das bescheuerte Baby«, werfe ich ein und kneife mir in den Nasenrücken. »Und der Liveauftritt und der Lehrerjob. Ich habe mir geschworen, nie wieder einen Fuß auf eine Bühne oder in ein Klassenzimmer zu setzen.«

Megan greift um ihr Handgelenk und zieht daran, bis es knackt. Eine nervtötende Angewohnheit, mit der sie glaubt, ihre Arme verlängern zu können. »Vergiss das mit dem Lehrerjob! Mach doch einfach ein paar Tage Vertretung, so ein, zwei Wochen. Das stehst du locker durch, und zack! Hast du das auch im Sack.«

Ich denke darüber nach. »Als Vertretungslehrerin? Meine Mutter hat nicht gesagt, dass ich ein eigenes Klassenzimmer haben muss.« Langsam zieht sich ein Lächeln über mein Gesicht. Ich hebe die Tasse mit der Latte. »Auf euch, Mädels! Am Montagnachmittag gehen die Martinis auf mich. Dann habe ich nämlich ein oder zwei Umschläge von Mr Midar bekommen.«

5

Am Montagmorgen fahre ich beim Blumenladen vorbei und kaufe einen Strauß Wildblumen, dann geht's direkt weiter zu Mr Midar. Ich habe mir vorgenommen, mich jedes Mal zu belohnen, wenn ich eines der Lebensziele von dieser Liste erreicht habe. Spontan nehme ich auch einen Strauß für Midar mit. Während der Fahrstuhl in den 32. Stock klettert, steigt in mir eine Mischung aus Aufregung und Vorfreude auf. Ich kann es kaum erwarten, das Gesicht des Anwalts zu sehen, wenn ich ihm erzähle, was ich geschafft habe. Doch als ich in die eleganten Büroräume stürme und auf Claires Tisch zusteuere, schaut sie mich an, als hätte ich den Verstand verloren.

»Sie wollen ihn jetzt sprechen? Auf gar keinen Fall! Er sitzt an einem großen Fall.«

Als ich mich zum Gehen wende, schießt Midar aus seinem Büro wie ein Hase aus dem Loch. Suchend schaut er sich im Wartezimmer um, und als er mich entdeckt, lächelt er hinreißend. »Ms Bohlinger! Wusste ich doch, dass ich Ihre Stimme gehört hätte. Kommen Sie herein!«

Claire fällt die Kinnlade runter, als Mr Midar mich in sein Zimmer winkt. Beim Eintreten reiche ich ihm die Wildblumen.

»Für mich?«

»Bin heute großzügig.«

Er schmunzelt. »Danke. Für eine Vase hat's nicht gereicht, was?«

Ich verkneife mir ein Lächeln. »Dafür müssen Sie schon selbst sorgen. Ich bin arbeitslos, wie Sie wahrscheinlich wissen.«

Er sucht im Büro herum, bis er eine Keramikvase mit Seidenblumen entdeckt. »Tja, das mit der Kündigung ist heftig. Ihre Mutter spielt ohne Netz und doppelten Boden.« Er zupft die Kunstblumen aus der Vase und wirft sie in den Müll. »Muss kurz Wasser holen. Bin sofort wieder da.«

Er nimmt die Vase mit, und ich bleibe allein in seinem Büro zurück, was mir Gelegenheit gibt, mich ein wenig umzusehen. Ich gehe an den bodenlangen Fenstern vorbei, bewundere den Blick Richtung Süden, der vom Millenium Park bis zum Adler Planetarium reicht. Als ich mich dem gewaltigen Schreibtisch aus Walnussholz nähere, auf dem neben drei gewichtigen Aktenstapeln sein Computer und ein kaffeebekleckster Becher stehen, zögere ich. Ich suche nach Fotos von der schönen Ehefrau, dem niedlichen Kind und dem üblichen Golden Retriever. Stattdessen entdecke ich das Bild einer Frau mittleren Alters mit einem Teenager, der ihr Sohn sein könnte. Beide liegen auf dem Deck eines Segelboots. Seine Schwester und sein Neffe, schätze ich. Das einzige andere Bild zeigt Brad mit Umhang und Doktorhut zwischen zwei strahlenden Erwachsenen, die wohl seine Eltern sind.

»Alles klar«, sagt er.

Ich drehe mich um, er drückt die Tür hinter sich zu und stellt die Blumenvase auf den Marmortisch. »Wunderschön.«

»Ich habe gute Nachrichten, Mr Midar.«

»Bitte«, sagt er und winkt mich herüber zu zwei Clubsesseln aus rissigem Leder, perfekt patiniert. »Wir werden im kommenden Jahr viel miteinander zu tun haben. Ich heiße Brad.«

»Gut, und ich bin Brett.«

Er nimmt den Sessel neben mir. »Brett, gefällt mir, der Name. Von wem stammt er?«

»Von Elizabeth natürlich. Sie war ein großer Literaturfan. Ich wurde nach Lady Brett Ashley benannt, diesem Flittchen aus Hemingways *Fiesta*.«

»Interessant. Und Joad? Heißt so nicht die Familie in Steinbecks *Früchte des Zorns*?«

58

»Genau. Jay wurde nach Jay Gatsby benannt, der Figur von Fitzgerald.«

»Kluge Frau. Ich hätte sie gerne länger gekannt.«

»Ich auch.«

Brad tätschelt mir verständnisvoll das Knie. »Alles in Ordnung?«

Ich nicke und versuche zu schlucken. »Solange ich nicht drüber nachdenke.«

»Verstehe.«

Da ist er wieder, dieser verletzte Blick, der mir schon letzte Woche aufgefallen ist. Ich will den Anwalt danach fragen, doch es kommt mir zu aufdringlich vor.

»Ich habe gute Neuigkeiten.« Ich setze mich auf. »Ich habe bereits ein Lebensziel erreicht.«

Er hebt die Augenbrauen, aber schweigt.

»Nr. 17. Ich habe mich verliebt.«

Er atmet hörbar aus. »Das ging aber schnell.«

»Eigentlich nicht. Mein Freund Andrew ... also, wir sind schon fast vier Jahre zusammen.«

»Und du liebst ihn?«

»Ja«, sage ich und bücke mich, um ein kleines Blättchen von meinem Schuh zu wischen. Selbstverständlich liebe ich Andrew. Er ist klug, ehrgeizig, sehr sportlich und sieht super gut aus. Wieso habe ich dann das Gefühl, bei diesem Ziel zu schummeln?

»Glückwunsch! Ich hole den Umschlag.«

Midar geht zum Aktenschrank hinter seinem Schreibtisch. »Nr. 17«, murmelt er beim Suchen. »Ah, da ist er.«

Ich stehe auf und greife nach dem Brief, doch er hält ihn sich schützend vor die Brust. »Deine Mutter hat mich angewiesen ...«

»O Gott! Was denn nun schon wieder?«

»Tut mir leid, Brett. Ich musste ihr versprechen, jeden Umschlag für dich zu öffnen und dir laut vorzulesen.«

Ich lasse mich in den Sessel fallen und verschränke die Arme vor der Brust wie ein schmollender Teenager. »Na, dann: Mach ihn auf!«

Es scheint ewig zu dauern, bis Brad den Umschlag öffnet und den Brief herauszieht. Neugierig wandert mein Blick zu seiner linken Hand, sucht nach einem Ring, aber ich sehe nichts als braune Haut und helle Härchen. Er nimmt seine Lesebrille aus der Hemdtasche und holt tief Luft.

»Hallo, Brett«, liest er. »Es tut mir leid, dass Du durch die ganze Stadt gefahren bist, um mir zu sagen, dass Du in Andrew verliebt bist. Bitte versteh mich, ich warte auf eine andere Art Liebe, auf das überwältigende Gefühl, alles für den anderen tun zu wollen.«

»Was?« Ich werfe die Hände in die Luft. »Sie ist ja verrückt! Diese Art von Liebe gibt es nur im Liebesroman oder im Kino. Das weiß doch jeder!«

»Wir gehen oft Beziehungen ein, die unsere Vergangenheit widerspiegeln. Mit Andrew hast Du einen Mann gewählt, der Deinem Vater sehr ähnelt, auch wenn Du das abstreiten wirst.«

Ich ringe nach Luft. Die beiden Männer könnten unterschiedlicher nicht sein. Anders als Andrew, der erfolgreiche Frauen bewundert, fühlte sich mein Vater von der Leistung meiner Mutter bedroht. Jahrelang spielte sie ihre Karriere herunter, tat sie lachend ab und nannte ihre Firma »mein kleines Hobby«. Doch irgendwann kamen die Bestellungen schneller herein, als sie sie abwickeln konnte. Mama musste Räume anmieten und Mitarbeiter einstellen. Auf einmal lebte sie ihren eigenen Traum. Von da an ging es mit ihrer Ehe bergab.

»Wie Dein Vater auch, ist Andrew ehrgeizig und rastlos, aber ziemlich geizig mit seiner Liebe, meinst Du nicht? Es tut mir wirklich weh zu sehen, wie Du um seine Anerkennung buhlst, genau wie bei Deinem Vater. Durch den Kampf um seine Zuneigung hast Du, befürchte ich, Dein wahres Ich verloren. Warum nur fühlst Du Dich Deiner eigenen Träume unwürdig?«

Tränen steigen mir in die Augen, ich blinzele sie fort. Ein

Bild erscheint vor meinem inneren Auge: Es dämmert noch, ich ziehe wie jeden Tag los zum Schwimmtraining, fürchte das kalte schwarze Wasser, aber will meinen Vater unbedingt stolz machen. Jahre später wählte ich sogar Naturwissenschaften als Prüfungsfach, obwohl ich es am wenigsten mochte, nur um eine Gemeinsamkeit mit dem Mann zu haben, den ich, wie mir irgendwann klarwurde, nie würde zufriedenstellen können.

»Ich möchte nur, dass Du glücklich bist. Wenn Du wirklich davon überzeugt bist, dass Andrew Deine große Liebe ist, dann weihe ihn in Deine Lebensziele ein. Ist er tatsächlich bereit, Dein Partner bei der Erfüllung dieser Wünsche zu sein, dann habe ich Deine und seine Liebe unterschätzt, und Du kannst dieses Ziel als erreicht betrachten. Doch wie auch immer es ausgeht – Du sollst wissen, dass man in der Liebe niemals Kompromisse schließt. Komm zurück, wenn Du Deine wahre Liebe gefunden hast, mein Schatz. Es wird sich lohnen.«

Ich reibe mir über den Hals und versuche, ein fröhliches Gesicht zu machen. »Super. Bin in null Komma nichts wieder da.«

Brad sieht mich an. »Du meinst also, er lässt sich darauf ein? Auf das Kind? Den Hund?«

»Mit Sicherheit«, erwidere ich und nage am Daumennagel.

»Ich liebe Dich«, sagt Brad.

Ich bin verwirrt, bis ich merke, dass er weiterliest.

»P. S.: Vielleicht möchtest Du mit Nr. 18 anfangen: Live auftreten, auf einer richtig großen Bühne.«

»Na, klar. Ich melde mich schon mal beim Nationalballett an. Hat sie vollkommen den Verstand verloren?«

»Ich frage mich, was Du damit wohl meintest. Ballett, schätze ich, aber vielleicht auch eine Bühnenrolle. Du hast Deine Kindertheatergruppe fast genauso geliebt wie den Ballettunterricht. Aber für die Cheerleader hast Du beides an den Nagel gehängt. Und obwohl ich Dich darin unterstützte, versuchte ich Dich zu überzeugen, auch für die Theaterstücke an der Schule vorzusprechen, beim Chor oder in der Band mitzumachen. Du wolltest nichts davon hö-

ren. Deine neuen Freundinnen hielten offensichtlich nichts von diesen Beschäftigungen, und das war Dir leider wichtig. Wo ist es hin, dieses furchtlose, selbstsichere Mädchen, das so gerne auf der Bühne stand?«

Eine schmerzhafte Erinnerung kehrt zurück, zwanzig Jahre erfolgreich verdrängt. Es war der Morgen vor meinem Auftritt in Modernem Tanz – das erste Mal, dass ich ohne Carrie auf der Bühne stehen würde. Sie war zwei Monate zuvor fortgezogen, nur wenige Wochen nach der Trennung meiner Eltern. In einem plötzlichen Anfall von Einsamkeit griff ich zum Hörer, um sie anzurufen. Doch bevor ich ihre Nummer wählen konnte, hörte ich die Stimme meiner Mutter in der Leitung.

»Bitte, Charles! Sie hofft so auf dich.«

»Hör zu, ich habe gesagt, ich werd's versuchen. Das Geld ist nächste Woche fällig.«

»Aber du hast es ihr versprochen«, flehte meine Mutter.

»Nun, vielleicht ist es mal an der Zeit, dass sie merkt, dass sich nicht alles nur um sie dreht.« Mein Vater schnaubte verärgert, ein höhnisches Geräusch, das ich nie vergessen habe. »Machen wir uns doch nichts vor, Liz. Das Mädchen hat nicht gerade das Zeug für den Broadway.«

Ich wartete dreißig Minuten, dann rief ich ihn an, erleichtert, als der Anrufbeantworter ansprang. »Ich bin's, Brett. Im Zuschauerraum gab's einen Stromausfall. Mein Auftritt wurde abgesagt.«

Das war das letzte Mal, dass ich den Fuß auf eine Bühne setzte. Ich schlucke. »Wo das Mädchen hin ist? Da, wo alle kleinen Mädchen mit großen Träumen landen. Sie ist groß geworden. Macht sich nichts mehr vor.«

Brad sieht mich fragend an, als müsse ich das weiter ausführen, liest dann aber weiter, da ich stumm bleibe. *»Angesichts der kurzen Vorbereitungszeit schlage ich vor, dass Du einen kurzen, knackigen Auftritt hinlegst. Er sollte Dich aber schon aus Deiner ziemlich bequemen Wohlfühlecke reißen. Erinnerst Du Dich noch* *an Jays Geburtstagsfeier letzten Juni im Third Coast Comedy? Als der DJ Werbung für den bevorstehenden Amateurabend machte, beugtest Du Dich vor und sagtest, Du würdest eher in Louboutins auf den Mount Everest steigen, als bei so was aufzutreten. Damals fiel mir auf, wie unsicher und ängstlich Du geworden bist. In dem Moment beschloss ich, dieses Ziel auf Deiner Liste stehen zu lassen. Ein Auftritt als Stand-up-Comedian wäre doch das perfekte Gegengift für Deine Zaghaftigkeit. Du gehst auf die Bühne und erfüllst damit sowohl Deinen als auch meinen Wunsch.«*

»Nein! Niemals!« Ich schaue Brad an, um ihn zu überzeugen, es von meiner Warte zu sehen. »Das kann ich nicht! Das mache ich nicht. Ich bin kein bisschen witzig.«

»Vielleicht hast du nur in letzter Zeit nicht viel geübt.«

»Nein, ist mir piepegal, und wenn ich Ellen DeGeneres wäre! Nie im Leben werde ich Stand-up-Comedy machen. Wird Zeit, dass wir zu Plan B übergehen.«

»Brett, es gibt keinen Plan B. Wenn dir die Wünsche deiner Mutter wichtig sind – und du am Ende etwas erben willst –, musst du die Liste abarbeiten.«

»Nein! Verstehst du das nicht? Ich will diese verfluchten Wünsche nicht!«

Brad steht auf und stellt sich ans Fenster, die Hände in den Taschen. Seine Silhouette erinnert mich an einen griechischen Philosophen, der die Geheimnisse des Lebens betrachtet. »Elizabeth hat mich davon überzeugt, dass sie dir mit diesen Zielen einen Gefallen tun würde. Sie meinte, du würdest dich vielleicht weigern, aber so habe ich mir das nicht vorgestellt.« Er fährt sich mit der Hand durchs Haar und sieht mich an. »Das tut mir wirklich leid.«

Etwas an seinem Verständnis, an seiner unverhohlenen Besorgnis, lässt mich einknicken.

»Woher solltest du das auch wissen? Sie hat wirklich geglaubt, sie würde mir einen Gefallen tun. Es war ihr allerletzter Versuch, den Lauf meines Lebens zu ändern.«

»War sie denn wirklich der Ansicht, dass du nicht glücklich bist?«

Ich senke den Blick. »Offensichtlich nicht, was verrückt ist. Meine Mutter hat mich nur selten ohne ein Lächeln gesehen. Sie erzählte immer allen, ich wäre lächelnd auf die Welt gekommen.«

»Aber hinter dem Lächeln?«

Die sanft ausgesprochene, direkte Frage erwischt mich auf dem falschen Fuß. Aus irgendeinem Grund bekomme ich kein Wort mehr heraus. Meine Gedanken gehen zum kleinen Trevor, zu den roten Flecken auf seinem Engelsgesicht, wenn er lacht. Meine Mutter erzählte mir einmal, als Kind sei ich genauso gewesen. Ich frage mich, wo so was bleibt, diese Art von Seligkeit? Vielleicht dort, wo auch das kindliche Selbstvertrauen bleibt.

»Ich bin absolut glücklich. Ich meine, was spricht dagegen?«

Brad lächelt mich mitleidig an. »Konfuzius sagt: Del Weg zum Glück fühlt übel Stand-up-Comedy.«

Ich muss über seine alberne chinesische Aussprache lachen. »Aha. Konfuzius sagt auch: Flau ohne Humol soll nicht gehen in Comedy-Club.«

Schmunzelnd hockt er sich auf die Kante des anderen Sessels; seine gefalteten Hände sind meinem Bein so nahe, dass er mich fast berührt. »Ich komme mit«, sagt er, »wenn du willst.«

»Wirklich?« Ich sehe ihn an, als hätte er gerade zugestimmt, sich gemeinsam mit mir umzubringen. »Warum?«

Er lehnt sich zurück und verschränkt die Hände im Nacken. »Wird bestimmt der Hammer.«

»Also treten wir gemeinsam auf … als Duo?«

Er lacht. »Oh, nein, nein! Ich habe gesagt, ich komme mit, das heißt, ich gucke zu – im Publikum. Dieser Körper wird sich der Bühne nicht nähern.«

Ich kneife die Augen zusammen. »Feigling!«

»Das stimmt.«

Ich betrachte ihn. »Warum bist du so nett zu mir? Hat meine

Mutter dir das aufgetragen? Hat sie dich dafür bezahlt, oder was?«

Ich rechne damit, dass er lacht, doch das tut er nicht. »Auf gewisse Weise, ja. Weißt du, ich habe deine Mutter im letzten Frühjahr kennengelernt, als sie zu einer Benefizveranstaltung für Alzheimerpatienten kam, die ich mitorganisiert hatte. Mein Vater ist vor drei Jahren erkrankt.«

Das erklärt die Traurigkeit in seinem Blick. »Das tut mir sehr leid.«

»Ja, mir auch. Na ja, da die Wirtschaft ziemlich in den Seilen hängt, sah es aus, als würden wir unser Ziel nicht erreichen. Aber dann sprang deine Mutter ein. Sie spendete eine große Summe, die uns über die Ziellinie trug.«

»Und deswegen fühlst du dich ihr nun verpflichtet? Das ist ja verrückt. Meine Mutter hat ständig solche Sachen gemacht.«

»In der darauf folgenden Woche wurde im Büro ein Paket angeliefert: Seifen, Shampoo, Cremes, das gesamte Sortiment von Bohlinger Cosmetics. Es war an meine Mutter adressiert.«

»An deine Mutter? Moment mal, du hast doch gesagt, dein Vater ...«

»Stimmt.«

Es dauert ein bisschen, bis ich begreife. »Deine Mutter ist indirekt auch von Alzheimer betroffen.«

»Genau. Sie weinte, als ich ihr das Paket überreichte. Ihre Bedürfnisse als Vaters Pflegerin wurden quasi übersehen. Deine Mutter wusste, dass auch sie Trost brauchte.«

»So war meine Mutter. Die feinfühligste Frau, die ich je gekannt habe.«

»Sie war eine Heilige. Als sie mich dann zu ihrem Nachlassverwalter bestimmte und ihre Pläne für dich skizzierte, versprach ich ihr, das Ganze durchzuziehen.« Brads Gesicht verrät eiserne Entschlossenheit. »Und das werde ich, glaub mir.«

6

Arbeitslos zu sein hat so seine Vorteile, besonders wenn man zum Monatsende einen Comedy-Auftritt vorbereiten muss. Ich bin versucht, Sprüche zu klauen, die ich bei Comedy Central höre, aber das würde Mama nicht gut finden. Stattdessen streife ich die ganze Woche lang durch die Stadt. Alles, was ich höre oder sehe und auch nur entfernt witzig finde, wird mögliches Material für meine Nummer. In der Hoffnung, das Risiko im Griff zu haben – oder wenigstens zu minimieren –, dass ich mich öffentlich vollkommen zum Esel mache, verbringe ich Stunden vor dem Spiegel und perfektioniere meinen Auftritt. Derweil krampft sich mein Magen zusammen, ich bekomme dunkle Ringe unter den Augen.

Mir kommt die Idee, dass das vielleicht die Absicht meiner Mutter gewesen ist. Sie hat gehofft, mich von meiner Trauer abzulenken, indem sie den Live-Auftritt ganz oben auf meine Liste setzte. Tatsächlich hat er die gegensätzliche Wirkung. Elizabeth Bohlinger liebte nichts so sehr wie ordentlich zu lachen. Jedes Mal, wenn ich jemanden sehe, der sich albern aufführt, oder etwas höre, das mich zum Schmunzeln bringt, denke ich an sie. Wenn sie noch leben würde, würde ich sie anrufen und sagen: »Ich muss dir was Lustiges erzählen.«

Die Ankündigung reichte schon. Entweder flehte sie mich dann an, es ihr sofort zu berichten, oder aber sie lud mich zum Essen ein, was öfter passierte. Kaum hatte man uns den Wein eingeschenkt, beugte sie sich vor und griff nach meinem Arm. »Deine Geschichte, Liebling! Ach, bitte, ich freue mich schon den ganzen Tag darauf.«

Ich schmückte die Erzählung aus, verlieh den beteiligten Personen Akzente und Dialekte. Noch heute höre ich meine Mutter hellauf lachen und kann sehen, wie sie sich die Tränen aus den Augenwinkeln tupft.

Ich ertappe mich bei einem Lächeln und merke, dass die Erinnerung an sie mich zum ersten Mal seit ihrem Tod glücklich statt traurig gemacht hat.

Und genau so hätte sie es gewollt, diese Frau, die so gerne lachte.

In der Nacht vor meinem Auftritt liege ich wach im Bett, unruhig und nervös. Das Licht von der Straßenlaterne draußen fällt durch die Holzjalousien auf Andrews Brust. Ich stütze mich auf den Ellenbogen und betrachte meinen Freund. Sein Oberkörper hebt und senkt sich im Einklang mit dem leisen Geräusch, das ihm bei jedem Ausatmen über die Lippen kommt. Ich muss mich absolut zusammenreißen, um nicht über seine glatte, weiche Haut zu streicheln. Andrews Hände liegen gefaltet auf seinem flachen Bauch, sein Gesicht ist entspannt, aber irgendwie ähnelt die Pose der meiner Mutter auf dem Totenbett.

»Andrew«, flüstere ich. »Ich habe solche Angst.«

Seine schlafende Gestalt lädt mich ein, weiterzusprechen, zumindest bilde ich mir das ein. »Morgen Abend trete ich in einem Comedy-Club auf. Ich möchte es dir so gerne sagen, damit du mitkommen oder mir Glück wünschen kannst. Früher konntest du mir immer so viel Sicherheit vermitteln. Weißt du noch, wie du vor meiner Präsentation in Mailand die ganze Nacht am Telefon geblieben bist, nur um bei mir zu sein, neben meinem Kopfkissen, falls ich aufwachte?« Meine Stimme bricht. »Aber wenn ich dir von diesem Comedy-Auftritt erzählen würde, müsste ich dir auch von der lächerlichen Liste erzählen, die ich für meine Mutter abarbeiten soll, und das geht nicht.« Ich schaue unter die Zimmerdecke und presse die Tränen in die Augen zurück. »Meine Lebensziele sehen so ganz anders aus als deine.« Ich will sagen *Ich liebe dich*, doch die Worte bleiben mir im Hals stecken. Ich forme sie lautlos mit den Lippen.

Andrew regt sich, und mein Herz setzt kurz aus. O Gott, was ist, wenn er es mitbekommen hat? Ich seufze. Ja, und wenn? Wäre es wirklich so schlimm, wenn der Mann, mit dem ich zusammenlebe, mit dem ich das Bett teile, wüsste, dass ich ihn liebe? Ich schließe wieder die Augen, und die Antwort erschreckt mich. Ja, wäre es. Weil ich mir nicht sicher bin, ob er es auch zu mir sagen könnte.

Ich lasse mich ins Kopfkissen sinken und blicke hoch zum Ventilator. Andrew liebt meinen Erfolg und meine gesellschaftliche Stellung, aber die sind jetzt weg. Liebt er auch *mich* aufrichtig? Kennt er mich überhaupt – mein wahres Ich?

Ich lege einen Arm über die Stirn. Es ist nicht seine Schuld. Meine Mutter hatte recht. Ich habe mein wahres Ich versteckt. Ich habe meine Träume verraten und mich in genau die Frau verwandelt, die Andrew in mir sehen will: unkompliziert, anspruchslos, unbelastet.

Ich schiele hinüber zu meinem schlafenden Freund. Warum habe ich das Leben aufgegeben, das ich mir einst wünschte? Gibt es immer noch das kleine Mädchen in mir, das sich wertlos fühlt? Hat meine Mutter recht? Habe ich meine eigenen Träume in dem verzweifelten Versuch verraten, von Andrew die Anerkennung zu bekommen, die mein Vater mir nie schenken konnte? Nein, das ist albern. Ich bin schon vor Jahren zu dem Schluss gekommen, dass die Anerkennung meines Vaters mir nichts bedeutet. Aber warum habe ich dann nicht für meine Wünsche gekämpft? Weil Andrew andere Vorstellungen hatte, und ich mich seinen angeschlossen habe? Nein, das ist nur die edelmütige, aufopfernde Version, die ich mir gerne einrede. So ungern ich es zugebe, aber es gibt noch einen anderen, nicht so schönen Grund.

Ich habe Angst.

So schwach und feige es auch klingt: Ich möchte nicht allein sein. Andrew zu verlassen, wäre in dieser Phase meines Lebens ein großes Risiko. Klar kann ich noch jemand anders kennenlernen, aber ein Neuanfang mit vierunddreißig erscheint mir zu unsicher, so als würde ich meine gesamten Ersparnisse von einem zuverlässigen Sparbuch auf einen riskanten Hedgefonds übertragen. Sicher, der Gewinn könnte gewaltig sein, aber ein Verlust könnte mich auch völlig ruinieren. Alles, wofür ich gearbeitet habe, könnte mit einem Mal weg sein, und am Ende stände ich ohne alles da.

Um halb drei stehe ich schließlich auf und ziehe nach unten aufs Sofa um. Mein Handy auf dem Couchtisch blinkt. Ich lese die SMS, gesendet um zehn vor zwölf: *Entspann dich! Du schaffst das schon. Schlaf noch ein bisschen.*

Sie ist von Brad.

Ein Lächeln huscht über mein Gesicht. Ich krieche unter die Chenilledecke und kuschele mich ins Sofakissen. Als hätte ich gerade einen Kuss auf die Stirn und ein warmes Glas Milch bekommen. Mein Herz beruhigt sich, ich fühle mich wieder sicher.

Dieses Gefühl konnte Andrew mir früher vermitteln.

Das Third Coast Comedy ist so groß wie ein Ballsaal. Es beherbergt eine lärmende Menge von Zuschauern. Direkt vor der ungefähr einen halben Meter hohen Holzbühne stehen runde Tische. Hinten drängen sich die Gäste in Dreierreihen vor der Theke, recken die Hälse, um das Geschehen mitzubekommen. Was machen die ganzen Leute hier an einem Montagabend? Müssen die nicht arbeiten? Über den Tisch hinweg greife ich nach Brads Arm und rufe, damit er mich bei der Lautstärke hören kann: »Ich fasse es nicht, dass ich mich von dir hierzu hab überreden lassen! Konntest du nicht irgendein kleines Rattenloch finden?«

»Noch sieben Minuten, und du hast Ziel Nr. 18 erreicht«, brüllt er zurück. »Dann kannst du mit den anderen neun weitermachen.«

»Als ob das ein Anreiz wäre! Das hier abhaken, damit ich mir endlich ein Pferd kaufen und mit meinem toten Arschloch von Vater Frieden schließen kann?«

»Sorry.« Er weist auf sein Ohr. »Kann dich nicht verstehen.« Ich stürze den Martini hinunter und wende mich meinen Freundinnen zu. »Du siehst niedlich aus«, ruft Shelley über die Geräuschkulisse hinweg.

»Danke.« Ich schaue auf mein T-Shirt. Vorne drauf steht: *Lieber Schule als gar keinen Schlaf.*

In dem Moment brechen die Zuschauer in Lachen aus, ich blicke hinüber zur Bühne. Typisch für mich – direkt vor mir ist der Publikumsliebling dran, ein rothaariger Schlacks, der über Tussis und Titten ablästert. Ganz vorne an einem Tisch sitzt ein pummeliger Typ vor einem Bier und drei Schnäpsen. Er pfeift, johlt und stößt die Faust in die Luft.

Der Moderator springt auf die Bühne und greift zum Mikro. »Applaus für Steve Pinckney!« Die Zuschauer jubeln begeistert.

Mein Herz klopft mir bis zum Hals, ich hole tief Luft.

»Viel Glück, Schwester«, ruft Shelley.

»Bring mich zum Lachen, Chica!«, fügt Megan hinzu.

Brad drückt meinen Arm. »Liz wäre stolz auf dich.« Meine Brust zieht sich zusammen. Aus dem Augenwinkel sehe ich, dass mich Bill, der Inhaber, zur Bühne winkt.

Die Zeit bleibt stehen. Ich krieche nach vorn wie ein Gefangener zum elektrischen Stuhl.

»Als nächstes haben wir Brett …« Der Moderator macht eine Pause, damit das Publikum sich beruhigt. »Unser nächster Gast ist Brett Bohlinger mit seinem ersten Auftritt. Begrüßen wir ihn mit einem kräftigen Applaus!«

Ich steige die Stufen zur Bühne hinauf. Meine Beine zittern so stark, dass ich befürchte, sie könnten unter mir nachgeben. Irgendwie schaffe ich es ans Mikro, und als ich dort bin, umklammere ich den Ständer mit beiden Händen, um Halt zu finden. Ein greller Strahler blendet mich, ich blinzele in die Menge. Tausende von Gesichtern starren erwartungsvoll zu mir hoch. Ich muss jetzt einen Witz machen, oder? Wie war das noch mal? Gott hilf mir! Nein, *Mama* hilf mir! Du bist schließlich diejenige, die mir diese Schnapsidee aufgebrummt hat. Ich schließe die Augen und stelle mir ihre Stimme vor, so als würden wir an ihrem Esstisch sitzen. *Deine Geschichte, Liebling. Ach, bitte, ich freue mich schon den ganzen Tag darauf.* Ich hole tief Luft und springe kopfüber in das haiverseuchte Gewässer des Third Coast Comedy.

»Hallo, Leute!« Meine zittrige Stimme wird von einem furchtbaren Kreischen aus dem Mikro verzerrt. Der Besoffene am vordersten Tisch hält sich stöhnend die Ohren zu. Ich nehme das Mikro aus dem Ständer. »'tschuldigung«, sage ich. »Ist schon was her, dass ich auf der Bühne gestanden habe. Hab nicht damit gerechnet, dass das Mikro als erstes buht.« Ich kichere nervös und spähe zu meinen Freunden hinüber. Megan hat ein falsches Grinsen aufgesetzt. Shelley nimmt mich mit dem iPhone auf, und Brads Knie wippt, als hätte er Schüttellähmung.

»Ähm, i…ihr habt wahrscheinlich alle mit einem Mann gerechnet, als ihr den Namen Brett hörtet. Das erlebe ich ständig. Es ist einfach nicht … ich meine, es ist nicht einfach, mit einem Jungennamen zu leben. Man glaubt echt nicht, wie böse Kinder sein können. Wenn sie mich wieder geärgert hatten, lief ich heulend von der Schule nach Hause und fragte meinen Bruder Tiffany, ob er sie vermöbeln kann.«

Ich lege die Hand über die Augen, blicke in die Menge, warte auf das Lachen. Das einzige, was ich höre, ist ein hohes Kichern von Megan. »Genau«, sage ich. »Mein Bruder *Tiffany.*«

»Das ist nicht witzig!«, ruft der Besoffene.

Ich schnappe nach Luft, als hätte man mir in die Magengrube geboxt. »Ähm, tja, ist doch kaum zu glauben, dass es eine katholische Schule war, auf der ich wegen meines Namens so getriezt und geärgert wurde, oder? W…wie viele von euch sind das Produkt einer katholischen Schule?«

Einige Zuschauer klatschen, ich verstehe es als Aufmunterung. »D...die Nonnen an meiner Schule waren so streng, dass unsere Pause darin bestand, nach dem Mittagessen auf die Toilette gehen zu dürfen.«

Brad, Megan und Shelley lachen besonders laut. Das übrige Publikum sieht mich einfach an, einige lächeln höflich, andere schauen auf die Uhr oder auf ihr Handy.

»Du hast die Pointe vergessen!«, ruft jemand.

Ich glaube, ich muss mich übergeben – oder schlimmer noch: in Tränen ausbrechen. Ich schiele auf die Digitaluhr am Fuß der Bühne. Es sind erst zwei Minuten und vier Sekunden vergangen. O Gott, ich muss es hier oben noch fünf Minuten aushalten! Was kommt als nächstes? Ach, du Scheiße! Mir fällt kein einziger Witz mehr ein. Voller Entsetzen wische ich mir die verschwitzten Handflächen an der Jeans ab und greife in die Gesäßtasche, meine letzte Rettung.

»O nein, Spickzettel!« ruft eine Stimme von hinten. »Willst du uns verarschen?«

Meine Lippe bebt. »Damals an der Schule ...«

Das Publikum stöhnt. »Schluss jetzt mit den Katholenwitzen!«, ruft jemand.

Ich schaffe es kaum noch, meine Kärtchen festzuhalten, so heftig zittern meine Hände. »Es war nicht nur eine katholische Schule, es war auch eine reine Mädchenschule. Eine Folterkammer hoch zwei.«

Die Menge buht. Tränen steigen mir in die Augen, ich nestele an den Kärtchen herum. O lieber Gott, hilf mir! Die Leute fangen an, sich zu unterhalten, zeigen ungeniert, dass sie gelangweilt sind. Einige gehen zur Theke oder zur Toilette. Ich sehe, wie Shelley ihr Handy sinken lässt, um die Katastrophe nicht länger im Bild festzuhalten. Der Besoffene vorne lehnt sich auf seinem Stuhl zurück, eine Flasche in der feisten Faust.

»Der Nächste bitte!«, schreit er, zeigt auf die Bühne und wedelt mich fort.

72

Leckt mich! Ich bin raus aus der Nummer! Ich drehe mich um, will verschwinden. Doch unten an den Stufen zur Bühne steht Brad.

»Zieh es durch, B.B!«, ruft er mir über den Lärm hinweg zu. »Nicht aufhören!«

In dem Moment liebe ich ihn so sehr, dass ich von der Bühne springen und ihn umarmen möchte. Und ihn erwürgen. Er – und meine Mutter – sind diejenigen, die mich zu dieser Schmach hier gezwungen haben.

»Du schaffst das! Du bist so gut wie fertig!«

Ich kämpfe gegen den Impuls, das Weite zu suchen, und drehe mich wieder zum Publikum um, zu diesen unhöflichen Barbaren, die glauben, es sei schon Pause.

»Die Nonnen … sie taten alles, was in ihrer Macht stand, damit wir Mädchen keine unreinen Gedanken hatten.« Niemand hört mir zu, nicht mal mehr meine eigenen Unterstützer. Megan unterhält sich mit einem Typ am Nebentisch, Shelley tippt eine SMS. Niemand außer Brad. Ich schaue zu ihm hinüber, er nickt mir zu.

»Wir hatten so ein … so ein riesengroßes Kreuz in der Klasse hängen. Schwester Rose …« Ich reibe meinen schmerzenden Hals. »Schwester Rose zog Jesus sogar eine Hose über das Lendentuch.«

»Noch zwanzig Sekunden, B. B.«, ruft Brad.

»Meine Freundin Kasey … die muss bis heute die Augen zumachen, wenn sie ihrem kleinen Sohn die Windeln wechselt.«

»Geh nach Hause!«, ruft jemand. »Das ist ja furchtbar!«

Brad zählt rückwärts. »Sieben, sechs, fünf …«

Als ich »null« höre, stecke ich das Mikro zurück in den Ständer. Brad jubelt. Ich springe von der Bühne, und er schließt mich in die Arme. Ich heule. Schluchzend reiße ich mich los und stürze zum Ausgang.

Die Nachtluft ist frisch und brennt mir in der Lunge. Unter Tränen stolpere ich über den Parkplatz, bis ich mein Auto finde. Ich lege die Arme aufs Dach und bette den Kopf darauf.

Einen Augenblick später spüre ich eine Hand auf der Schulter. »Nicht weinen, B. B. Du hast es geschafft. Es ist vorbei.« Brad streicht mir über den bebenden Rücken.

»Ich war so was von scheiße!« Ich schlage mit der Faust aufs Dach und drehe mich um. »Ich hab dir gesagt, dass ich nicht witzig bin.«

Er nimmt mich in die Arme. Ich wehre mich nicht.

»Meine verdammte Mutter«, nuschele ich in seinen Wollmantel.

Schweigend wiegt er mich.

»Warum hat sie mich dazu gezwungen? Ich war die Lachnummer – nein, eben keine Lachnummer … das wäre ja noch in Ordnung gewesen.«

Brad macht einen Schritt nach hinten und zieht einen blassrosa Umschlag aus der Tasche. »Soll sie sich selbst verteidigen?«

Mit dem Handrücken wische ich mir über die Nase. »Gibst du mir den Brief?«

Lächelnd tupft Brad eine Träne von meiner Wange. »Ich denke, du hast ihn dir verdient, aber so richtig.«

Wir steigen in meinen Wagen, ich stelle die Heizung an. Neben mir auf dem Beifahrersitz schiebt Brad einen Finger unter das Siegel von Brief Nr. 18 und beginnt zu lesen.

»Mein liebstes Mädchen, Du regst Dich auf, weil es nicht geklappt hat? Unsinn.«

»Was?«, rufe ich. »Sie wusste, dass ich …«

Brad lässt mich nicht ausreden, sondern liest einfach weiter.

»Wann hast Du eigentlich beschlossen, dass Du perfekt sein musst? Ich weiß es beim besten Willen nicht. Aber irgendwann hast Du Deine Unbefangenheit verloren. Das glückliche kleine Mädchen, das so gerne Geschichten erzählte, sang und tanzte, wurde unsicher und schüchtern.«

Hinter meinen Augen baut sich Druck auf. Es warst nicht du, Mama, die mich zum Schweigen gebracht hat.

»Aber heute Abend warst Du lebendig, genau wie früher, und

darüber freue ich mich sehr. Ich bin der Meinung, dass so eine Lei-
denschaft – selbst wenn sie aus Angst und Unsicherheit entsteht –
viel besser ist als ein Leben voller Banalitäten.

Lass Dich von diesem Abend an Dein Feuer, Deinen Mut, Deine
Kraft erinnern. Wenn Du Angst hast, dann pack Deinen Mut am
Kragen und hol ihn hervor, denn er gehört zu Dir. Das habe ich die
ganze Zeit gewusst.

Eleanor Roosevelt hat mal gesagt: ›Tu jeden Tag etwas, das dir
Angst macht.‹ Treib Dich auch weiter zu Dingen an, die Dir Angst
machen, mein Schatz. Geh Risiken ein und schau, wohin es Dich
bringt, denn genau das sind die Dinge, die das Leben lebenswert
machen.« Brad hält kurz inne. *»Voller Liebe und Stolz, Mama.«*

Ich nehme ihm den Brief ab und lese ihn erneut, fahre mit den
Fingern über die Worte meiner Mutter. Was genau will sie von
mir? Ich denke an Andrew, den Lehrerjob, Carrie und erschaudere. Doch so beängstigend diese Dinge auch sind, gibt es noch
etwas, das mir mehr Angst macht. Ich verdränge es aus meinen
Gedanken. Es ist wahr, ich habe heute Abend versagt und es
überlebt, aber ich bin nicht bereit für eine Zugabe.

7

In meinem geliebten Marc-Jacobs-Kostüm sitze ich im Bourgeois Pig und trinke eine Latte, als Megan dazukommt. »Nicht schon wieder Kreuzworträtsel!« Sie lässt ihre große violette Tote Bag von Dolce & Gabbana auf den Tisch fallen und schnappt mir das Rätsel weg. »Jetzt wird mir langsam klar, warum deine Mutter dir eine Frist gesetzt hat. Hast du seit der Comedy-Nummer letzte Woche eigentlich irgendwas gemacht? Als sie dir sagte, du solltest an deinen Träumen festhalten, hat sie bestimmt nicht gemeint, im Park ein Nickerchen zu halten.« Sie weist auf mein Kostüm. »Du hast es noch nicht mal Andrew erzählt!«

Megan schiebt die Zeitung beiseite und zieht den Laptop aus meiner Aktentasche. »Heute werden wir deine alte Freundin suchen.«

»Ich kann Carrie nicht einfach so mir nichts, dir nichts anschreiben. Zuerst muss ich mir einen Plan zurechtlegen.« Ich schiebe den Computer von mir und reibe mir die Schläfen. »Ich sage dir, diese Liste wird mein Leben zerstören.«

Megan betrachtet mich mit gerunzelter Stirn. »Du bist manchmal echt komisch drauf, Brett. Ich habe so das Gefühl, dass diese Ziele dich wirklich glücklich machen könnten. In Wirklichkeit hast du Angst, Andrews Leben zu zerstören, nicht deins.«

Ihre Ehrlichkeit und Klugheit überraschen mich. »Kann sein. Aber ich sitze so oder so in der Patsche. Mein Freund wird mich sitzen lassen, und ich werde diese Ziele bis zum nächsten September trotzdem nicht erreichen.«

Megan ignoriert meine kleine Kapitulation und schiebt den

Stuhl zurück. »Ich brauche Koffein. Guck schon mal bei Facebook rein, ich hol den Kaffee.«

Megan stellt sich an der Theke an, und ich logge mich bei Facebook ein. Doch anstatt nach Carrie zu suchen, tippen meine Finger *Brad Midar* in die Suchmaske. Es ist ein Kinderspiel, ihn zu finden, ich erkenne ihn schon auf den winzigen Profilbildern. Beim Betrachten seines Fotos muss ich grinsen. Mir kommt der Gedanke, ihm eine Freundschaftsanfrage zu schicken, aber dann könnte er denken, ich würde die Grenzen der beruflichen Beziehung überschreiten – als ob SMS und Umarmungen das nicht längst täten. Wo liegen meine eigenen Grenzen? Was würde Andrew sagen, wenn er wüsste, dass ich die Freundschaft zu einem Anwalt suche, den ich vor ihm geheim halte?

Ich greife mir mit den Fäusten ins Haar. Was ist bloß mit mir los?

»Hast du sie gefunden?« Megan taucht mit einem Macchiato und einem Scone hinter mir auf. Ich klappe den Laptop zu. »Noch nicht.«

Ich warte, bis Megan mir gegenüber sitzt, bevor ich den Computer wieder öffne. Diesmal tippe ich *Carrie Newsome* in die Suchmaske.

Megan rückt ihren Stuhl neben meinen, und zusammen überfliegen wir mehrere Seiten, bis ich Carrie entdecke. Da steht sie in ihrem Wisconsin-Sweatshirt und hat sich bemerkenswert wenig verändert. Immer noch sportlich, immer noch mit Brille, immer noch dieses Grinsen. Meine Schuldgefühle sind sofort wieder da. Wie konnte ich so gemein zu ihr sein?

»Das ist sie?«, fragt Megan. »Kein Wunder, dass du sie loswerden wolltest. Gibt es keine Pinzetten in Wisconsin?«

»Hör auf, Megan!« Ich betrachte das Bild durch einen Tränenschleier. »Ich habe dieses Mädchen geliebt.«

In meiner Kindheit wohnte Carrie mit ihren Eltern zwei Straßenblöcke entfernt von uns auf der Arthur Street. Wir hätten unterschiedlicher nicht sein können: Sie ein richtiger Wildfang, eine Draufgängerin, ich ein zartes Püppchen. Eines Nachmittags, als ich fünf Jahre alt war, schlenderte sie mit einem Ball an unserem Haus vorbei. Als sie mich entdeckte, rekrutierte sie mich sofort, mit ihr zu bolzen. Ich schlug ihr vor, stattdessen mit Stofftieren zu spielen, doch sie wollte nichts davon hören. Also fanden wir einen Kompromiss, gingen in den Park, kraxelten auf dem Klettergerüst herum, schaukelten und kicherten den Rest des Nachmittags. Von dem Tag an waren wir unzertrennlich – bis ich sie viele Jahre später im Stich ließ.

»Ich habe kein Recht, von dieser Frau Freundschaft zu erwarten. Und was noch schlimmer ist: Ich tue es auch jetzt nur, weil ich muss.«

»Wirklich?« Megan zieht an ihrem Arm. »Ich würde nämlich sagen, dass sie kein Recht hat, Freundschaft von dir zu erwarten.«

Ich schüttele den Kopf. Megan würde niemals verstehen, dass ein Mensch mit dem Aussehen von Carrie eine Nummer zu groß für sie sein könnte.

»Mann, Brett, was ist denn groß dabei?« Im Handumdrehen hat sie den Finger auf dem Mousepad und klickt auf »Freund hinzufügen«.

Mir fällt die Kinnlade runter. »Das glaub ich ja wohl nicht!«

»Gut gemacht, Chica!« Sie hebt ihren Kaffeebecher, aber ich stoße nicht mit ihr an. Jeden Augenblick wird Carrie Newsome nun eine böse Erinnerung an die einstmals geliebte Freundin erhalten, von der sie so schlimm verraten wurde. Mir ist schlecht, aber Megan ist längst woanders. Sie reibt sich die Hände.

»Ich hab gerade einen richtigen Lauf. Los, gehen wir in die Tierhandlung und holen dir einen Hund.«

»Vergiss es. Hunde stinken. Sie stellen das Haus auf den Kopf.« Ich trinke einen Schluck Kaffee. »So sieht Andrew das wenigstens.«

»Was hat Andrew denn damit zu tun?« Megan bricht eine Ecke von ihrem Scone ab. »Brett, tut mir leid, aber glaubst du wirklich, dass Andrew Teil deiner Lebensplanung ist? Ich meine, deine Mutter hat dir quasi mitgeteilt, dass er Geschichte ist. Willst du vielleicht ihren letzten Willen ignorieren?«

Megan hat meine Achillesferse gefunden. Ich stütze die Ellenbogen auf den Tisch und zwicke mir in den Nasenrücken. »Ich muss Andrew von dieser verfluchten Liste erzählen. Aber der wird in die Luft gehen. Er will irgendwann ein Flugzeug kaufen, kein Pferd! Kinder gehören nicht zu seiner Vorstellung vom Leben. Das hat er mir von Anfang an ganz klar gemacht.«

»Und du warst damit einverstanden?«

Ich schaue aus dem Fenster und versetze mich zurück in eine andere Zeit, eine Zeit, als ich mutig und furchtlos war, überzeugt, dass meine Träume Wirklichkeit werden würden. Aber dann kam es, wie es kommen musste: Ich lernte, dass sich nicht alles nur um mich dreht.

»Ich habe mir eingeredet, dass es in Ordnung ist. Damals war das alles noch anders. Wir sind viel gereist ... er hat mich auf Geschäftsreisen begleitet. Unser Leben war so aufregend, dass es schwer vorstellbar war, ein Kind zu bekommen.«

»Und jetzt?«

Sie fragt nach dem Update meines Lebens. Die aktuelle Version, in der ich abends meistens allein vorm Fernseher sitze und in der uns unsere letzte Reise vor zwei Jahren zur Hochzeit seiner Schwester nach Boston geführt hat. »Ich habe gerade meine Mutter und meinen Job verloren. Ein weiterer Verlust wäre zu viel für mich. Im Moment.«

Megan tupft ihren Mund mit der Serviette ab, und ich sehe Tränen an ihren Augenwimpern. Schnell nehme ich ihre Hand. »Tut mir leid, ich wollte dich damit nicht belasten.«

Sie zieht eine Grimasse. »Ich kann nicht so weitermachen.«

Oh. Sie weint gar nicht wegen mir. Es geht um sie selbst. Ich habe gut reden. In letzter Zeit bin ich so egozentrisch, dass Megan neben mir zur Kummerkastentante mutiert.

»Wieder neue SMS auf Jimmys Handy?«

»Schlimmer. Als ich gestern nach Hause kam, trieben sie es in unserem Bett. In unserem verfluchten Bett! Zum Glück konnte ich mich noch verdrücken, ehe sie mich bemerkten.«

»Dieses Schwein! Warum bringt er die kleine Nutte ausgerechnet mit nach Hause? Er weiß doch genau, dass du keine regelmäßigen Arbeitszeiten hast.«

»Er will, dass ich ihn erwische. Er hat nicht die Eier, mit mir Schluss zu machen; er hofft, dass ich es tue.« Sie zieht an ihrem linken Handgelenk und seufzt. »Diese verdammten Arme sind Schuld. Ich bin verunstaltet.«

»Das ist doch albern! Du siehst super aus und musst dem Typ in den Arsch treten.«

»Kann ich nicht. Womit verdiene ich dann mein Geld?«

»Zum Beispiel mit dem Verkauf von Häusern.«

Sie winkt ab. »Phh! Ich sage dir, Brett, im letzten Leben war ich bestimmt eine Königin. Ich kann mich einfach nicht an die Vorstellung gewöhnen, für meinen Lebensunterhalt zu arbeiten.«

»Aber du kannst auch nicht einfach hier rumsitzen und es hinnehmen. Vielleicht musst du ihn drauf ansprechen …«

»Nein!«, ruft Megan aus. »Ich kann ihn nicht drauf ansprechen, solange ich keine andere Option habe.«

Zuerst verstehe ich nicht, doch dann dämmert es mir. Megan will einen Ersatz, bevor sie das Original aufgibt.

»Du brauchst niemanden, der auf dich aufpasst. Du bist eine kluge Frau. Du kannst es selbst schaffen.« Ich höre mich reden und frage mich, ob ich gerade mit Megan oder mit mir selbst spreche. Mein Ton wird weicher. »Ich weiß, dass das schwer ist, Meggie, aber du kannst das!«

»Nix da.«

Ich seufze. »Dann musst du dich auf den Markt bringen. Vielleicht auf einer von diesen Partnerseiten im Internet.«

Sie verdreht die Augen und holt ihr Lipgloss aus der Tasche. »Suche gut aussehenden Millionär. Voraussetzung: Muss kurze Arme mögen.«

»Ich meine es ernst, Megan, du wirst in null Komma nichts jemand Neues finden. Einen viel besseren.« Ich schnippe mit den Fingern: Ich habe eine Idee. »He, was ist mit Brad?«

»Der Anwalt deiner Mutter?«

»Ja. Er ist wirklich nett. Und süß, findest du nicht?«

Sie trägt das Lipgloss auf. »Klar. Es gibt da nur ein winziges Problem.«

Ich schnaube wie ein Pferd. »Was? Ist er dir nicht reich genug?«

»Doch.« Sie presst die Lippen aufeinander. »Aber er ist schon in dich verliebt.«

Du lieber Himmel! Ist das möglich? Aber ich habe ja Andrew. Quasi.

»Wie kommst du denn darauf?«, frage ich, als ich endlich meine Stimme wiederfinde.

Sie zuckt mit den Achseln. »Warum ist er sonst so erpicht darauf, dir zu helfen?«

Ach so, das meint sie. Ich sollte erleichtert sein. Was ich von Brad brauche, ist Unterstützung, nicht Liebe. Doch sonderbarerweise bin ich ernüchtert. »Nee, nee. Das alles ist das Werk meiner Mutter. Er hilft mir nur, weil er es meiner Mutter versprochen hat. Glaub mir. Ich bin bloß seine gute Tat.«

Statt mit mir zu streiten, wie ich gehofft habe, nickt Megan nur. »Aha, verstehe.«

Ich lasse den Kopf hängen. Bin ich genauso wie Megan? Suche ich einen Ersatz, bevor ich das Original verliere?

Mit zitternden Händen öffne ich den Brief. Erneut lese ich ihre Worte. *Treib Dich auch weiter zu Dingen an, die Dir Angst machen, mein Schatz.* Warum, Mama? Warum zwingst du mich dazu? Ich schiebe den Brief in die Tasche und gehe durch das Tor.

Vor sieben Jahren war ich zum letzten Mal auf dem Friedhof Saint Boniface. Damals mit meiner Mutter. Wir wollten irgendwohin – Weihnachtseinkäufe erledigen, glaube ich –, doch sie bestand darauf, dass wir einen kleinen Abstecher machten. Es war ein eisiger Nachmittag. Ich weiß noch, dass der Wind über die Straße peitschte und aus dem wenigen Schnee einen wütenden Wirbelsturm machte. Meine Mutter und ich kämpften uns durch das Schneetreiben und befestigten mit vereinten Kräften einen immergrünen Kranz an Vaters Grabstein. Danach kehrte ich zurück zum Auto und ließ den Motor an. Heiße Luft blies aus den Lüftungsschlitzen. Ich wärmte mir die Hände und sah zu, wie meine Mutter schweigend mit gesenktem Kopf da stand. Sie betupfte ihre Augen mit dem Handschuh und schlug ein Kreuz. Als sie zum Wagen kam, tat ich so, als drehte ich am Autoradio herum, um ihr ihre Würde zu lassen. Ich schämte mich für sie, für eine Frau, die immer noch Zuneigung zu einem Mann empfand, der sie verlassen hatte.

Anders als vor sieben Jahren ist heute ein herrlicher Herbsttag, der Himmel so blau und klar, dass der bevorstehende Winter mir wie ein Witz vorkommt. Das Laub spielt in der leichten Brise, und abgesehen von den Eichhörnchen, die unter den Walnussbäumen nach Nüssen suchen, bin ich allein auf diesem wunderschönen Friedhof am Hang.

»Du fragst dich wahrscheinlich, warum ich nach so vielen Jahren wieder hier bin«, flüstere ich dem Grabstein zu. »Glaubst du, ich bin genauso wie meine Mutter und kann dich einfach nicht hassen?«

Ich wische trockene Blätter vom Sockel des Grabsteins und hocke mich auf den Marmorblock, greife in die Tasche und hole das Foto meines Vaters aus dem Portemonnaie, zupfe es zwischen dem Bibliotheksausweis und der Mitgliedskarte vom Fitnessstudio hervor. Es ist verblasst und zerknickt, aber das einzige Bild, das ich von uns beiden aufbewahrt habe. Mama machte es an einem Weihnachtsmorgen, als ich sechs Jahre alt war. In einem roten Flanellschlafanzug hocke ich auf seinem Knie, die Hände gefaltet, als würde ich darum flehen, diesen gefährlichen Platz möglichst schnell wieder verlassen zu dürfen. Er legt eine blasse Hand auf meine Schulter; die andere hängt schlaff herunter. Ein unsicheres Lächeln umspielt seine Lippen, doch seine Augen sind leer und ausdruckslos. »Was für ein Problem hattest du mit mir? Warum konnte ich dich nicht zum Lachen bringen? Warum fiel es dir so schwer, mich in die Arme zu nehmen?«

Meine Augen brennen, ich hebe den Kopf zum Himmel, hoffe darauf, von Frieden erfüllt zu werden, wie es sich meine Mutter vorgestellt haben muss, als sie diesen Punkt auf meiner Liste beließ. Doch ich spüre lediglich die warme Sonne auf meinen Wangen und eine offene Wunde in der Brust. Ich betrachte das Foto. Eine Träne tropft auf mein Koboldgesicht, vergrößert meine bange Miene. Ich tupfe sie mit dem Ärmel ab, doch das Papier wellt sich schon.

»Weißt du, was am meisten wehtut? Das Gefühl, dass ich nie gut genug für dich war. Ich war nur ein kleines Mädchen. Warum konntest du mir nicht wenigstens einmal sagen, dass ich gut oder klug oder hübsch bin?« Ich beiße mir auf die Lippe, bis ich Blut schmecke. »Ich habe mich so bemüht, von dir geliebt zu werden. Wirklich.«

Tränen laufen mir über die Wangen. Ich rutsche von dem Marmorblock und sehe den Grabstein an, als wäre er mein Vater. »Das hier war Mamas Idee, ja? Sie will unbedingt, dass ich eine Beziehung zu dir aufbaue. Ich selbst habe es schon vor Jahren aufgegeben.« Ich streiche mit den Fingerspitzen über die eingemeißelten Worte CHARLES JACOB BOHLINGER. »Ich wünsche dir Frieden.«

Ich gehe davon, immer schneller, und beginne schließlich zu laufen.

Als ich die Argyle Station erreiche, ist es fünf Uhr, und ich bin immer noch durcheinander. Aber ich werde nicht zulassen, dass dieser miese Kerl mich fertigmacht. Die Bahn ist knüppelvoll, ich bin eingequetscht zwischen einer Jugendlichen, deren iPod so laut plärrt, dass ich die ganzen Anzüglichkeiten der Songtexte verstehen kann, und einem Mann mit einer Baseballkappe, auf der *godhearsu.com* steht. Ich würde ihn gerne fragen, ob Gott einen Mac oder einen PC benutzt, aber habe so ein Gefühl, dass er das nicht lustig fände. Ich sehe einem großen dunkelhaarigen Mann ins Gesicht, der einen khakifarbenen Trenchcoat von Burberry trägt. Seine Augen lachen, irgendwie kommt er mir bekannt vor. Er beugt sich vor, über die Köpfe von zwei Mädchen zwischen uns hinweg. »Der technische Fortschritt ist unglaublich, nicht?«

Ich lache. »Kein Witz. Beichtstühle werden bald der Vergangenheit angehören.«

Er grinst, und ich weiß nicht, was mir besser gefällt: die goldenen Sprenkel in seinen braunen Augen oder seine weichen, sinnlichen Lippen. Ich entdecke einen schwarzen Faden auf seinem Trenchcoat, und da fällt es mir ein: Könnte das der Burberry-Mann sein, den ich immer vom Fenster unserer Wohnung aus gesehen habe? Ich habe ihn den Burberry-Mann genannt, weil er immer diesen Trenchcoat trägt. Obgleich ich noch nie mit ihm gesprochen habe, habe ich ein oder zwei Monate insgeheim für ihn geschwärmt – bevor er wieder so schnell verschwand, wie er aufgetaucht war.

Ich will mich gerade vorstellen, da klingelt mein Handy. Ich sehe die Nummer von Brads Büro und melde mich.

»Hallo, Brett! Hier ist Claire Cole. Ich habe Ihre Nachricht erhalten. Mr Midar hätte noch einen Termin am 27. Oktober um …«

»Am 27.? Das ist ja erst in drei Wochen! Ich muss …« Ich verstumme. *Ich muss ihn sehen* klingt so leidenschaftlich und verzweifelt. Doch nach dem heutigen Besuch auf dem Friedhof stehe ich emotional auf der Kippe, und Brad würde mich beruhigen, das weiß ich. »Ich würde ihn gerne früher treffen, vielleicht morgen.«

»Tut mir leid. Er ist nächste Woche vollständig ausgebucht,

dann hat er Urlaub. Am 27. hätte er Zeit für Sie«, wiederholt Claire. »Um acht Uhr ist noch ein Termin frei.«

Ich seufze. »Wenn das der erste ist, der frei ist, dann nehme ich ihn. Aber falls vorher noch jemand absagen sollte, rufen Sie mich doch bitte an.«

Meine Haltestelle wird angekündigt. Ich stecke das Handy wieder in die Manteltasche und schiebe mich in Richtung Tür.

»Schönen Tag noch«, sagt der Burberry-Mann, als ich mich an ihm vorbeiquetsche.

»Ihnen auch.«

Ich springe aus der Bahn und werde von einer Welle der Traurigkeit und Melancholie erfasst. Brad Midar ist nicht zu erreichen, und das gefällt mir überhaupt nicht. Ich frage mich, wo er Urlaub macht. Verreist er allein oder mit seiner Freundin? Bis jetzt war irgendwie nie der richtige Zeitpunkt, um ihn nach seinem Beziehungsstatus zu fragen, und von selbst hat er auch nichts gesagt. Warum sollte er auch? Ich bin seine Mandantin, Herrgott nochmal! Aber gleichzeitig ist er die einzige Verbindung zu meiner Mutter. Ich befürchte, dass ich eine unnatürlich enge Beziehung zu ihm als ihrem Botschafter aufbaue. Wie ein mutterloses Entenküken bin ich auf das erste freundliche Gesicht geprägt, das ich finden konnte.

8

Als meine Mutter noch gesund und munter war, galt der Donnerstagabend bei den Bohlingers als traditioneller Familienabend. Wir versammelten uns um den Esszimmertisch, wo die Gespräche so locker plätscherten wie der Sauvignon Blanc. Mama saß am Kopfende, und wir kamen von einem Thema aufs andere: aktuelle Ereignisse, politische Diskussionen, persönliche Interessen. An diesem Abend machen Joad und Catherine zum ersten Mal seit Mamas Tod den mutigen Versuch, diese wunderbare Tradition wieder aufleben zu lassen.

Joad gibt mir zur Begrüßung einen Kuss auf die Wange. »Schön, dass du gekommen bist.« Sein Wildledersakko wird von einer schwarz-weiß gestreiften Schürze verdeckt.

Ich streife die Schuhe ab und versinke in einem flauschigen weißen Teppich. Joads Einrichtungsgeschmack ist eher altmodisch, Catherine hingegen liebt den modernen Stil. Das Ergebnis ist eine mustergültige, zurückhaltend dekorierte Wohnung in Weiß- und Beigetönen mit eindrucksvollen Gemälden und Skulpturen. Die Atmosphäre ist eher kühl, nicht unbedingt einladend.

»Das riecht aber lecker«, sage ich.

»Lammkarree, und es ist jeden Moment fertig. Komm, Jay und Shelley sind schon bei ihrem zweiten Glas Pinot.«

Wie wir uns hätten vorstellen können, ist Mamas Fehlen so auffällig wie ein texanischer Akzent. Wir fünf sitzen in Joad und Catherines sterilem Esszimmer mit Blick auf den Chicago River und tun so, als bemerkten wir nicht, dass die Energie unserer Mutter fehlt. Stattdessen überspielen wir das unangenehme Schweigen mit nichtssagendem Geplauder. Nachdem Catherine sich zwanzig Minuten lang über die Umsätze der Firma im dritten Quartal und über ihre zukünftigen Expansionspläne ausgelassen hat, bringt sie das Gespräch auf mich. Sie will wissen, warum Andrew nicht bei mir ist. Jay fragt, ob ich einen Lehrerjob gefunden hätte. Jede Frage erschüttert mich wie die Nachwehen eines Erdbebens. Um eine Verschnaufpause zu bekommen, entschuldige ich mich, kaum dass Joad in die Küche geht, um seine berühmte Crème brûlée zu karamellisieren.

Auf dem Weg zum Bad werfe ich einen kurzen Blick in Joads Arbeitszimmer. Der kleine, mit Kirschholz vertäfelte Raum ist nicht nur das Büro meines Bruders, sondern sein Heiligtum, das ich niemals unerlaubt betreten würde. In abgeschlossenen Schränken versteckt er seine Sammlung von Single-Malt-Whiskys und einen Humidor mit kubanischen Zigarren, obwohl Catherine Rauchen im Haus verbietet. Im Vorbeigehen fällt mir ein Gegenstand auf seinem Schreibtisch ins Auge. Ich bleibe stehen.

Es dauert einen Moment, bis sich meine Augen an das gedämpfte Licht gewöhnen. Ich blinzele mehrmals. Auf Joads Mahagonitisch liegt das rote Tagebuch aus Leder.

Was soll das denn? Ich betrete das Zimmer. Als ich damals die anderen nach dem Tagebuch fragte, leugneten sie, es gesehen zu haben, auch Joad. Ich nehme es in die Hand. Auf dem Einband klebt nicht mehr Mamas Zettel. Ich sehe ihre Handschrift, meine Brust zieht sich zusammen. *Sommer 1978* – der Sommer, bevor ich geboren wurde. Kein Wunder, dass Joad das Tagebuch haben wollte. Es ist unbezahlbar. Aber er weiß sicherlich, dass ich es mit ihm und Jay teilen würde.

Bevor ich hineinsehen kann, höre ich Schritte im Flur. Es ist Joad. Ich halte inne. Ich will ihm sagen, dass ich mein Buch gefunden habe und es mitnehme, aber irgendwas rät mir, lieber den Mund zu halten. Er will offensichtlich nicht, dass ich es bekomme. Joad geht ohne einen Seitenblick an seinem Arbeitszimmer vorbei, und ich atme erleichtert aus. Dann schiebe ich das Tagebuch unter meinen Pulli und verlasse den Raum so lautlos, wie ich ihn betreten habe.

Mit meinem Mantel kehre ich ins Esszimmer zurück und knöpfe ihn dort zu.

»Tut mir leid, Catherine. Ich lasse den Nachtisch ausfallen. Mir geht's nicht so gut.«

»Warte, wir nehmen dich mit«, sagt Shelley.

Ich schüttele den Kopf. »Nein, danke. Ich rufe mir ein Taxi. Sagt Joad Tschüss von mir.«

Ich bin draußen, bevor Joad es mitbekommt.

Als sich die Fahrstuhltüren im Foyer öffnen, bin ich wie gelähmt. Überwältigt und fassungslos taumele ich zu einem Stuhl in der Ecke des Eingangsbereichs, setze mich und enträtsele das Geheimnis, das mich mein Leben lang verwirrt hat.

Es mögen nur Minuten gewesen sein oder auch Stunden. Wie lange genau ich dort im Foyer gesessen und gelesen habe, bis ich die Stimme meines Bruders höre, weiß ich nicht.

»Brett«, sagt Joad leise und kommt auf mich zu. »Lies nicht in dem Tagebuch!«

Ich kann nicht antworten. Ich kann mich nicht rühren. Mein Körper ist taub.

»O Gott.« Er hockt sich neben mich und nimmt mir das offene Buch vom Schoß. »Ich hatte gehofft, dass ich noch schnell genug bei dir bin, bevor du es liest.«

»Warum?«, frage ich wie durch einen Nebel. »Warum wolltest du mir das vorenthalten?«

»Aus genau diesem Grund.« Er streicht mein nasses Haar nach hinten. »Schau dich an. Du hast gerade Mutter verloren. Das Letzte, was du brauchen kannst, ist ein zweiter Schock.«

»Aber ich hatte ein Recht, das zu wissen, verdammt nochmal!«

Der Marmor lässt meine Stimme widerhallen. Joad sieht sich um, weist betreten in Richtung des Portiers am Empfang. »Komm, wir gehen nach oben.«

»Nein.« Ich setze mich auf, spreche durch zusammengebissene Zähne. »Du hättest es mir sagen müssen! Mama hätte es mir sagen müssen! Mein ganzes Leben lang habe ich mit dieser Beziehung zu kämpfen gehabt. Und *so* teilt sie mir das mit?«

»Das kannst du nicht mit Sicherheit wissen, Brett. Dieses Tagebuch beweist gar nichts. Aller Wahrscheinlichkeit nach bist du Charles' Tochter.«

»Ich war nie die Tochter von diesem Schwein! Niemals! Und er wusste es. Das ist der Grund, warum er mich nicht geliebt hat. Und Mama hatte nicht den Mumm, es mir zu sagen.«

»Schon gut, schon gut. Aber vielleicht war dieser Johnny Manns ein Arschloch. Vielleicht wollte sie nicht, dass du ihn findest.«

»Doch. Das liegt doch auf der Hand. Sie hat mir das Tagebuch hinterlassen. Sie hat Ziel Nr. 19 auf der Liste stehen lassen. Sie will, dass ich meinen richtigen Vater finde, dass ich eine Beziehung zu ihm aufbaue. Mama mag feige gewesen sein, als sie lebte, aber sie hatte immerhin den Anstand, mir ihre Geschichte zu hinterlassen – meine Geschichte –, als sie starb.« Meine Augen ergründen seine. »Und du, du wolltest mir das vorenthalten! Seit wann genau weißt du es?«

Joad wendet den Blick ab und reibt sich den glänzenden Schädel. Schließlich zieht er einen zweiten Stuhl neben meinen und starrt auf das Tagebuch. »Ich habe es vor Jahren gefunden, als ich Mama beim Umzug in die Astor Street half. Es machte mich krank. Sie hat nie gewusst, dass ich es kannte. Ich erschrak, als es am Tag der Beerdigung wieder auftauchte.«

»Es hat dich krank gemacht? Aber merkst du denn nicht, wie glücklich sie war, als sie diese Seiten schrieb?« Ich nehme das Buch in die Hand und schlage den ersten Eintrag auf.

3. Mai. Nach siebenundzwanzig Jahren ist die Liebe zu mir gekommen. Sie hat mich aus meinem Schlaf erweckt. Mein altes Ich würde sagen, es ist falsch, es ist eine Sünde. Aber die Frau, zu der ich geworden bin, kann es nicht aufhalten. Zum ersten Mal schlägt mein Herz im Gleichtakt.

Joad streckt die Hand aus, als ertrage er es nicht, noch mehr zu hören. Mein Herz wird weich. Es kann nicht leicht sein zu erfahren, dass die eigene Mutter einen Geliebten hatte.

»Wer weiß es noch?«, frage ich.

»Nur Catherine. Und sie erzählt es wahrscheinlich gerade Jay und Shelley.«

Ich atme tief aus. Mein Bruder hat getan, was er für das Beste hielt. Er wollte mich schützen. »Ich komme damit klar, Joad.« Ich tupfe meine Tränen mit dem Ärmel ab. »Ich bin sauer auf Mama, dass sie es mir nicht schon vor Jahren gesagt hat, aber ich bin froh, dass ich es jetzt doch weiß. Ich werde ihn finden.«

Er schüttelt den Kopf. »Das habe ich mir gedacht. Ich schätze, das kann ich dir nicht ausreden.«

»Auf gar keinen Fall.« Ich lächle ihn an. »Du wolltest mir das Tagebuch doch wirklich irgendwann geben, oder?«

Er streicht mir übers Haar. »Natürlich. Sobald wir gewusst hätten, wie wir damit umgehen wollen.«

»Damit umgehen?«

»Ja, wir können mit der Geschichte ja nicht einfach an die Öffentlichkeit treten. Mutter war das Gesicht einer Marke. Das Letzte, was die Firma jetzt gebrauchen kann, ist einen Fleck auf ihrem einwandfreien Ruf durch eine uneheliche Tochter.«

Ich bin fassungslos. Die Absichten meines Bruders waren doch nicht so edel. Für ihn bin ich der Bastard, der die Marke Bohlinger beschädigen könnte.

Als Andrew schläft, krabbele ich aus dem Bett, nehme Laptop und Bademantel mit nach unten und setze mich aufs Sofa. Bevor ich den Namen aus dem Tagebuch – Johnny Manns – googeln kann, entdecke ich eine Facebook-Nachricht von meiner alten Freundin Carrie Newsome. Ich betrachte das Bild dieser robusten Frau im Pulli, die einmal meine beste Freundin war.

Brett Bohlinger? Meine verloren geglaubte Freundin aus Rogers Park? Unfassbar, dass Du Dich noch an mich erinnerst! Und mich dann noch auf Facebook gefunden hast! Ich habe so viele schöne Erinnerungen an Dich. Ob Du's glaubst oder nicht, aber ich bin nächsten Monat in Chicago. Am 14. November ist im Kongresszentrum McCormick Place die Konferenz des Verbands der Sozialarbeiter. Hättest Du vielleicht Zeit, Dich mit mir zum Mittagessen zu treffen, oder noch besser: zum Abendessen? Ach, Bretel, ich freue mich so, dass Du mich gefunden hast! Du hast mir gefehlt!

Bretel. Mein alter Spitzname, den Carrie mir verliehen hat. Sie hatte eine Liste mit möglichen Namen zusammengestellt, nachdem ich mich eine Woche lang beklagt hatte, einen Jungennamen zu haben. »Wie wär's mit Bretchen? Oder Bretta? Brettany?«, fragte sie. Schließlich einigten wir uns auf Bretel, ein Name, der an Lebkuchenhäuser und gewitzte Kinder denken ließ. Und den behielt ich. Für alle anderen war ich Brett, aber für meine liebste Freundin war ich Bretel.

Es war ein goldener Herbstmorgen, als Carrie mir verkündete, ihre Mutter nehme eine Stelle an der Universität von Wisconsin an. In Schottenröcken und weißen Blusen bummelten wir zur Loyola Academy, unserer neuen Highschool. Fast kann ich wieder hören, wie das Laub unter unseren Füßen raschelte, kann das rotgoldene Blätterdach über uns sehen. Aber der Schmerz, den der Verlust von Carrie mir bereitet, ist nicht eingebildet. Ich verspüre wirklich eine Sehnsucht im Herzen, als ob es nach all diesen Jahren immer noch weh tut.

»Mein Vater geht heute Abend mit mir essen«, sagte ich damals zu Carrie.

»Toll«, erwiderte sie, immer meine beste Verbündete. »Du fehlst ihm bestimmt.«

Ich trat in einen Laubhaufen. »Ja, vielleicht.«

Schweigend gingen wir einen halben Häuserblock weiter, dann hielt sie mich auf. »Wir ziehen um, Brett.«

In dem Moment sprach sie mich nicht mit meinem Spitznamen an. Schockiert sah ich in ihre feuchten Augen. Doch ich weigerte mich zu verstehen. »Wir?«, fragte ich in aller Aufrichtigkeit.

»Nein!« Carrie lachte durch die Tränen, und eine Fontäne aus Rotz schoss ihr aus der Nase.

»Bah!«, rief ich. Wir bogen uns vor Lachen, schubsten uns gegenseitig ins Laub, unsere Ausgelassenheit wollte kein Ende nehmen. Denn als sie schließlich doch verebbte, schauten wir in unsere ausdruckslosen Gesichter. »Sag bitte, dass das nicht stimmt.«

»Es tut mir leid, Bretel. Aber es stimmt.«

An dem Tag war meine Welt zu Ende. Jedenfalls dachte ich das. Das Mädchen, das meine Gedanken lesen konnte, meine Ansichten in Frage stellte, über meine dämlichen Witze lachte, würde mich verlassen. Madison war für mich so weit entfernt wie Usbekistan. Fünf Wochen später stand ich auf Carries Haustreppe und winkte dem Umzugswagen nach. Im ersten Jahr schrieben wir uns wie treue Liebende. Bis sie mich an einem Wochenende besuchen kam und danach der Kontakt abbrach. Trotz aller Sühne, die ich geleistet habe, kann ich mir das nicht vergeben. Und trotz aller Freundinnen, die ich gefunden habe, habe ich nie wieder eine so geliebt wie Carrie Newsome.

Ihre Nachricht schaut mich an wie ein hungriger Welpe unterm Esstisch. Hat sie etwa vergessen, wie ich sie bei unserer letzten Begegnung behandelt habe? Ich schlage die Hände vors Gesicht. Als ich schließlich den Kopf hebe, tippe ich, so schnell ich kann.

Du fehlst mir auch, Care Bear, und es tut mir so leid.

Sehr gerne würde ich Dich am 14. sehen.

Ich drücke auf *Senden*.

Dann tippe ich *Johnny Manns* ein.

9

Brad und ich sitzen in den Ledersesseln. Ich nippe an einer Tasse Tee, während er aus einer Wasserflasche trinkt und mir von seinem Urlaub erzählt. Ich kann sein Aftershave riechen, und aus der Nähe erkenne ich, dass er ein Loch in einem Ohr hat.

»San Francisco ist der Wahnsinn«, sagt er. »Schon mal da gewesen?«

»Zweimal. Eine von meinen Lieblingsstädten.« Ich verstecke mein Gesicht hinter der Teetasse. »War es geschäftlich oder privat?«

»Privat. Meine Freundin Jenna ist letzten Sommer dahin gezogen. Sie hat eine Stelle beim San Francisco Chronicle.«

Super. Wir haben beide eine Beziehung. Also wird sich keine sexuelle Spannung zwischen uns aufbauen und uns von irgendwas ablenken. Und wieso durchfuhr mich dann gerade ein Stich der Enttäuschung?

»Toll!« Ich bemühe mich, begeistert zu klingen.

»Ja. Für Jenna auf jeden Fall. Sie findet es super, aber für unsere Beziehung ist es eine Belastung.«

»Kann ich mir vorstellen. Zweitausend Meilen voneinander getrennt zu sein, kann nicht leicht sein, dazu noch die zwei Stunden Zeitunterschied.«

Er schüttelt den Kopf. »Und die elf Jahre Altersunterschied.«

Ich rechne schnell nach und vermute, dass Jenna um die dreißig sein muss. »Elf Jahre sind doch gar nicht so viel.«

»Sage ich ihr auch immer. Aber hin und wieder bekommt sie es mit der Angst zu tun.« Er geht zum Schreibtisch und greift zu dem Foto von der Frau mit dem Sohn – die ich für seine ältere Schwester und seinen Neffen gehalten habe. »Das ist Jenna«, sagt er. »Und ihr Sohn Nate. Er ist im ersten Jahr an der NYU.« Ich betrachte die Frau mit dem schüchternen Lächeln und den strahlend blauen Augen genauer. »Sie ist wirklich hübsch.« »Ja.« Brad lächelt das Bild an, und ich spüre einen Stich der Eifersucht. Wie muss es sich anfühlen, so angebetet zu werden? Ich richte mich in meinem Sessel auf und mache ein offizielles Gesicht. »Ich habe Neuigkeiten.«

Er legt den Kopf schief. »Du bekommst ein Kind von Andrew? Du kaufst ein Pferd?«

»Nein. Aber ich war das letzte Mal an Charles Bohlingers Grab.«

Er hebt die Augenbrauen. »Du hast schon Frieden mit ihm geschlossen?«

Ich schüttele den Kopf. »Charles Bohlinger war nicht mein leiblicher Vater, und du musst mir helfen herauszufinden, wo mein richtiger Vater ist.« Ich erzähle ihm vom Tagebuch meiner Mutter und von dem Mann, in den sie sich im Sommer vor meiner Geburt verliebt hat. »Der letzte Eintrag ist vom 29. August, da entdeckte Charles ihr Verhältnis, und Johnny verließ die Stadt. Meine Mutter war erschüttert. Sie wollte Charles verlassen, aber Johnny zwang sie zu bleiben. Er liebte sie zwar, träumte aber davon, Musiker zu werden. Er wollte einfach nicht sesshaft werden. Ob sie damals schon wusste, dass sie schwanger war, werde ich wohl nie erfahren. Aber sie muss ungefähr im zweiten Monat gewesen sein. Mit Johnnys Kind.« Brad runzelt die Stirn. »Glaub mir, Brad. Charles und ich haben keinerlei Ähnlichkeit. Wir hatten absolut nichts miteinander zu tun. Ich habe keinen Zweifel, dass Johnny Manns mein richtiger Vater ist.«

Brad atmet tief durch. »Das ist ganz schön viel auf einmal. Wie geht es dir damit?«

Ich seufze. »Ich bin verletzt. Enttäuscht. Wütend. Ich kann nicht begreifen, dass meine Mutter es mir nicht gesagt hat, besonders nach Charles' Tod. Sie wusste doch, wie sehr ich mir einen Vater wünschte. Aber in erster Linie bin ich erleichtert. Das erklärt einfach so viel. Jetzt verstehe ich endlich, warum mein Vater mich nicht mochte. Nicht weil ich ein schreckliches Mädchen war, wie ich immer dachte, sondern weil ich nicht seine Tochter war.« Ich schlucke schwer. »Ich war immer so wütend auf ihn. Jetzt, da ich die Wahrheit kenne, verblasst diese Wut allmählich.«

»Das ist Wahnsinn. Und stell dir nur vor: Irgendwo wartet dein richtiger Vater auf dich.«

»Tja, das ist auch irgendwie unheimlich. Ich habe keine Ahnung, wie ich ihn finden soll.« Ich beiße mir auf die Lippe. »Ich habe auch keine Ahnung, wie er reagiert, wenn ich vor ihm stehe.«

Brad drückt meine Hand und sieht mir in die Augen. »Er wird dich lieben.«

Mein närrisches Herz setzt kurz aus. Ich entziehe ihm die Hand und lege sie in den Schoß. »Könntest du mir vielleicht helfen, ihn zu finden?«

»Natürlich!« Brad springt auf und geht zum Computer. »Als Erstes versuchen wir ihn mal zu googeln.«

»Wow!« Ich heuchle Bewunderung. »Ihn googeln! Du denkst aber wirklich an alles! Du verdienst eine Gehaltserhöhung!«

Er dreht sich zu mir um, schaut mich fragend an. Dann bilden sich Lachfältchen um seine Augen. »Klugscheißer.«

Ich schmunzele. »Meinst du, ich hätte ihn nicht schon längst gegoogelt? Komm schon, Midar!«

Er setzt sich wieder und schlägt die Beine übereinander. »Und, was hast du gefunden?«

»Ich dachte, ich hätte ihn sofort entdeckt, einen Bandleader namens Johnny Mann. Aber der wurde 1918 geboren.«

»Tja, dann müsste er ein ziemlich alter Knacker sein, schon 1978. Außerdem suchen wir einen Manns, nicht ›Mann‹, oder?«

»So hat sie ihn in ihrem Tagebuch geschrieben. Aber ich schließe ›Mann‹ nicht aus. Ich habe es auch mit John, Johnny und Jonathan probiert. Das Problem ist: Es gibt über zehn Millionen Treffer! Ich kann ihn nur finden, wenn ich die Suche einschränke.«

»Was hat sie noch über ihn geschrieben? Kam er aus Chicago?«

»Er war aus North Dakota. Nach ihrer Beschreibung würde ich schätzen, dass er in ihrem Alter war, aber das weiß ich auch nicht mit Sicherheit. Er hatte die Wohnung über der von meinen Eltern untergemietet, als sie auf der Bosworth Avenue in Rogers Park wohnten. Er war Musiker und arbeitete in einer Bar namens Justine's an derselben Straße.«

Brad schnippt mit dem Finger und zeigt auf mich. »Bingo! Wir gehen direkt da hin – ins Justine's! Wir hören uns um, vielleicht kann sich jemand an ihn erinnern.«

Ich verdrehe die Augen. »Wo hast du noch mal deinen Abschluss in Jura gekauft?«

»Was?«

»Das Ganze ist über dreißig Jahre her, Brad. Selbst das Justine's gibt es nicht mehr. In dem Laden ist jetzt eine Schwulenbar namens Neptune.«

Er sieht mich mit zusammengekniffenen Augen an. »Das hast du alles schon überprüft, oder?«

Ich bemühe mich, nicht zu grinsen. »Gut, ich gebe es zu: Ich bin genauso dämlich wie du.« Abwehrend hebe ich die Hände. »Ich glaube, das schaffen wir nicht allein. Wir brauchen einen Fachmann, Brad. Kennst du nicht jemanden, der uns helfen könnte?«

Er geht zum Schreibtisch und holt sein Handy. »Ich kenne einen Detektiv, den ich manchmal bei Scheidungen engagiere. Steve Pohlonski. Er macht seine Arbeit ziemlich gut. Aber ich kann nicht versprechen, dass er Johnny Manns findet.«

»Er muss!«, rufe ich, denn ich habe plötzlich Angst, meinen Vater niemals aufzuspüren. »Wenn er das nicht schafft, müssen wir uns jemand anders suchen. Ich gebe nicht eher Ruhe, als bis ich diesen Mann gefunden habe.«

Brad betrachtet mich und nickt. »Gut für dich. Es ist das erste Mal, dass du ein Ziel mit Begeisterung angehst. Ich bin stolz auf dich.«

Er hat recht. Es ist nicht mehr meine Mutter, die mich antreibt, Ziel Nr. 19 zu erreichen. Es ist nicht mehr das Ziel des kleinen Mädchens. Eine Beziehung mit meinem Vater ist etwas, das ich mir von ganzem Herzen wünsche, wonach ich mich mein Leben lang gesehnt habe.

Als ich die Kanzlei verlasse, frage ich mich, warum ich das seltsame Bedürfnis habe, Brad zufriedenzustellen. Wie meine Mutter scheint er überzeugt zu sein, dass ich diese Ziele erreichen kann. Zusammen werden wir meine Mutter vielleicht wirklich stolz machen. Bevor ich länger darüber nachdenken kann, klingelt mein Handy. Ich gehe durch die Tür auf die Randolph Street und fische das Telefon aus der Handtasche.

»Brett Bohlinger? Hier ist Susan Christian von den Chicago Public Schools. Wir haben Ihre Bewerbung und den Impfnachweis erhalten und Ihren Hintergrund überprüft. Ich freue mich, Ihnen mitteilen zu können, dass alles sehr gut aussieht. Sie sind jetzt berechtigt, als Vertretungslehrerin zu arbeiten. Herzlichen Glückwunsch.«

Eine Böe Oktoberwind schlägt mir ins Gesicht. »Ähm, gut, danke.«

»Wir bräuchten morgen eine Vertretung für die fünfte Klasse an der Douglas-Keyes-Gesamtschule in Woodlawn. Hätten Sie Zeit?«

Ich liege mit meinem Buch im Bett und lese denselben Absatz zum dritten Mal, als ich höre, wie die Tür aufgeht. Früher habe ich mich immer so gefreut, abends Andrew zu sehen. Jetzt zieht sich meine Brust zusammen, und ich bekomme kaum Luft. Ich muss ihm die Wahrheit sagen, aber um zehn Uhr abends, wenn er erschöpft ist und entspannen will, erscheint mir das nicht gerade angebracht. Das jedenfalls rede ich mir ein.

Ich klappe das Buch zu und lausche, wie er in den Schränken und im Kühlschrank herumwühlt. Dann höre ich, wie Andrew die Treppe zum Schlafzimmer hinauf schlurft, als hätte er zwanzig Kilo schwere Stiefel an. Ich kann seine Laune immer am Geräusch seiner Schritte erkennen, wenn er die Treppe hochkommt. Heute ist er erschöpft und entmutigt.

»Hey«, sage ich und lege das Buch beiseite. »Wie war dein Tag?«

Er lässt sich auf die Bettkante sinken, eine Flasche Heineken in der Hand. Sein Gesicht ist aschfahl, unter den Augen hat er dunkle Ringe wie Halbmonde. »Du bist schon früh im Bett.«

Ich schiele hinüber zum Wecker. »Ist schon fast zehn. Du bist später dran als sonst. Soll ich dir was zu essen machen?«

»Geht schon.« Er zieht die Krawatte ab und knöpft sein unglaublich glattes blaues Hemd auf. »Wie war dein Tag?«

»Gut.« Ich spüre, wie mein Blutdruck bei dem Gedanken an den morgigen Job als Vertretungslehrerin steigt. »Aber morgen wird schlimm. Großes Meeting mit neuen Kunden.«

»Du kommst schon klar. Deine Mutter hat es geschafft, dann schaffst du es auch.« Er trinkt einen Schluck Bier. »Hilft Catherine dir?«

Ich winke ab. »Sie schmeißt den Laden, so wie immer.« Lieber Himmel! Das kann so nicht weitergehen. Ich fühle mich, als würde ich an einem Abgrund stehen – kurz davor, abzurutschen. Ich ziehe die Knie an die Brust und schlinge die Arme darum. »Wie war es denn bei dir heute?«

Er fährt sich mit der Hand durchs Haar. »Nervig. Ich habe einen Klienten, dem vorgeworfen wird, einen Neunzehnjährigen ermordet zu haben, weil der einen Stein auf seinen Geländewagen geworfen hat.« Andrew stellt das Bier auf einen Untersetzer und geht zum Schrank. »Dagegen ist die Leitung so einer Kosmetikfirma wie ein Tag im Disneyland.«

Obwohl ich die Firma nicht leite, ja nicht einmal mehr eine Mitarbeiterin in der Werbung bin, trifft mich seine Beleidigung wie ein Faustschlag ins Gesicht. So weit Andrew weiß, bin ich die Geschäftsführerin dieses Kosmetikunternehmens. Dafür erwarte ich ein Minimum an Respekt, und ehrlich gesagt auch ein bisschen Ehrfurcht und Bewunderung. Ich will mich verteidigen, aber mache den Mund schnell wieder zu, bevor ich etwas Falsches sage. Ich bin hier die Lügnerin, und schlimmer als ein Lügner ist nur noch ein selbstgerechter Lügner.

Er spürt offenbar, dass ich beleidigt bin, denn er kommt zu mir und drückt meinen Arm. »Hey, das habe ich nicht so gemeint. Ich will damit nur sagen, du hast echt einen Lauf.«

Mein Herz rast. Jetzt ist es so weit. Ich hole tief Luft. »Nein, ich habe keinen Lauf, Andrew. Ich habe nur so getan, als ...«

»Könntest du vielleicht mal mit dem ständigen Gemecker aufhören? Ich versteh's ja. Du fühlst dich wie ein Betrüger. Tja, tun wir alle hin und wieder. Aber du musst selbstbewusster auftreten, Schatz, du musst zeigen, dass du der Aufgabe gewachsen bist. Zweifel nicht an dir. Du kannst jetzt zeigen, was du wirklich drauf hast, und die Frau werden, von der deine Mutter – und ich – immer schon wussten, dass sie in dir steckt.«

O Gott! Ich kann ihm jetzt nicht die Wahrheit sagen. »Ähm, tja, ich weiß nicht so recht.«

»Ich habe keinerlei Zweifel daran.« Andrew holt einen Zedernholzbügel aus dem Schrank und hängt seine Anzugjacke darüber. Dann zieht er die Hose aus, legt sie an der Bügelfalte zusammen und hängt sie ebenfalls auf, mit den Hosenbeinen nach oben. Ich betrachte seine glatte braune Haut und die ausgeprägten Bauchmuskeln. Wie bei seiner Kleidung und seinem Körper erwartet Andrew in jeder Hinsicht Perfektion – auch bei seiner Freundin. Ein Loch tut sich in meinem Magen auf.

»Ich habe länger über Bohlinger Cosmetics nachgedacht. Ich möchte gerne, dass du überlegst, ob du mich mit an Bord holen kannst.«

Ich atme hörbar ein. »Ich ... ich weiß nicht, ob das eine so gute Idee ist.«

Er schießt mir einen kurzen Blick zu.»Warum nicht? Was hat sich denn geändert? Früher warst du total dafür.«

Vor drei Jahren ging ich zu meiner Mutter und bat sie, eine Stelle für Andrew zu schaffen. Aber sie weigerte sich.»Brett, mein Schatz, ich denke nicht eher darüber nach, als ihr beiden verheiratet seid. Und selbst dann wirst du mich nur schwerlich überzeugen können, Andrew anzustellen.«

»Aber warum nicht? Er ist hervorragend. Andrew arbeitet mehr als alle, die ich kenne.«

»Andrew wäre zweifelsohne ein Gewinn für viele Unternehmen. Aber ich bin mir nicht sicher, ob er so gut zu BC passen würde.« Sie sah mir in die Augen, wie sie es immer tat, wenn sie etwas Schwieriges sagen wollte.»Mein Gefühl ist, dass Andrew ein bisschen aggressiver ist, als es für ein Geschäft wie unseres nötig wäre.«

Ich schlucke und zwinge mich, Andrew anzusehen.»Aber Mama war dagegen, weißt du nicht mehr? Außerdem hast du zig Mal gesagt, wie gut die Entscheidung letztendlich war. Du hast zugegeben, dass du in einer Kosmetikfirma niemals glücklich geworden wärst.«

Er kommt ins Bett, beugt sich über mich und stützt sich mit den nackten Armen rechts und links von mir ab.»Aber das war, bevor meine Freundin die Geschäftsführerin dieser Firma wurde.«

»Was nochmals unterstreicht, dass du dort nicht arbeiten solltest.«

Er lässt seinen Körper auf mich sinken, übersät meine Stirn, meine Nase, meine Lippen mit Küssen.»Stell dir nur die Vergünstigungen vor«, flüstert er mit rauer Stimme.»Wir richten uns ein Zimmer neben deinem Büro ein. Ich werde der Firmenanwalt und nebenbei dein privater Lustknabe.«

Ich kichere.»Du bist schon mein privater Lustknabe.«

Er liebkost meinen Hals und hebt das Nachthemd an.»Nichts ist erotischer als eine einflussreiche Frau. Komm her, Frau Direktorin.«

100

Wenn du wüsstest, dass ich eine einflusslose Vertretungslehrerin bin, würdest du mich dann immer noch erotisch finden? Ich taste nach dem Lichtschalter und bin dankbar, als es dunkel wird im Zimmer. Reglos liege ich da, während Andrew sich an meinem Körper nach unten vorarbeitet.

Das Engelchen auf meiner Schulter erinnert mich, dass ich ihm die Wahrheit sagen soll, und zwar bald. Das Teufelchen auf der anderen erwidert, der Engel solle sich um seinen eigenen Kram kümmern, und schlingt die Beine um Andrews nackten Rücken.

In schwarzer Hose und schwarzem Pulli gehe ich zur Douglas-Keyes-Gesamtschule. Zu Ehren von Halloween habe ich Schuhe in Knallorange angezogen. Kinder mögen Lehrer, die sich den Feiertagen entsprechend kleiden, auch wenn ich mich weigere, einen Sweater mit Kürbisapplikation zu tragen, bis ich mindestens fünfzig bin.

Rektorin Bailey, eine attraktive Afroamerikanerin, führt mich über den Terrazzoboden in Mrs Porters Klassenzimmer.

»In Woodlawn gibt es viel sozialen Wohnungsbau und verschiedene Straßenbanden. Sind nicht gerade einfach zu unterrichten, aber wir richten uns auf die Herausforderung ein. Ich stelle mir unsere Schule gerne als Anlaufstätte für die Kinder vor.«

»Schön.«

»Bei Mrs Porter haben heute frühmorgens die Wehen eingesetzt, drei Wochen vor dem errechneten Termin. Falls es kein Fehlalarm ist, wird sie die nächsten sechs Wochen weg sein. Wären Sie bereit, auch längerfristig zu vertreten, falls wir Sie bräuchten?«

Ich halte die Luft an. »Ähm, da muss ich überlegen …«

Sechs Wochen? Das sind dreißig Arbeitstage! Das Blut pocht mir in den Schläfen. Über einer Schwingtür am Ende des Ganges sehe ich ein grelles Schild: *Notausgang*. Ich bin versucht, hinauszustürzen und nie wieder zurückzukommen. Dann denke ich an die Liste des kleinen Mädchens. Wenn ich hier sechs Wochen lang meine Zeit absitze, habe ich Ziel Nr. 20 erreicht. Selbst Brad müsste zugeben, dass ich es versucht habe. Ich denke an die Worte meiner Mutter beziehungsweise an die von Eleanor Roosevelt: »Tu jeden Tag etwas, was dir Angst macht.«

»Doch«, sage ich und löse den Blick vom Notausgang-Schild. »Ich hätte Zeit.«

»Wunderbar«, freut sich Mrs Bailey. »Es ist nicht leicht, für diese Schule Vertretungskräfte zu finden.«

Eine Mischung aus Panik und Reue saust durch meine Nervenfasern. Was habe ich gerade getan? Die Rektorin schließt auf und tastet nach dem Lichtschalter.

»Die Übersicht mit dem Unterrichtsstoff liegt auf Mrs Porters Tisch. Wenn Sie sonst noch was brauchen, fragen Sie einfach.« Die Rektorin nickt mir noch mal aufmunternd zu, dann verschwindet sie, und ich bin allein in meinem Klassenzimmer.

Ich atme den Geruch von Staub und schimmeligen alten Büchern ein und betrachte die Ansammlung von Holzpulten. Eine alte Wunschvorstellung wird wahr. In den ersten zwanzig Jahren meines Lebens träumte ich davon, in genau so einem Klassenzimmer zu unterrichten.

Schrill klingelt die Schulglocke und reißt mich aus meinem Traum. Mein Blick schießt zur Uhr über der Tafel. Du meine Güte! Der Unterricht fängt an!

Ich stürze zu Mrs Porters Schreibtisch und suche den Zettel mit dem Unterrichtsstoff. Hebe das Klassenbuch hoch und blättere durch einen Stapel Arbeitsblätter, aber finde nichts. Ich reiße die Schubladen auf. Nichts. Ich wühle im Schrank herum. Auch nichts. Wo sind verdammt noch mal die Pläne mit dem Unterrichtsinhalt?

Auf dem Flur höre ich eine ganze Armee in Richtung Klassenzimmer poltern. Mein Herz rast, ich reiße einen Aktenordner aus dem Ablagekorb. Die Blätter segeln zu Boden. Verdammt! Im letzten Moment erhasche ich eine Überschrift: *Unterri*…, dann verschwindet alles unter meinem Schreibtisch. Der Unterrichtsstoff! Danke, lieber Gott!

Die Armee rückt näher. Mit zitternden Händen sammle ich die heruntergefallenen Blätter auf. Die meisten sind zusammengesucht, nur das wichtigste, der Plan selbst, steckt unter dem Schreibtisch fest. Auf Händen und Knien krieche ich darunter, will den Zettel unbedingt haben. Aber er ist zu tief unter dem Tisch verschwunden. In dem Moment platzen die Schüler herein. Der erste Eindruck von ihrer Vertretungslehrerin ist ein herausgestreckter Hintern.

»Netter Arsch«, höre ich jemanden sagen, gefolgt von deftigem Gelächter.

Ich krieche unter dem Schreibtisch hervor und streiche meine Hose glatt. »Guten Morgen, liebe Mädchen und Jungs.« Ich erhebe die Stimme, damit ich trotz des Geschnatters gehört werde. »Ich bin Ms Bohlinger. Mrs Porter ist heute nicht da.«

»Cool!«, sagt ein Rothaariger mit Sommersprossen. »He, Leute! Wir haben heute Vertretung! Sucht euch einen neuen Platz!« Wie bei der Reise nach Jerusalem springen die Schüler auf und kämpfen miteinander um die Stühle.

»Zurück auf eure Plätze! Aber sofort!« Doch meine Worte verhallen im Chaos. Es ist erst zwanzig nach acht, und ich habe die Klasse schon nicht mehr im Griff. Hinten im Raum steht ein Mädchen mit Medusa-Zöpfen und schreit einen dunkelhäutigen Jungen an, der um die Zwanzig zu sein scheint.

»Hör auf, Tyson!«

Tyson hat einen pinken Schal in der Hand, dreht sich um die eigene Achse und wickelt sich den Schal dabei immer enger um die Taille.

»Gib mir meinen verdammten Schal zurück!«, ruft Medusa.

Ich baue mich vor den beiden auf. »Gib ihr bitte ihren Schal zurück!« Ich greife danach, doch Tyson weicht mir aus, dreht sich weiter im Kreis und dehnt den Schal, als würde er Karamell ziehen. »Ach, komm! Pink steht dir doch gar nicht!«, sage ich zu ihm.

»Genau!«, ruft der Junge mit den Sommersprossen quer durch den Raum. »Was willst du mit 'nem pinken Schal, Ty? Bist du schwul oder was?«

Tyson reagiert wie angestochen. Er ist fast so groß wie ich, aber gute zehn Pfund schwerer. Er springt über die Tische nach vorn, um sich auf den Rotschopf zu stürzen.

»Stopp!« So schnell ich kann, laufe ich durch die Reihen, kann nicht über die Pulte springen wie er. Tyson hat den anderen bereits am Schlafittchen und schüttelt ihn wie einen Martini. Meine Güte, er bringt den Jungen noch um! Und dann ist es meine Schuld! Werde ich des Totschlags bezichtigt? Ich rufe Medusa zu: »Hol die Rektorin!«

Als ich die kämpfenden Jungen endlich erreiche, glüht das Gesicht des Schülers mit den Sommersprossen rot, sein Blick ist wild. Er hat alle Mühe, Tysons Finger von seinem Hals fernzuhalten. Ich ziehe an Tysons Arm, doch er schüttelt mich ab. »Lass los!«, schreie ich. Aber meine Stimme scheint nicht zu ihm durchzudringen.

Die anderen versammeln sich um uns, johlen und feuern die Kämpfenden an, die Stimmung eskaliert.

»Hinsetzen!«, rufe ich. Niemand reagiert. »Aufhören! Jetzt sofort!« Ich versuche, Tysons Finger vom Hals des Rothaarigen zu lösen, aber sie sind starr wie Stahlseile. Als ich gerade um Hilfe rufen will, ertönt eine strenge Stimme von der Tür.

»Tyson Diggs, komm her! Sofort!«

Auf der Stelle lässt Tyson den Hals des anderen los. Vor Erleichterung breche ich fast zusammen. Mrs Bailey steht in der Tür. Augenblicklich setzen sich die Schüler auf ihre Plätze, still und ordentlich.

»Ich habe gesagt, komm her«, wiederholt die Rektorin. »Du auch, Mr Flynn.«

Die Jungs schleichen nach vorn. Sie legt jedem von ihnen eine Hand auf die Schulter und nickt mir zu. »Führen Sie Ihren Unterricht fort, Ms Bohlinger. Diese jungen Herren werden den Vormittag bei mir verbringen.«

Ich möchte ihr danken. Nein, ich möchte vor ihr auf den Boden fallen und ihr die Füße küssen. Aber ich traue meiner Stimme nicht, deshalb nicke ich nur und hoffe, dass sie die Dankbarkeit in meinem Gesicht erkennen kann. Mrs Bailey schließt die Tür hinter sich. Ich hole tief Luft und wende mich an meine Klasse.

»Guten Morgen, alle miteinander«, sage ich und stütze mich mit einer Hand auf einem Pult ab. Ich versuche zu lächeln. »Ich bin eure Vertretungslehrerin.«

»Ach was!«, sagt ein Mädchen um die Siebzehn. »Wissen wir schon.«

»Wann kommt Mrs Porter zurück?«, fragt eine andere Schülerin, deren paillettengeschmücktes T-Shirt sie als *Prinzessin* ausweist.

»Das kann ich nicht genau sagen.« Ich schaue mich um. »Noch Fragen, bevor wir anfangen?« Anfangen womit? Der verdammte Unterrichtsplan liegt immer noch unter meinem Schreibtisch.

Die Prinzessin meldet sich. Ich beuge mich vor, um ihren Namen lesen zu können, der auf einem Papierschild vor ihr steht. »Ja, Marissa? Hast du eine Frage?«

Sie legt den Kopf schräg und weist mit ihrem Stift auf meine orangefarbenen Prada-Schuhe. »Haben Sie dafür echt Geld ausgegeben?«

Ich höre nur noch kreischendes Gejohle und bin zurück in Meadowdale. Ich klatsche in die Hände. »Es reicht!« Doch wieder gehen meine Worte im Chaos unter. Ich muss diese pubertierenden Monster unter Kontrolle bringen, und zwar jetzt sofort. Mein Blick fällt auf ein Mädchen in der ersten Reihe, laut Namensschild heißt es Tierra. »Du da«, sage ich. »Hilf mir.«

Die Lautstärke im Klassenzimmer steigt, mir läuft die Zeit weg. »Ich brauche den Unterrichtsplan, Tierra.« Ich weise auf das weiße Blatt Papier unter meinem Schreibtisch. »Kannst du bitte darunter kriechen und es mir holen?«

Das wohl einzige gehorsame Kind im ganzen Raum geht auf alle viere und krabbelt unter Mrs Porters Schreibtisch, so wie ich zuvor. Sie ist kleiner als ich und hat keine Schwierigkeiten, das Blatt zu erreichen. Ich sehe ihr zu, wie sie es aufhebt, und lese die vollständige Überschrift: *Unterrichtsinhalt 9 – das stumme E.* Das ist gar nicht mein Unterrichtsplan! Das ist eine verdammte Rechtschreibübung!

»Scheiße«, sage ich, ohne nachzudenken.

Tierras Kopf zuckt hoch, schlägt von unten gegen den Tisch und dröhnt wie ein Donnerschlag durch den Raum.

»Holt die Krankenschwester!« rufe ich – und hoffe, dass wenigstens einer zuhört.

Nach unendlichen sechs Stunden und dreiundvierzig Minuten scheuche ich die Schüler aus dem Klassenzimmer. Ich will nichts anderes mehr, als das Schulgrundstück verlassen und mir einen starken Martini gönnen, aber Mrs Bailey bestellt mich in ihr Büro. Mit einer lilafarbenen Lesebrille auf der Nasenspitze reicht sie mir einen Stapel Papiere und ihren Stift.

»Sie müssen diesen Unfallbericht unterschreiben.« Sie weist mit dem Kinn auf den Stuhl vor ihrem Schreibtisch. »Vielleicht möchten Sie sich kurz setzen.«

Ich rutsche auf den Plastikstuhl und überfliege den ersten Bericht. »Sie müssen sehr viel zu tun haben, wenn Sie sich ständig mit solchen Zwischenfällen auseinandersetzen müssen.«

Sie späht mich über die Brille hinweg an. »Ms Bohlinger, Sie haben mir heute mehr Schüler geschickt als die meisten Kollegen in einem gesamten Schuljahr.«

Ich zucke zusammen. »Das tut mir leid.«

Die Rektorin schüttelt den Kopf. »Ich merke, dass Sie ein gutes Herz haben, wirklich. Aber Ihre Fähigkeiten, sich in der Klasse durchzusetzen …«

»Wenn ich erst mal richtig drin bin, wird es leichter.« *Von wegen* ... »Haben Sie von Mrs Porter gehört? Ist das Baby da?« »Ja, allerdings. Ein gesundes Mädchen.«

Mich verlässt der Mut, aber ich bringe ein Lächeln zustande.

»Dann komme ich Montag wieder, in aller Frühe.«

»Montag?« Mrs Bailey nimmt die Brille ab. »Sie glauben doch nicht, dass ich Sie noch mal in diese Klasse lasse, oder?«

Meine erste Reaktion ist Erleichterung. Nie wieder werde ich diese kleinen Blödmänner unterrichten müssen! Doch die Ablehnung tut mir weh. Diese Frau will mich nicht an ihrer Schule. Ich muss ihr beweisen, dass ich eine Lehrerin bin – so wie meiner Mutter und dem kleinen Mädchen mit den lächerlichen Lebenszielen. »Ich brauche nur noch eine Chance. Ich kann es besser. Das weiß ich.«

Mrs Bailey schüttelt den Kopf. »Tut mir leid, meine Liebe. Auf gar keinen Fall.«

Ob Brad tatsächlich Zeit hat oder ob Claire spürt, dass ich kurz vor einem Zusammenbruch stehe, und ihm schnell einen Termin freischaufelt, weiß ich nicht. Jedenfalls erwartet er mich, als ich in die Kanzlei komme. Mein Haar ist nass von einem Regenschauer und klebt mir am Schädel, außerdem rieche ich nach feuchter Wolle. Er legt mir einen Arm um die Schulter und führt mich zum vertrauten Ledersessel. Er riecht nach Nadelholz. Ich schließe die Augen und muss weinen.

»Ich bin ein Loser«, heule ich. »Ich kann nicht unterrichten. Ich kann diese Ziele nicht erreichen, Brad. Ich kann nicht.«

»Stopp!«, sagt er sanft. »Das wird schon.«

»Hast du was von Pohlonski gehört?«

»Noch nicht. Ich hab ja gesagt, es kann was dauern.«

»Ich drehe bald am Rad, Brad. Wirklich.«

Er hält mich auf Armeslänge Abstand. »Wir bringen dich da durch, versprochen!«

Sein besänftigender Tonfall macht mich wütend. »Nein!« Ich

löse mich von ihm. »Das kannst du gar nicht wissen. Ich meine es ernst. Was ist, wenn ich diese Liste nicht einlösen kann?«

Er reibt sich das Kinn und schaut mir ins Gesicht. »Ganz ehrlich? Ich würde sagen, dann ergeht es dir nicht anders als Millionen anderer Menschen, die auf der Suche nach einem Job sind und irgendwie versuchen, über die Runden zu kommen. Aber anders als die meisten Menschen hättest du keine Schulden, die du abzahlen musst ... müsstest du dir keine Sorgen um deine Rente machen ...«

Seine Worte beschämen mich. Ich bin so voller Selbstmitleid, dass ich vergessen habe, wie gut es mir eigentlich geht – auch jetzt noch. Ich senke den Blick.

»Danke. Das war mal nötig.« Ich lasse mich in den Sessel sinken. »Du hast völlig recht. Ich suche mir einen neuen Job im Marketing. Es wird Zeit, dass mein Leben weitergeht.«

»Dein altes Leben, meinst du? Mit Andrew?«

Traurigkeit überfällt mich, als ich mir vorstelle, wie ich den Rest meines Lebens mit einem uninteressanten Job und meine Abende allein in einer freudlosen Wohnung verbringe, die ich nicht mal mein eigen nennen kann.

»Klar«, gebe ich zurück. »Ein anderes habe ich ja nicht.«

»Das stimmt nicht. Du hast Möglichkeiten. Genau das versucht dir deine Mutter doch zu zeigen.«

Ich schüttele den Kopf, meine Enttäuschung kehrt zurück. »Du begreifst es einfach nicht! Es ist zu spät für einen Neuanfang! Hast du eine Ahnung, wie gering die Wahrscheinlichkeit ist, dass ich die Liebe meines Lebens kennenlerne, dass der Typ zufällig auch Kinder will, plus einen Hund und ein scheiß Pony? Und meine Uhr tickt, Brad – diese grausame, frauenhassende biologische Uhr.«

Er setzt sich auf den anderen Sessel. »Hör mal, deine Mutter dachte doch, die Ziele auf deiner Liste würden dir ein besseres Leben bescheren, nicht?«

Ich zucke mit den Achseln. »Kann sein.«

»Hat sie dich je im Stich gelassen?«
Ich seufze. »Nein.«
»Dann mach dich dran, B. B.!«
»Aber wie?« Ich schreie fast.
»Indem du zu dem mutigen kleinen Mädchen zurückfindest, das du früher warst. Du sagst, deine Mutter wäre feige gewesen, aber du bist nicht besser. Du willst diese Träume wahr machen, das weiß ich. Aber du hast zu viel Angst, es zu versuchen! Los, lebe deine Träume, B. B.! Leg los! Jetzt!«

10

Andrew schläft auf dem Sofa, als ich nach Hause komme. Das flackernde Licht vom Fernseher huscht über sein Gesicht. Er muss heute früher von der Arbeit zurückgekehrt sein. Am liebsten würde ich einfach nur an ihm vorbeischleichen, mich umziehen und so tun, als hätte ich einen langen Bürotag hinter mir, aber ich tue es nicht. Mein Herz schlägt mir wild in der Brust. Es ist so weit.

Ich knipse eine Lampe an, Andrew wird wach.

»Seit wann bist du wieder da?«, fragt er müde.

»Seit ein paar Minuten.«

Er schaut auf die Uhr. »Ich dachte, wir könnten uns vielleicht mit den anderen im The Gage treffen.«

»Super Idee!« Meine Stimme zittert leicht. »Aber zuerst muss ich dir was sagen.« Ich hole tief Luft. »Ich habe dich belogen, Andrew. Es wird Zeit, dass du die Wahrheit erfährst.«

Ich setze mich neben ihn aufs Sofa und erzähle ihm von den Wünschen eines Mädchens, das ich einmal kannte.

Als ich fertig bin, habe ich Halsschmerzen vom Reden. »So, das war's. Es tut mir leid, dass ich es nicht früher erzählt habe. Ich hatte Angst, du … Ich hatte Angst …« Ich schüttele den Kopf. »Ich hatte einfach Angst, dich zu verlieren.«

Andrew stützt den Ellenbogen auf die Sofalehne und reibt sich die Schläfe.

»Ziemlich mies von deiner Mutter.«

»Sie dachte, sie würde mir einen Gefallen tun.« Ich stelle fest, dass ich meine Mutter verteidige, was mir gleichzeitig verrückt *und* völlig richtig vorkommt.

Schließlich sieht Andrew mich an. »Ich glaube das Ganze nicht. Elizabeth hätte dir dein Erbe niemals vorenthalten. Am Ende bekommst du dein Vermögen, ob du diese Ziele erreichst oder nicht. Glaub mir.«

Ich schüttele wieder den Kopf. »Das glaube ich nicht. Brad auch nicht.«

»Ich werde mal recherchieren. Bis jetzt hast du nicht einen Cent bekommen?«

»Nein, und es bleibt keine Zeit zum Recherchieren. Ich muss die Liste bis September abarbeiten.«

Ihm fällt die Kinnlade runter. »Nächstes Jahr September?«

»Ja.« Ich hole tief Luft. »Deshalb muss ich wissen: Wie stehst du dazu?«

»Wie ich dazu stehe? Das ist absoluter Irrsinn!« Andrew setzt sich so um, dass er mir ins Gesicht sehen kann. »Du musst das tun, was du selbst willst, Schatz, nicht das, was deine Mutter von dir will. Zugegeben, ich kannte dich nicht, als du vierzehn warst, als du Lehrerin werden und Kinder haben wolltest.« Er grinst mich mit hochgezogener Augenbraue an. »Ich kenne nur die taffe Frau, die du heute bist, beziehungsweise die Frau, die du sein wirst, wenn du den nächsten großen Fisch an Land gezogen hast – wenn du dich denn dafür entscheidest.«

Er streicht mir mit dem Daumen über die Wange. »Hör zu, ich weiß auch, dass es nicht perfekt ist, aber was wir haben, ist schon verdammt gut. Sicher haben wir Stress im Beruf, aber das ist nichts im Vergleich zu unseren Freunden mit Kindern. Dazu noch ein Hund, ein Pferd und gesellschaftliche Verpflichtungen …« Er schüttelt den Kopf, als würde ihn allein schon der Gedanke entsetzen. »Das kann ich mir nicht vorstellen. Zufällig mag ich unser Leben so, wie es jetzt ist. Ich dachte, dir gefiele es auch.« Er schiebt mir eine Locke hinters Ohr. »Etwa nicht?«

Mein Gesicht brennt, doch er hält meinen Blick fest. Wenn ich aufrichtig antworte, werde ich Andrew verlieren. Die Worte meiner Mutter hallen mir durch den Kopf, als riefe sie sie von oben hinunter: *Wenn Du Angst hast, dann pack Deinen Mut am Kragen und hol ihn hervor, denn er gehört zu Dir.*

»Nein«, flüstere ich. »Meine Mutter hat recht.«

»Das darf doch wohl nicht …!«

Tränen laufen mir über die Wange, ich wische sie weg. »Ich werde noch diese Woche ausziehen.«

Ich will aufstehen, doch Andrew hält mich am Arm fest.

»Willst du damit sagen, das ist die einzige Möglichkeit, an dein Erbe zu gelangen? Gibt es keinen anderen Weg?«

»Nein. Genau das versuche ich dir gerade zu erklären.«

»Über wie viel reden wir hier? Fünf, sechs Mio?«

Fragt er ernsthaft nach der Höhe meines Erbes? Zuerst bin ich sprachlos, aber immerhin bitte ich ihn ja, mich bei diesem Vorhaben zu unterstützen. Hat er nicht das Recht, es zu erfahren?

»Ja, so was in der Richtung. Das weiß ich aber erst sicher, wenn ich den Umschlag bekomme.« Aus irgendeinem Grund erzähle ich Andrew nichts von den riesigen Fonds, die meine Brüder erhalten haben.

Hörbar atmet er aus, seine Nasenlöcher beben. »Das nervt, weißt du das?«

Ich nicke und wische mir mit dem Handrücken über die Nase.

»Scheiße!« sagt er. Schließlich sieht er mich an. »Na gut, wenn ich das machen muss, damit du bei mir bleibst, verdammt, dann müssen wir es wohl tun.«

Damit ich bei ihm bleibe? Versteht er überhaupt, was auf dem Spiel steht? Ich starre ihn mit offenem Mund an. »Du … du willst mir helfen, die Ziele zu erreichen? Alle?«

Er zuckt mit den Schultern. »Ich habe doch keine Wahl, oder?«

Das scheint mir eine seltsame Antwort zu sein, da er die einzige Figur in diesem Spiel ist, die tatsächlich eine Wahl hat. Aber wichtig ist mir eigentlich gerade nur, dass er bereit ist, mir beim Erreichen meiner Ziele zu helfen. Wir werden eine Familie sein! Zum ersten Mal stellt Andrew meine Bedürfnisse über seine. Moment – tut er das wirklich? Ein unbehagliches Gefühl schleicht sich bei mir ein, doch ich verdränge es, halte an der unwirklichen Hoffnung fest, dass meine Intuition mich trügt. Was habe ich für ein Recht, seine Motive anzuzweifeln?

Mit einem seligen Gefühl der Erleichterung bin ich am Sonntagnachmittag allein in der Wohnung. Seit unserem klärenden Gespräch am Freitagabend ist Andrew kühler als der Wind am Lake Michigan. Als er heute murmelte, er müsse ins Büro, warf ich ihm deshalb schnell seinen Mantel zu und scheuchte ihn nach draußen, bevor er es sich anders überlegen konnte. Ich kann ihm nicht übelnehmen, dass er verwirrt ist. Er wurde genauso unvorbereitet von dieser verrückten Liste überrascht wie ich. Und genau wie ich wird er Zeit brauchen, um sich an die Vorstellung von einem anderen Leben zu gewöhnen.

Ich trage meinen Laptop zum Esszimmertisch und logge mich bei Facebook ein. Eine Nachricht. Antwort von Carrie Newsome.

Hurra! Ich kann es nicht erwarten, Dich am 14. zu sehen! Danke für den Vorschlag mit dem Essen im Hotel. Das ist bestimmt einfacher, als durch die ganze Stadt zu gondeln. Sechs Uhr passt perfekt. Mir war gar nicht klar, wie sehr Du mir gefehlt hast, Bretel!

Kein Wort dazu, wie ich sie im Stich gelassen habe. Wer kann so großmütig sein?

Als ich Carrie zum letzten Mal sah, war ich in der zehnten Klasse auf der Loyola Academy. Carrie war schon ein Jahr in Madison, und ihre Eltern schenkten ihr zum Geburtstag eine Busfahrkarte, mit der sie mich besuchen kommen konnte. Sie wirkte überrascht, als sie mich sah, so sehr hatte ich mich in den zwölf Monaten verändert. Ich war bei den Cheerleadern aufgenommen worden und gehörte inzwischen zu den angesagten Schülern. Ich hatte meine Zahnspange abgelegt und begonnen, mich zu schminken. Die Haare trug ich wie Jennifer Aniston in *Friends*, glättete sie jeden Morgen aufwendig. Carrie hingegen sah genauso aus wie immer: schlicht, untersetzt, schmucklos.

Wir hockten uns in meinem Zimmer auf den Boden, hörten uns eine CD von Boyz II Men an und blätterten durch mein Jahrbuch. Ich zeigte Carrie das Foto von Joni Nicol. »Erinnerst du dich noch an Jonis Bruder Nick? Ich war so was von verknallt in ihn. Gibt es in Madison auch süße Jungs?«

Sie sah mich an, als würde sie meine Frage nicht verstehen.

»Keine Ahnung. Hab ich noch nicht drauf geachtet.«

Ich bekam Mitleid. Carrie hatte noch keinen Freund gehabt. Ich hielt den Blick aufs Jahrbuch gerichtet, schämte mich für sie. »Irgendwann lernst du auch jemanden kennen, Care Bear.«

»Ich bin lesbisch, Bretel.« Sie sprach es ohne Scham oder Reue aus, so als teilte sie mir ihre Kleidergröße oder Blutgruppe mit.

Ich starrte sie an und hoffte, sie würde in lautes Gelächter ausbrechen. »Du machst Witze.«

»Nee. Ich habe es meinen Eltern vor ein paar Monaten gesagt. Eigentlich weiß ich es schon so ziemlich mein ganzes Leben lang.«

In meinem Kopf drehte sich alles. »Das heißt, immer wenn wir zusammen waren, wenn du bei mir geschlafen hast …«

Sie lachte. »Was? Meinst du, ich hätte was von dir gewollt? Keine Sorge, Bretel, wollte ich nicht.« Ich muss verwirrt dreingeschaut haben, denn sie hörte auf zu lachen und strich mir über den Arm. »He, ich wollte dir keine Angst machen. Ich bin's doch, Carrie! Das verstehst du doch, oder?«

»Ja«, murmelte ich. Doch in meinem engstirnigen, fünfzehnjährigen Kopf verstand ich es nicht. Meine beste Freundin war nicht normal. Ich betrachtete ihre kurzen Haare, ihre kurzen Fingernägel, das ungeschminkte Gesicht und den schlabberigen Pulli. Auf einmal kam sie mir fremd vor, männlich und seltsam.

Am Abend nahm ich sie nicht mit zu Erin Browns Party, wie wir eigentlich geplant hatten. Ich hatte Angst, meine neuen Freundinnen würden die Wahrheit herausfinden. Und dann würden sie vielleicht denken, ich sei auch lesbisch. Stattdessen schob ich Kopfschmerzen vor und blieb mit Carrie zu Hause, wo wir uns Videos anschauten. Doch anstatt wie früher nebeneinander zu sitzen, unter einer Decke, und gemeinsam Chips zu futtern, blieb ich im alten Sessel meines Vaters hocken. Als Mama später hereinkam und sah, dass Carrie auf dem Sofa eingeschlafen war, legte ich den Finger auf die Lippen. »Weck sie nicht auf! Sie liegt gut da.« Meine Mutter breitete eine Decke über Carrie aus und verdrückte sich wieder. Ich schlich in mein Schlafzimmer und lag den Rest der Nacht wach.

Als ich am nächsten Morgen unter der Dusche stand, rief Carrie beim Busbahnhof an. Sie fuhr mittags, einen Tag früher als geplant. Ich schäme mich zuzugeben, dass ich erleichtert war, als der Greyhound-Bus um die Ecke bog und in Richtung Norden davonfuhr.

In der Woche darauf bekam ich einen Brief von Carrie, in dem sie sich entschuldigte, mich ohne Vorwarnung mit ihrer »Andersartigkeit« überrascht zu haben. Sie hoffe, wir würden immer Freundinnen bleiben. Am Ende des Briefes stand: *Bitte schreib bald zurück, Bretel! Ich möchte wissen, was Du davon hältst.*

Ich versteckte ihren Brief unter einem Stapel Zeitschriften und überlegte, wie ich antworten sollte. Aber aus Wochen wurden Monate, dann Jahre. Als ich endlich den Mut fand, mich mit ihrer sexuellen Ausrichtung zu befassen, fehlte mir das Rückgrat dazu. Ich war zu feige, um die Erinnerung an jenes unangenehme Wochenende wieder aufleben zu lassen, genauer gesagt: an meinen Verrat. Meine Herzlosigkeit brannte voller Reue in mir.

Am Montag beende ich gerade ein Gespräch mit den Chicago Public Schools, als ich eine SMS von Brad bekomme. Sein Termin auf der North Side ist geplatzt, er will wissen, ob ich Zeit zum Mittagessen bei P. J. Clarke's habe. Wie er meiner Mutter versprochen hat, behält er mich genau im Blick und stellt sicher, dass ich mich meinen Zielen Schritt für Schritt nähere.

Ich lege ein wenig Lipgloss auf, gieße meinen frisch aufgebrühten Kaffee in einen To-Go-Becher und gehe nach unten. Als ich das Gebäude verlasse, kann ich noch so gerade einem großen dunkelhaarigen Mann ausweichen. Der Kaffee schwappt mir auf den Mantel.

»Scheiße«, sage ich, ohne nachzudenken.

»Ach, so ein Mist! Das tut mir leid.« Seine Zerknirschung weicht fröhlichem Erkennen. »Hey! Da treffen wir uns schon wieder!«

Ich halte inne und schaue hoch in die schönen Augen des Burberry-Manns.

»Oh, hallo«, sage ich und grinse wie ein alberner Teenager, der gerade vom großen Footballstar bemerkt wurde.

»Hallo.« Er weist auf das Haus hinter sich. »Wohnen Sie hier?«

»Ähm, ja. Und Sie?« *Tu doch nicht so! Das weißt du doch ganz genau!*

»Nicht mehr. Ich habe hier ein paar Monate zur Miete gewohnt, während meine Eigentumswohnung renoviert wurde. Jetzt will ich nur kurz meine Kaution abholen.« Sein Blick landet auf dem Kaffeefleck. »Mein Gott, ich habe Ihren Mantel ruiniert! Kommen Sie, ich gebe Ihnen noch einen Kaffee aus. Direkt um die Ecke ist ein Starbucks. Das ist das mindeste, was ich tun kann.«

Er stellt sich mir vor, doch ich höre kein Wort von dem, was er sagt, denke nur an seine Einladung. Und wie ich will! Aber Moment ... ich bin doch mit Brad verabredet. So ein Mist aber auch.

»Danke, aber vielleicht ein andermal. Ich bin zu Mittag verabredet.«

Sein Lächeln verblasst. »Na, dann guten Appetit. Und noch einmal Entschuldigung für den Kaffeefleck.«

Ich will ihm etwas nachrufen, will erklären, dass ich bloß mit einem Bekannten verabredet bin, dass ich später mit ihm Kaffee trinken kann. Aber das ist ja peinlich. Sicher ist Brad nur ein Bekannter ... Andrew allerdings nicht.

»Wie sieht es denn bei dir so aus?«, frage ich Brad, nachdem wir zwei Sandwiches bestellt haben. »Planst du schon den nächsten Flug nach San Francisco?«

»Ich hoffe, dass ich es am Thanksgiving-Wochenende schaffe«, sagt er. »Dann ist Nate bei seinem Vater. Aber Jenna hat sich noch nicht überlegt, was sie machen möchte.«

Ich nicke, aber mache mir insgeheim Sorgen, dass Brad von dieser Frau an der Nase herumgeführt wird.

»Und bei dir?«, fragt er. »Vorangekommen mit der Liste?«

Ich rutsche an den Rand der Sitzecke und recke den Kopf.

»Ehrlich gesagt: ja. Erinnerst du dich an Mrs Bailey, die Rektorin von der Douglas-Keyes, von der ich dir erzählt habe? Also, die hat mich für Hausunterricht empfohlen – da unterrichtet man kranke Kinder zu Hause oder im Krankenhaus.«

»Aha. Also Einzelunterricht?«

»Genau. Morgen früh habe ich ein Vorstellungsgespräch.«

Er hebt die Hand zum Abklatschen. »Super!«

Ich winke ab. »Freu dich nicht zu früh. Den Job bekomme ich niemals. Aber aus irgendeinem Grund glaubt Mrs Bailey, er würde gut zu mir passen.«

»Na, ich drücke dir die Daumen.«

»Danke. Aber das ist noch nicht alles.« Unsere Sandwiches werden serviert. Ich erzähle von meiner Verabredung am 14. mit Carrie. »Sie wohnt in Madison. Ist angestellt als Sozialarbeiterin, hat eine feste Beziehung. Und, unglaublich, sie hat drei Kinder.«

»Das wird bestimmt nett, sie wiederzusehen, oder?«
Ich merke, dass ich rot werde. »Schon, aber ich war eine
schlechte Freundin. Ich habe viel wiedergutzumachen.«
»Hey«, sagt Brad und legt eine Hand auf meine. »Du kommst
voran. Ich bin stolz auf dich.«
»Danke. Und rat mal, was noch? Ich habe Andrew endlich
von der Liste erzählt. Er macht mit!«
Anstatt sich zu freuen, wirft Brad mir einen skeptischen Sei-
tenblick zu. »Wirklich?«
Ich putze mir den Mund mit der Serviette ab. »Ja, wirklich.
Was ist daran so komisch?«
Brad schüttelt den Kopf, als wolle er klare Gedanken fassen.
»Tut mir leid. Nein, das ist super.«
»Hast du noch irgendwas von diesem Detektiv gehört?
Steve ... wie heißt er noch gleich?«
»Pohlonski«, erwidert er und trinkt einen Schluck Cola. »Noch
nicht. Aber ich sage dir Bescheid, sobald er was entdeckt.«
»Es ist schon über eine Woche her. Ich finde, es ist Zeit, ihn zu
entlassen und jemand anders zu engagieren.«
Brad wischt sich den Mund ab. »Ich weiß, dass du es nicht
erwarten kannst, Brett, aber er arbeitet an dem Fall. Wie gesagt,
er hat sechsundneunzig Personen mit dem Namen Manns gefunden, die zwischen 1940 und 1955 in North Dakota geboren wurden. Er hat sie schon auf sechs reduziert, die in Frage kommen.
In der nächsten Woche will er sie alle anrufen.«
»Das hast du mir schon vor drei Tagen erzählt! Wie lange
kann es schon dauern, diese Leute anzurufen? Gib mir die Liste,
ich bimmel die alle noch heute Nachmittag an.«
»Nein. Pohlonski sagt, es sei am besten, wenn ein Dritter den
Erstkontakt aufbaut.«
Ich seufze. »Also, ich hoffe, er hat bis Freitag Neuigkeiten für
mich, sonst ist er raus aus dem Fall.«
Brad lacht. »Raus aus dem Fall? Hier hat wohl jemand zu viel
CSI geguckt.«

Ich bemühe mich zu schmollen, aber denke dabei, wie sehr ich diesen Kerl mag. »Du bist vielleicht eine Nervensäge, Midar.«

Der Himmel ist leuchtendblau, die Brandung trägt weißen Schaum auf den rauchgrauen Wellen. Meg, Shelley und ich walken am Grant Park vorbei, schieben abwechselnd Emma im Kinderwagen.

»Mein IQ ist um zwanzig Punkte gesunken, seit ich aufgehört habe zu arbeiten«, sagt Shelley leicht atemlos. »Seit Wochen habe ich keine Zeitung mehr gelesen. Und die Muttis in meiner Nachbarschaft – schlimmer als damals in der Schule!«

»Vielleicht ist das Leben als Hausfrau und Mutter doch nichts für dich«, werfe ich ein.

»Ich sage dir, dermaßen ehrgeizige Frauen habe ich noch nie gesehen. Letztens im Park erwähnte ich nebenbei, dass Trevor bis dreißig zählen kann. Nicht schlecht für einen Dreijährigen, oder? Falsch. Melinda meldete sich sofort: ›Sammy kann bis fünfzig zählen.‹ Und Lauren, die blonde Hexe, zeigte nur auf ihre kleine Kaitlyn: ›Einhundert‹, flüsterte sie. ›Auf Mandarin‹.«

Megan und ich brechen in Lachen aus. »Apropos Ehrgeiz«, sagt Megan und reckt die Arme. »Hattest du Glück mit der Lehrerstelle, Brett? Die, wo du keinen Fuß in ein Klassenzimmer setzen musst?« Sie kichert.

»Ja, hatte ich tatsächlich.«

Shelley und Megan sehen mich an.

»Heute Morgen wurde mir der Job angeboten.«

»Das ist ja super!«, sagt Shelley. »Siehst du, dabei dachtest du, du wärst nicht gut genug.«

Ich beiße mir auf die Lippe. »Ich war die einzige Bewerberin.«

»Bei dem Arbeitsmarkt?«, fragt Megan und zieht sich im Gehen an den Armen.

»Ja. Sieht so aus, als wäre die South Side eine schwierige Gegend im Einzugsbereich der Chicago Public Schools – jedenfalls hat das der Personalchef gesagt. Er meinte, man müsste schon ein klein wenig mutig sein.«Ich schildere die genauen Aufgaben eines Hauslehrers, der kranke Kinder daheim oder im Krankenhaus einzeln unterrichtet.

»Moment mal.« Megan hält mich zurück. »Du willst in diese Häuser gehen? Auf der South Side?«

Ich bekomme langsam Bauchschmerzen. »Ja, wieso?«

Mit großen Augen hält Megan mit mir Schritt. »Aber ganz bestimmt nicht! Mädel, wir reden hier von Sozialwohnungen … Mietskasernen. Kakerlakenverseuchten Kaschemmen.«

»Megan hat recht«, sagt Shelley. »Bist du dir da auch wirklich sicher?«

»Natürlich«, sage ich und wünsche mir, mich so sicher zu fühlen, wie ich klinge.

»Hör zu«, sagt Megan. »Von mir aus nimm den Scheißjob an, wenn es nicht anders geht, aber hör sofort auf, sobald es für Brad genug ist.«

»Könnt ihr das glauben? Ich bin vielleicht kurz davor, Ziel Nr. 20 zu erreichen.« Ich drehe mich um und laufe rückwärts, den Blick auf meine Freundinnen gerichtet. »Und weißt du, was noch, Shelley? Andrew hat Megan beauftragt, ein Haus für uns zu suchen.«

»Pass auf«, sagt Megan und schlägt Shelley mit dem Handrücken auf den Arm. »Sie kaufen ein Haus direkt am See. Ich höre schon die Kasse klingeln!«

»Nein«, sage ich. »Ich will nicht so ein Einheitshaus, Meg. Die sind abartig.«

»Wenn du meinst. Die Courtage wäre natürlich nett.« Sie beißt sich auf die Unterlippe, als berechne sie bereits ihre sechs Prozent.

»Vergiss es. Können wir uns nicht leisten.«

»Andrew hat gesagt, du wirst schweinereich. Er hat mir auch von deiner Gewinnbeteiligung erzählt. Glaub mir, du wirst kein Problem haben, einen Kredit aufzunehmen.«

Ich schüttele den Kopf. »Jegliche Gewinnbeteiligung geht direkt in meinen Rentenfonds. Falls ich den anrühre, muss ich Steuern zahlen bis zum Umfallen. Und Andrew vergisst, dass wir an die Zukunft eines Kindes denken müssen. Versuch bitte, etwas Unauffälliges für uns zu finden, ein kleines Haus mit Garten, vielleicht in der Nähe eines Parks.«

Megan schaut mich an, als wäre ich verrückt geworden, doch schließlich nickt sie. »Okay. Ich bleib dran.«

»Es ist unglaublich, wie sehr sich Andrew darauf einlässt«, sage ich. »Alles ergibt sich ganz von selbst. Ich habe letztens einen Schwangerschaftsratgeber gekauft. Die Vorstellung ist so herrlich, dass ich bald schwanger sein könnte, und ...«

»Wann ist die Hochzeit?«, unterbricht mich Shelley.

Ich gehe schneller, die Augen auf den Boden geheftet. Shelley ist die Einzige, die weiß, dass ich in einer perfekten Welt gerne verheiratet wäre, wenn ich ein Kind bekomme. »Eine Hochzeit stand nicht auf der Liste mit Lebenszielen.«

»Ich habe nicht nach der Liste gefragt.«

Ich bleibe stehen und wische mir den Schweiß von der Stirn. »Ehrlich gesagt, Shel, ich weiß es nicht.«

»Du musst Andrew sagen, dass er ...«

Ich schüttele den Kopf. »Hör zu, das Leben ist kein Wunschkonzert. Wir alle versuchen, das Beste draus zu machen. Gib's zu, Meg, du bist auch nur mit Jimmy zusammen, weil du nicht arm sein willst.«

Sie sieht mich böse an, dann zuckt sie mit den Schultern. »Du hast recht. Letztens Endes bin ich 'ne Nutte. Aber ich kann nicht anders. Ich will einfach nicht arbeiten.«

»Und mal ehrlich, Shel, dir geht es schlecht, seit du aufgehört hast zu arbeiten.« Ich lege den Arm um sie. »Ich weiß wirklich nicht, ob Andrew mich heiraten wird. Aber er ist bereit, andere Sachen für mich zu machen, wichtige Sachen, zum Beispiel ein Kind zu zeugen. Im Moment reicht das vielleicht erst mal.«

Shelley schnieft. »Ist das so offensichtlich, dass es mir schlecht geht?«

Ich lächele. »Weißt du noch, wie ich auf Mamas Beerdigung die Treppe runtergefallen bin? Klar, da war ich blau, aber ich hatte versucht, in Schuhe zu schlüpfen, die mir nicht passten. Ich mache mir Sorgen, dass du versuchst, dich in die Rolle der Hausfrau und Mutter zu quetschen, obwohl das eigentlich nicht zu dir passt.«

Sie schaut mich an. »Ja? Tja, ich mache mir Sorgen, dass du versuchst, dich in die Rolle von Andrews Frau oder Freundin zu quetschen, obwohl er eigentlich nicht zu dir passt.«

Volltreffer. Wenn ich den Mumm hätte, würde ich zugeben, dass auch ich mir Sorgen mache. Ich würde gestehen, dass ich mich manchmal, wenn Andrew nicht da ist und ich mich einsam fühle, frage, ob bis zum nächsten September noch genug Zeit bleibt, jemand anders kennenzulernen, jemand, in den ich mich verlieben könnte und mit dem ich Kinder haben möchte. Aber es ist nicht genug Zeit. Ich frage mich, was meine Mutter denken würde, wenn sie wüsste, dass ihr kleiner Plan mich abhängiger von Andrew gemacht hat als je zuvor.

11

Meine ersten Tage im neuen Job vergehen wie unter einer Dunstglocke. Seit Mittwoch werde ich von Eve Seibold durch die Gegend geschleppt, der über sechzigjährigen Lehrerin, die in Ruhestand gehen möchte, sobald sie der Meinung ist, dass ich auch nur annähernd geeignet bin. Bisher hat sie kein Datum genannt. Am Freitagnachmittag sitzen wir in ihrem Büro in der zweiten Etage des Verwaltungsgebäudes. Verglichen mit der weitläufigen Suite, die ich bei Bohlinger Cosmetics hatte, hat dieser Kasten Zement die Ausstrahlung einer Hausmeisterwohnung. Doch ein nettes Fenster geht auf die East 35th Street, und nachdem ich die Geranien meiner Mutter auf die Fensterbank gestellt habe, wirkt das Zimmer fast schon fröhlich.

Ich sitze am Computer und studiere Schülerakten, während Eve ihren Schreibtisch ausräumt. »Ashley Dickson klingt ja ganz unkompliziert«, sage ich. »Noch zwei Wochen Mutterschutz, dann kann sie wieder zur Schule gehen.«

Eve schmunzelt. »Glaub mir, es ist nie unkompliziert.«

Ich lege Ashleys Akte beiseite und schlage die nächste auf, sie gehört einem Sechstklässler. »Geisteskrank mit elf Jahren?«

»Ah, Peter Madison.« Eve nimmt zwei Notizbücher aus dem Schreibtisch und steckt sie in einen Pappkarton. »Völlig durchgedreht. Sein Psychologe will mit Ihnen sprechen. Dr. Garrett Taylor. Er hat eine von Peters Mutter unterschriebene Unterrichtsbefreiung.« Sie weist auf eine Telefonnummer oben auf der Akte. »Seine Nummer steht direkt hier.«

Ich blättere durch die Unterlagen und lande beim psychiatrischen Gutachten. Aggressives Verhalten im Klassenzimmer ... Ausschluss für den Rest des Halbjahrs. Und ich habe mir den Kopf über heruntergekommene Häuser zerbrochen?»Was ist mit ihm?«

»KAS«, erklärt sie. »Kleines-Arschloch-Syndrom.« Sie holt ein zerdrücktes Küchlein hinten aus der Schublade, betrachtet es kurz und wirft es in den Metallmülleimer. »Dr. Taylor nennt es eine Verhaltensstörung, aber ich bin nicht blöd. Der Junge ist genauso wie hundert andere aus dieser Ecke von Chicago. Vater nicht vorhanden, Drogenmissbrauch über mehrere Generationen, mangelnde Aufmerksamkeit, bla bla bla.«

»Aber er ist doch noch ein Kind! Er müsste zur Schule gehen. Man kann ihm doch seine Ausbildung nicht verweigern.«

»Dafür gibt es ja Sie. Unterrichten Sie ihn zweimal die Woche zu Hause, dann gilt er als beschult. Schulgesetz Illinois Nr. Hundertirgendwas. Rufen Sie auf jeden Fall Dr. Taylor an, bevor Sie heute Abend nach Hause fahren. Er wird Ihnen alles erklären.«

Als ich alle sieben Schülerakten durchgelesen habe, ist es fast sechs Uhr. Eve ist eine Stunde zuvor gegangen, hat zwei große Kisten mitgenommen, voll gepackt mit Bonbonnieren und Fotos ihrer Enkelkinder. Ich greife zu meiner Handtasche und den Aufzeichnungen, kann es plötzlich gar nicht erwarten, mein Wochenende einzuläuten. Als ich gerade das Licht ausmachen will, fällt mir ein, dass ich noch Peters Psychiater anrufen muss. Mist. Ich trotte zurück zum Schreibtisch. Zu dieser Uhrzeit am Freitag wird er nicht mehr in der Praxis sein, aber ich habe ein besseres Gefühl, wenn ich wenigstens einen Anruf auf seiner Mailbox hinterlassen habe. Ich gebe die Nummer ein und lege mir zurecht, welche Nachricht ich aufsprechen will.

»Garrett Taylor«, meldet sich ein melodiöser Bariton.

»Oh ... hallo! Ich ... ähm ... ich habe gar nicht damit gerechnet, dass Sie noch da sind. Ich wollte eine Nachricht hinterlassen.«

»In zehn Minuten hätten Sie das auch tun müssen. Wie kann ich Ihnen helfen?«

»Ich heiße Brett Bohlinger. Ich bin die neue Hauslehrerin. Ich werde mit Peter Madison arbeiten.«

»Ah, ja, Brett! Danke für den Anruf.« Er schmunzelt. »Sie haben mit meinem Anrufbeantworter gerechnet, ich mit einem männlichen Anrufer.«

Ich grinse. »Nicht schlecht. Ist nur eines der Problemchen, wenn man einen Männernamen trägt.«

»Mir gefällt er. Gibt es nicht eine Figur bei Hemingway, die Brett heißt?«

Ich lehne mich auf dem Stuhl zurück, beeindruckt, dass er sich auskennt. »Ja, Lady Brett Ashley aus *Fiesta*. Meine Mutter …« Ich merke, dass ich abschweife. Haben Psychiater diese Wirkung auf jeden? »Tut mir leid. Sie wollen bestimmt los. Ich komme direkt zur Sache.«

»Lassen Sie sich Zeit! Ich hab's nicht eilig.«

Seine Stimme klingt freundlich und vertraut, ich habe das Gefühl, mit einem alten Freund zu reden statt mit einem Arzt. Ich greife zu einem Blatt und zücke den Stift. »Ich rufe wegen dieses Schülers an, Peter Madison. Was können Sie mir über ihn sagen?«

Es klingt, als würde sich Dr. Taylor in seinem Sessel zurücklehnen. »Peter ist ein sehr ungewöhnlicher Junge. Er ist sehr intelligent, aber gleichzeitig stark manipulativ. So wie ich gehört habe, hat er sein Klassenzimmer auseinander genommen. Die Schulaufsicht verlangte eine komplette psychologische Begleitung, weshalb meine Hilfe in Anspruch genommen wurde. Ich arbeite erst seit September mit ihm, wir werden also allmählich immer mehr über Peter erfahren.«

Der Arzt erzählt mir von Peters Eskapaden in der Klasse: Er schikanierte eine Schülerin mit Kinderlähmung, quälte den Klassenhamster und schnitt einem Schüler die Haare ab.

»Die Reaktionen, die er bei anderen hervorruft, befriedigen

ihn. Er fügt anderen gerne emotionale Verletzungen zu. Das stimuliert ihn sogar ganz besonders.«

Draußen heult der Wind, und ich schlinge die Arme um meinen Körper, den Telefonhörer zwischen Ohr und Schulter geklemmt. »Warum ist er so geworden? Wurde er missbraucht?«

»Seine Mutter kommt aus ärmlichen Verhältnissen, aber sie scheint sich zu kümmern. Einen Vater gibt es nicht, es könnte also sein, dass da ein emotionales Trauma entstanden ist. Es ist aber auch möglich, dass Peters psychologische Störungen lediglich das Ergebnis einer negativen genetischen Vorbelastung sind.«

»Sie meinen, er wurde einfach so geboren?«

»Möglich.«

Nichts, was ich im Schwangerschaftsratgeber gelesen habe, handelte von diesem Thema. Ich stelle mir ein Kapitel mit der Überschrift *Negative genetische Vorbelastungen* vor.

»Aber Sie werden feststellen, dass Peter auch ganz charmant sein kann, wenn er will.«

»Wirklich? Zum Beispiel, wenn er mir mit einer Schere zu Leibe rückt?«

Der Arzt schmunzelt. »Ich habe Ihnen wohl Angst gemacht. Aber Sie kommen schon zurecht. Sie klingen sehr fähig.«

Klar. So fähig, dass meine Mutter mich gefeuert hat.

»Sie werden Augen und Ohren für mich sein, das ist eine sehr große Hilfe. Es wäre schön, wenn Sie mich nach jedem Besuch bei Peter anrufen könnten. Wäre das möglich?«

»Ja, kann ich machen. Eve und ich haben am Montag einen Termin mit ihm.« *Es sei denn, mir fällt noch eine Ausrede ein …*

»Meine letzte Sitzung endet Montag um fünf. Könnten Sie mich danach anrufen?«

»Sicher«, sage ich, aber registriere seine Worte kaum. Jede Zelle in meinem Kopf ist mit der Vorstellung beschäftigt, dass ich in drei Tagen den zukünftigen Hannibal Lecter unterrichten werde.

Am Montagmorgen gebe ich mir besondere Mühe mit meiner Garderobe und entscheide mich schließlich für eine dunkelblaue Wollhose zu einem blaugrauen Kaschmirpullover, den mir meine Mutter letztes Jahr zu Weihnachten geschenkt hat. Ich will heute nicht nur einen guten Eindruck auf meine neuen Schüler machen, ich will auch perfekt aussehen, wenn ich Carrie wiedersehe. Auf dem Weg ins Büro denke ich an sie, hoffe, dass es heute auf der Arbeit gut klappt und Eve zum Feierabend hin nicht endlos herumjammert. Ich will genug Zeit haben, um zum McCormick Place zu fahren und das Restaurant im Hyatt zu suchen, bevor Carrie da ist.

Als ich in meinem Büro eintreffe, wird mir klar, dass Eves Geplauder mein geringstes Problem gewesen wäre. Mein Vorgesetzter, Mr Jackson, kommt zu mir, noch bevor ich den Computer hochgefahren habe.

»Eve hat heute Morgen angerufen.« Seine große Gestalt füllt die Tür zu meinem Zimmer. »Sie hatte einen Notfall in der Familie und kommt nicht mehr. Aber sie ist überzeugt, dass Sie das auch allein schaffen. Ich soll Ihnen viel Glück wünschen.« Er nickt mir feierlich zu. »Viel Glück!«

Ich schieße von meinem Platz hoch, der Pulli bleibt an der gesplitterte Kante des Schreibtischs hängen. So viel zum Thema guter Eindruck. »Aber Eve wollte mich heute den Schülern vorstellen, damit ich mir einen ersten Eindruck verschaffen kann.«

»Das bekommen Sie sicher auch allein hin. Sind Sie mit dem Auto oder mit dem Bus hier?«

»M...mit dem Auto.«

»Na, dann sind Sie ja gerüstet.« Er wendet sich zum Gehen. »Vergessen Sie nicht, Ihren Meilenstand aufzuschreiben. Sie bekommen nämlich die Fahrtkosten erstattet, ja?«

Fahrtkostenerstattung? Ist mir so was von scheißegal. Mein Leben ist in Gefahr! Ich laufe ihm nach.

»Mr Jackson, warten Sie! Wir haben da einen Schüler, Peter

Madison. Es hört sich an, als könnte er Ärger machen. Ich glaube nicht, dass ich ihn allein treffen sollte.«

Er dreht sich um, und die Falte zwischen seinen Augenbrauen ist steil. »Ms Bohlinger, ich würde Ihnen gerne einen persönlichen Bodyguard zur Seite stellen, aber leider gibt unser Budget das nicht her.«

Ich öffne den Mund, will widersprechen, aber er marschiert bereits zurück in sein Büro. Ich bleibe allein zurück und kaue an meinem Daumennagel.

Meine erste Schülerin ist Amina Adawe, eine Drittklässlerin, die in South Morgan wohnt. Bestürzt mustere ich ein verlassenes Mietshaus, über dessen Eingangstür Aminas Hausnummer baumelt. Ich fahre langsamer und halte an. Hier wohnen wirklich Menschen? Die zersplitterte Tür öffnet sich, und ein Kleinkind kommt herausgewatschelt, gefolgt von einer Frau, die in ihr Handy quasselt und gekleidet ist, als würde sie tanzen gehen. Tut sie offenbar auch. Mit Kind.

Ich schleiche über den Bürgersteig mit seinen Rissen und denke an mein Büro bei Bohlinger Cosmetics mit den üppigen grünen Pflanzen und dem kleinen Kühlschrank, der stets mit Obst und Wasserflaschen gefüllt war. Altbekannte Wut steigt in mir auf. Warum hat meine Mutter mich in diese Situation gebracht?

Ich atme tief durch, ziehe mir den Ärmel über die Finger und drehe am Türknauf. Bevor ich eintrete, schaue ich noch einmal zurück, so als wäre es mein letzter Blick auf die mir bekannte Welt.

Der schmale Flur ist düster und nasskalt, es stinkt nach schmutzigen Windeln und Müll. Ich taste mich voran, steige über Einwickelpapier und Zigarettenstummel. Aus einer Wohnung dröhnt so lauter Rap, dass ich schwören könnte, der Boden unter meinen Füßen vibriert. Bitte lass das nicht Aminas Wohnung sein.

Die Nummern der Apartments in diesem Stock sind zweistellig. Aminas Wohnung, Nr. 4, muss demnach im Keller sein. Das Herz klopft mir bis zum Hals, ich schleiche eine Treppe hinun-

ter. Wer würde mich jemals finden, wenn ich in diesem Drecks-
loch verschwände? Wie lange muss ich diesen verdammten Job
ausüben, bis ich Brad überzeugen kann, ihn von meiner Liste
zu streichen? Eine Woche, beschließe ich – höchstens zwei. Zu
Thanksgiving bin ich hier raus.

Ich bin unten angelangt. Eine nackte Glühbirne flackert über
meinem Kopf, lässt das Licht wild tanzen. Hinter der geschlossenen Tür von Wohnung Nr. 2 werden Unflätigkeiten gebrüllt,
böse und hässlich. Ich erstarre. Ich bin kurz davor, die Treppe
wieder hochzurennen, als eine Tür am Ende des Ganges geöffnet
wird. Eine schmale Frau mit karamellbrauner Haut und freundlichen goldenen Augen erscheint, einen seidenen Hidschab über
dem Haar.

»I…ich suche Wohnung Nr. 4«, spreche ich langsam und
halte ihr meinen Ausweis entgegen. »Amina Adawe. Ich bin ihre
Lehrerin.«

Lächelnd winkt sie mich hinein. Als sie die Tür hinter mir
schließt, verschwinden die Schreie und der Gestank. In dem sau-
beren Apartment riecht es nach Brathühnchen und exotischen
Gewürzen. Die Frau nickt, als ich meine Schuhe ausziehe, und
führt mich ins Wohnzimmer, wo ein kleines Mädchen auf einem
verschlissenen Sofa liegt, das Gipsbein auf ein Kissen gebettet.

»Hallo, Amina! Ich bin Ms Brett. Solange du nicht gesund
bist, bin ich deine Lehrerin.«

Ihre dunklen Augen mustern mich von oben bis unten. »Du
bist aber schön«, sagt sie mit einem süßen arabischen Akzent.
Ich lächle. »Du auch.«

Sie erzählt mir in gebrochenem Englisch, dass sie im Winter
aus Somalia gekommen ist, dass eins ihrer Beine zu kurz war und
die Ärzte es heil machten. Sie ist sehr traurig, dass sie die Schule
verpasst.

Ich tätschele ihr die Hand. »Wir schaffen das schon zusammen. Wenn du in die Schule zurückkehrst, bist du genauso weit
wie der Rest der Klasse. Sollen wir mit dem Lesen anfangen?«

Ich hole ihre Leseübung aus meiner Ledertasche. Da kommt ein kleiner Junge ins Zimmer gestürmt. Er klammert sich an den Dschilbab seiner Mutter.

»Hallo«, sage ich. »Wer bist du denn?«

Er späht hinter dem Umhang seiner Mutter hervor und flüstert: »Abdulkadir.«

Ich wiederhole den mehrsilbigen Zungenbrecher, und der Kleine strahlt übers ganze Gesicht. Amina und ihre Mutter kichern, sie platzen vor Stolz. Während Amina auf dem Sofa liegt und ihr Bruder auf dem Schoß der Mutter sitzt, lauschen die drei gefesselt der Geschichte von einer Prinzessin, die nicht weinen kann. Sie betrachten die Bilder, unterbrechen mich, um Fragen zu stellen, kichern und klatschen in die Hände.

Und da sitze ich nun, in meiner ganz eigenen Zwergenschule! Und diesmal ist jeder Schüler begierig darauf, etwas zu lernen! Der Traum eines jeden Lehrers! *Mein* Traum!

Zwanzig Minuten später fahre ich durch Englewood. Ich versuche, mich darauf zu konzentrieren, dass eine meiner Lieblingssängerinnen, Jennifer Hudson, hier aufgewachsen ist, und verdränge, dass ihre Familie hier ermordet wurde. Ein Schauer läuft mir über den Rücken. Als ich vor einem großen grünen Haus auf der Carroll Avenue anhalte, das völlig ungefährlich aussieht, bin ich erleichtert. Aber was bedeutet dieses Schild da im Vorgarten?

Es ist schwer zu glauben, dass Sanquita Bell, im dritten Monat schwanger und nierenkrank, Oberstufenschülerin sein soll. Das Mädchen ist so klein wie eine Zwölfjährige. Sie scheint von gemischter Abstammung zu sein, ihr fahles Gesicht ist ungeschminkt und ihre Haut glänzt seidig, wie Karamell. Doch ihre haselnussbraunen Augen brechen mir das Herz. Es sind die müden Augen einer deutlich älteren Frau – die viel zu viel Böses gesehen hat.

»Tut mir leid, dass ich zu spät komme«, sage ich und ziehe

Mantel und Handschuhe aus. »Ich habe das Schild von Joshua House gesehen und dachte, ich hätte die falsche Adresse. Was ist das hier?«

»Ein Heim für obdachlose Frauen«, sagt sie sachlich.

Wie vom Donner gerührt starre ich sie an. »Oh, Sanquita, das tut mir wirklich leid. Bist du schon lange mit deiner Familie hier?«

»Meine Familie ist nicht hier.« Sie reibt sich mit der Hand über ihren noch flachen Bauch. »Meine Mom, die ist letztes Jahr nach Detroit gezogen, aber ich will da nicht hin. Mein Baby soll nicht so ein Leben haben.«

Sie erläutert »so ein Leben« nicht näher, und ich frage auch nicht nach. Ich beiße mir auf die Lippe und nicke.

Sanquita verschränkt abwehrend die Arme vor der Brust. »Sie brauchen kein Mitleid mit mir haben. Ich und mein Baby, wir kommen schon zurecht.«

»Aber sicher.« Ich möchte es in die Arme nehmen, dieses arme obdachlose Mädchen, aber das würde ich mich niemals trauen. Offensichtlich reagiert diese junge Dame nicht positiv auf Trost. »Ich habe auch keine Eltern mehr. Das ist schwer, oder?«

Sie zuckt abschätzig mit den Schultern. »Ich wollte eigentlich, dass mein Baby seinen Vater kennt, aber da wird nichts draus.«

Bevor ich antworten kann, kommt eine kleine Brünette um die Ecke, ein Kind auf der Hüfte.

»Hey, Sanquita. Das deine neue Lehrerin?« Die Frau fasst mich am Ellenbogen. »Ich Mercedes. Kommen Sie. Sanquita und ich Ihnen zeigen alles.«

Während Mercedes mich von der zweckmäßigen Küche in ein makelloses Esszimmer führt, lässt sich Sanquita zurückfallen. Zwei Frauen falten Wäsche am Esszimmertisch. Im Wohnzimmer sitzen zwei weitere vor einem alten Fernseher.

»Hübsch hier«, sage ich und drehe mich zu Sanquita um. Sie wendet den Blick ab.

»Insgesamt neun Zimmer«, erklärt Mercedes mit Stolz in der Stimme.

Wir bleiben vor einer Bürotür stehen, wo eine eindrucksvolle dunkelhäutige Frau hinter einem Schreibtisch sitzt und Zahlen in eine Rechenmaschine hämmert.

»Das ist unsere Leiterin, Jean Anderson.« Mercedes klopft an die geöffnete Tür. »Ms Jean, hier ist Sanquitas Lehrerin.«

Ms Jean hebt den Kopf. Sie mustert mich eindringlich, senkt dann wieder den Blick auf ihre Rechenmaschine und fährt fort zu tippen. »Hallo«, murmelt sie.

»Hi«, grüße ich und strecke ihr die Hand entgegen. »Ich bin Brett Bohlinger. Ich unterrichte Sanquita, solange sie nicht zur Schule gehen kann.«

»Sanquita«, sagt sie, ohne aufzusehen. »Du musst heute das Rezept abholen. Vergiss das nicht.«

Ich lasse den Arm sinken, und Sanquita wirft mir einen kurzen verlegenen Blick zu. »Ähm, ja, bis später, Ms Jean.«

Wir gehen nach oben, Sanquita immer eine Stufe vor Mercedes und mir. »Ms Jean ist cool«, sagt Mercedes. »Sie hält nur nicht viel von Weißen.«

»Ach, da wäre ich nicht drauf gekommen.«

Mercedes muss lachen. »Sie sind cool drauf. Sie kommen bestimmt gut mit Sanquita zurecht, nicht, Quita?«

Das Mädchen antwortet nicht.

Plaudernd erreichen Mercedes und ich den Treppenabsatz. Vor mir steht Sanquita in ihrer Zimmertür und pocht mit den Fingern auf ihre verschränkten Arme.

»Danke für die Führung«, sage ich zu Mercedes und eile in das Zimmer.

Ein verschrammter Nachttisch trennt zwei Einzelbetten, die mit verblichener blauer Bettwäsche bezogen sind. Zwei ungleiche Kommoden stehen rechts und links vom Fenster, von dem man auf die Straße blickt. Sanquita setzt sich aufs Bett. »Wir können hier lernen. Chardonay ist arbeiten.«

Es gibt keinen Stuhl, deshalb hocke ich mich neben sie aufs Bett und gebe mir Mühe, ihre geschwollenen Hände, ihre aufgedunsenen Augenlider und die rosa Flecken auf Armen und Händen nicht zu beachten, die aussehen, als hätte sie sich wund gekratzt.

»Wie gefällt es dir hier?«, frage ich und hole Sanquitas Ordner aus der Tasche.

»Ist nicht schlecht. Kein großes Theater. Das letzte Haus, wo ich gewohnt hab, da gab's null Regeln. Da haben sie mir meine Handtasche geklaut, und so eine verrückte Alte meinte, ich wollte mich mit ihr anlegen. Sie wollte sich mit mir prügeln.«

»Ach du meine Güte! Wurdest du verletzt?«

»Das war mir egal. Ich hab mir nur Sorgen um das Kind gemacht. Deshalb bin ich hierher gegangen.«

»Ich bin froh, dass du jetzt in Sicherheit bist. Wie geht es dir?«

Sie zuckt mit den Achseln. »Ganz gut. Nur müde, mehr nicht.«

»Pass gut auf dich auf. Sag mir Bescheid, wenn ich irgendwas für dich tun kann.«

»Helfen Sie mir einfach, meinen Abschluss zu machen. Mein Baby soll wissen, dass seine Mutter schlau war.«

Es klingt, als würde sie selbst nicht mehr da sein, um es ihrem Kind zu sagen, und ich frage mich, wie krank dieses Mädchen wirklich ist. »Abgemacht«, sage ich und hole das Chemiebuch aus der Tasche.

Nach einer Stunde zwinge ich mich, Sanquita zu verlassen. Ich könnte dieses Kind den ganzen Tag unterrichten. Chemie fällt ihr besonders schwer, aber sie hört mir aufmerksam zu und bemüht sich so lange, bis sie den Stoff schließlich versteht.

»Normalerweise bin ich schlecht in Naturwissenschaften, aber heute hab ich es wirklich verstanden.«

Sie schreibt ihren Lernerfolg nicht mir zu, und das soll sie auch nicht. Dennoch platze ich fast vor Stolz. »Du bist wirklich fleißig«, sage ich und schiebe ihren Ordner zurück in meine Tasche. »Und du bist ein richtig schlaues Mädchen.«

Sanquita betrachtet ihre Fingernägel. »Wann kommen Sie wieder?«

Ich schaue in den Kalender. »Na, wann möchtest du mich denn wiedersehen?«

Sie zuckt mit den Achseln. »Morgen?«

»Hast du deine Hausaufgaben denn bis morgen schon fertig?«

Ihr Blick wird kühl, sie schlägt ihr Chemiebuch zu. »Schon gut. Ich weiß, dass Sie nur zweimal die Woche zu mir kommen müssen.«

»Mal sehen«, sage ich und sehe erneut in meinen Kalender. Die einzige unverplante Lücke ist am nächsten Tag eine Stunde am Mittag, die eigentlich für Essen und Papierkram gedacht war. »Ich kann morgen Mittag kommen. Wäre das in Ordnung?«

»Ja. Das passt.«

Sie lächelt nicht. Sie bedankt sich nicht bei mir. Dennoch habe ich ein warmes Gefühl, als ich gehe.

Auf dem Weg zur Wentworth Street rufe ich Brad an und hinterlasse ihm eine Nachricht. »Diese Arbeit ist wie für mich gemacht, Brad! Jetzt bin ich auf dem Weg zu Peter, also drück mir die Daumen.«

Eine fettleibige Frau öffnet die Tür, ein Telefon am Ohr und eine Zigarette zwischen den Fingern. Das muss Autumn sein, Peters Mutter. Sie trägt ein weites T-Shirt mit einer Abbildung von Spongebob. Ich muss grinsen, als ich die Trickfilmfigur sehe, aber sie macht nur eine ruckartige Kopfbewegung, die wohl eine Einladung sein soll, einzutreten.

Der Gestank von Zigarettenqualm und Katzenurin verschlägt mir fast den Atem. In das Erkerfenster ist eine schwarze Wolldecke gehängt, die jedes Tageslicht davor abhält, in den stickigen Raum zu fallen. An der Wand erkenne ich ein Bild von Jesus, die blutigen Handflächen ausgestreckt, der Blick flehend nach oben gerichtet.

Autumn klappt ihr Handy zu und spricht mich an: »Peters Lehrerin?«

»Ja. Hallo, ich bin Brett Bohlinger.« Ich hole meinen Ausweis hervor, aber sie schaut gar nicht drauf.

»Peter! Komm her!«

Ich lächele nervös und rücke meine Tasche auf der Schulter zurecht. Autumn stützt die Fäuste in die Hüften. »Verdammt nochmal, Peter. Ich hab gesagt, komm her, aber dalli!« Sie stapft durch den Flur und hämmert gegen eine Tür. »Deine Lehrerin ist da. Beweg deinen Arsch hier raus, bevor ich die verdammte Tür einschlage!«

Peter will mich offensichtlich nicht sehen. Das Geschrei geht weiter, bis ich schließlich einen Schritt nach vorn trete. »Hören Sie«, sage ich. »Ich kann auch ein andermal wiederkommen ...«

Da geht plötzlich die Tür auf. Am Ende des dunklen Flurs erscheint eine Gestalt. Ein großer Junge mit strubbeligem braunen Haar und sprießendem Flaum am Kinn kommt auf mich zu. Instinktiv mache ich einen Schritt zurück.

»Hi, Peter«, sage ich mit zittriger Stimme. »Ich bin Ms Brett.«

Er brummt im Vorbeigehen. »Ach nee.«

Die einstündige Sitzung bei Peter kommt mir wie drei Stunden vor. Wir sitzen an Autumns klebrigem Küchentisch, aber Peter beachtet mich mit keinem Blick. In Hörweite quatscht Autumn am Telefon mit einer gewissen Brittany. Ihre Reibeisenstimme versucht meine zu übertönen, so dass ich lautstarke Anweisungen erteilen muss, um den Wettstreit zu gewinnen. Peter brummt und stöhnt, als wäre meine Anwesenheit eine gemeine Schikane, die er durchstehen muss. Ich bin schon froh, wenn ich hin und wieder eine knappe Antwort bekomme. Am Ende der Stunde weiß ich weitaus mehr über Brittany als über ihn.

Frischer Schnee hat sich wie Zuckerguss auf die windige Stadt gelegt, und das gesamte Leben kommt fast zum Erliegen. Es ist kurz vor fünf, als ich die Treppe hochsteige und die Tür zu meinem Büro aufschließe. Ich schalte das Licht an und entdecke eine wunderschöne Vase mit Orchideen auf meinem Schreibtisch. Wie aufmerksam von Andrew. Ich reiße den beiliegenden Umschlag auf.

Glückwunsch zu Deinem neuen Job, Brett!
Wir freuen uns so für Dich.
Alles Liebe von
Catherine und Joad

Was habe ich mir bloß gedacht? Andrew war noch nie ein großer Blumenfan. Ich schiebe die Karte zurück in den Umschlag und nehme mir vor, Catherine und Joad Thanksgiving zum Essen einzuladen.

Das rote Licht meines Bürotelefons blinkt. Ich nehme den Hörer ab, um die Nachrichten auf dem Anrufbeantworter abzuhören.

»Hallo, Brett! Hier ist Garrett Taylor. Bin ein bisschen neugierig und würde gerne wissen, wie es heute mit Peter gelaufen ist. Mein Termin um vier Uhr ist ausgefallen, ich stehe also zur Verfügung, wann immer Sie wollen.«

Ich wähle seine Nummer, er hebt beim ersten Klingeln ab.

»Hallo, Dr. Taylor, hier ist Brett Bohlinger.«

Ich höre ihn seufzen. Es klingt eher erleichtert als verärgert.

»Hallo, Brett«, sagt er. »Und nennen Sie mich Garrett – der Doktor ist immer so förmlich.«

Mir gefällt sein informeller Ton, so als seien wir Kollegen.

»Alles gut gelaufen heute?«

»Meine Haare sind noch dran, ich würde also sagen, es war ein Erfolg.«

Er lacht. »Das sind gute Nachrichten. Demnach war es nicht so schlimm?«

»O doch, er war ein totales Arschloch.« Ich schlage die Hand vor den Mund, meine Wangen laufen rot an. »Entschuldigung. Das war absolut unprofessionell. Ich wollte nicht sagen …«

Dr. Taylor lacht. »Schon gut. Er kann ein richtiges Arschloch sein, das stimmt. Aber vielleicht, ganz vielleicht, können wir diesem kleinen Arschloch beibringen, sich ein paar soziale Fähigkeiten anzueignen.«

Ich erzähle von Peters Weigerung, sein Zimmer zu verlassen. »Aber als Sie sagten, Sie würden gehen, kam er doch noch raus. Das ist doch gut. Er wollte Sie kennenlernen.«

Die dunkle Wolke, die mich seit der Begegnung mit Peter verfolgt hat, löst sich langsam auf. Wir sprechen noch weitere zehn Minuten über Peter, dann wird das Gespräch persönlicher.

»Waren Sie schon Lehrerin, bevor Sie mit dem Einzelunterricht begannen?«

»Nein. Ich bin eine Katastrophe im Klassenzimmer.«

»Das glaube ich nicht.«

»Können Sie aber.« Ich lehne mich zurück und lege die Füße auf den Schreibtisch. Ohne nachzudenken, erzähle ich von meinem Vertretungstag an der Douglas-Keyes-Gesamtschule, schmücke sie zur Unterhaltung noch ein bisschen aus. Es ist befreiend, ihn über meine Blamage lachen zu hören, so als würde eine Bleikugel wie durch ein Wunder in die Luft aufsteigen und davonschweben. Ich nehme an, diese Stunde würde mich normalerweise ein paar hundert Dollar kosten, wenn ich in seiner Praxis säße.

»Tut mir leid«, sage ich beschämt. »Ich vergeude Ihre Zeit.«

»Ganz und gar nicht. Mein letzter Patient ist weg, und mir macht es Spaß. Sie wussten also, dass das Unterrichten Ihre Leidenschaft ist, obwohl der Tag als Vertretung eine Herausforderung war.«

»Ehrlich gesagt, ist es meine Mutter, die darauf besteht, dass es meine Leidenschaft ist. Sie ist im September gestorben und hat mir Anweisungen gegeben, es noch mal zu versuchen.«

»Aha. Sie wusste, dass es Ihnen gefallen würde.«

Ich lächele.»Nehme ich an.«

»Ich habe großen Respekt vor Ihrem Beruf. Meine älteren Schwestern sind beide pensionierte Lehrerinnen. Auch meine Mutter hat eine Zeitlang unterrichtet. Ob Sie's glauben oder nicht, sie hat tatsächlich noch in einer Zwergschule gearbeitet.«

»Wirklich? Wann war das denn?«

»In den vierziger Jahren. Aber als sie schwanger wurde, musste sie aufhören. So lief das damals noch.«

Dreist rechne ich in Gedanken nach. Seine älteste Schwester wurde in den vierziger Jahren geboren ... Er muss knapp sechzig sein, Minimum.»Das ist ungerecht«, sage ich.

»Ganz bestimmt, obwohl ich nie das Gefühl hatte, dass meine Mutter es bedauerte. Wie die meisten Frauen jener Generation war sie den Rest ihres Lebens Hausfrau und Mutter.«

»Wie sind Sie auf Ihren Beruf gekommen?«

»Meine Geschichte ist ein bisschen anders als Ihre. Mein Vater war Arzt, Herzchirurg. Als einziger Sohn wurde von mir erwartet, dass ich nach dem Studium in seiner Praxis einsteigen und sie irgendwann übernehmen würde. Aber zwischen dem Studium und meinem praktischen Jahr wurde mir klar, dass ich gerne eine richtige Beziehung zu meinen Patienten haben wollte. Bei meinen Schichten gab es immer dasselbe Problem: ›Taylor‹, sagte mein ausbildender Arzt, ›Sie verdienen kein Geld, wenn Sie mit den Patienten reden. Fakten klären und dann den Mund halten.‹«

Ich lache.»Oje. Wenn sich nur mehr Ärzte kümmern würden.«

»Es ist nicht so, dass es ihnen egal wäre. Es liegt daran, dass das Gesundheitswesen zu einem Fließbandbetrieb geworden ist. Der Arzt hat höchstens zwanzig Minuten Zeit, um eine Diagnose zu stellen und den Patienten wieder rauszuschieben, sei es mit einem Rezept oder mit einer Überweisung zu einem Spezialisten. Dann ist der nächste dran und so weiter. Das war nicht mein Ding.«

»Nun, soweit ich das sagen kann, haben Sie das richtige Gebiet gewählt.«

Es ist halb sieben, als wir schließlich auflegen, und ich bin so entspannt wie eine Katze in der Sonne. Peter wird eine Herausforderung sein, keine Frage. Aber mit Garrett habe ich jetzt einen Verbündeten.

Mein Auto ist das letzte auf dem schwach beleuchteten Parkplatz. Da ich keinen Eiskratzer habe, muss ich den Schnee mit den Handschuhen von der Windschutzscheibe wischen. Darunter hat sich eine Eisschicht gebildet, die zu dick ist, um sie mit den Händen zu entfernen.

Ich setze mich in den Wagen, stelle die Heizung auf Hochtouren und sehe, dass mein Handy rot blinkt. Vier SMS: eine von Meg, eine von Shelley und zwei von Brad. Alle drehen sich nur um die eine Frage: *Wie war dein Tag? Wie war es mit dem Verrückten?* Schnell tippe ich eine kurze Antwort an jeden, aber habe dabei einen Kloß im Hals. Mit Mühe atme ich tief durch.

Nichts von Andrew. Nicht mal ein schlichtes *Alles OK?*

Die Heimfahrt gleicht einem Hindernisparcours. Die Autofahrer haben sich noch nicht an den Winter gewöhnt; ich habe das Gefühl, an jeder zweiten Ecke einem Blechschaden ausweichen oder kehrtmachen zu müssen, um nicht im Stau zu stehen. Um zwanzig nach acht fahre ich schließlich ins Parkhaus. Als ich den Motor abstellen will, fällt mein Blick auf das Datum im Armaturenbrett. Ich drehe den Schlüssel noch mal in der Zündung, und das Licht geht wieder an: 14. November.

»Scheiße!« Ich hämmere mit der Faust aufs Lenkrad. »Scheiße! Scheiße! Scheiße! Scheiße! Scheiße!«

Der 14. November, meine Verabredung mit Carrie Newsome.

12

Als ich Carrie in ihrem Hotelzimmer anrufe, ist sie so verständnisvoll, dass ich wirklich versucht bin, zurück zum McCormick Place zu fahren und sie zu treffen. »Auf gar keinen Fall«, sagt sie. »Ich habe die Nachrichten gehört, es muss der Horror sein draußen. Ich hatte schon Angst, du hättest einen Unfall gehabt.«
Ich schüttele den Kopf. »Wäre mir fast lieber gewesen. Dann hätte ich wenigstens eine gute Ausrede gehabt.«
Sie lacht, dasselbe freundliche, unbefangene Lachen wie früher. »Mach dir keine Sorgen. Ich habe ein schönes Glas Wein im Restaurant getrunken. War himmlisch.«
»Normalerweise bin ich besser organisiert. Ich habe bloß gerade eine neue Stelle angetreten und …« Ich verstumme, will nicht eingestehen, dass ich mich mit dem Seelenklempner eines Schülers verquatscht habe, währen sie allein im Hotelrestaurant saß und auf mich wartete. »Das tut mir so leid.« Ich hole tief Luft. »Alles, Carrie.«
»Vergiss es. Erzähl mir von deinem neuen Job.«
Mein Herz schlägt schneller, aber ich muss da jetzt durch. »Ich habe mir nie verziehen, wie furchtbar ich mich dir gegenüber verhalten habe, als du mich besuchen kamst. Du hast mir vertraut, und ich habe dich im Stich gelassen. Ich habe dir nicht mal auf deinen Brief geantwortet.«
Sie lacht. »Was? Brett, das ist doch hundert Jahre her! Da waren wir noch Kinder.«
»Nein. Ich schäme mich so dafür. Es muss alles so verwirrend für dich gewesen sein. Ich hätte für dich da sein sollen.«

»Ehrlich, Brett, ich verstehe das. Sicher war ich damals verletzt. Aber ich bin drüber weggekommen. Du kannst dich doch nicht die ganzen Jahre damit gequält haben.«

»Ich hätte dir sofort antworten und dich um Vergebung bitten müssen. Ich war so dermaßen feige.«

»Hör auf! Ich habe dir schon vor Jahren verziehen.« Sie lacht. »Vergibst du dir jetzt bitte auch selbst?«

»Gut«, sage ich. »Aber es gibt noch eine Sache, die du wissen musst.«

Ich verrate ihr den ursprünglichen Grund, sie nach so vielen Jahren kontaktiert zu haben. »Verstehst du, es war eigentlich ein Auftrag von meiner Mutter, aber als ich dich gefunden hatte, wurde mir bewusst, wie sehr du mir gefehlt hast.«

Sie schweigt, und ich befürchte, dass sie mich nun zusammenstaucht. »Deine Mutter war so weise«, sagt sie schließlich. »Ich würde ihr so gerne danken.«

Mein Herz ist leichter, als es seit Jahren gewesen ist. Bis jetzt war mir nicht klar, wie schwer die Schuld auf mir lastete. Ich tupfe mir die Augen trocken und lächele. »Dann erzähl mal, was ich in den letzten achtzehn Jahren so alles verpasst habe.«

Sie berichtet mir von ihrer großen Liebe, Stella Myers, seit acht Jahren ihre Partnerin, und von ihren drei Adoptivkindern. Mir fällt auf, dass Carries Leben deutlich konventioneller ist als meins, obwohl ich sie früher für anormal und »komisch« hielt.

»Ich freue mich so für dich«, sage ich. »Und wie geht es deinen Eltern?«

»Sind so schrill und liebenswert wie eh und je. Hey, erinnerst du dich an ihren alljährlichen Weihnachtsbrunch?«

»Na, klar. Der beste Brunch aller Zeiten.«

»Den veranstalten sie immer noch, und ich hab gedacht, falls du Zeit hast, könntest du doch mit deinem Freund rüberkommen. Dieses Jahr ist er am Sonntag, den elften Dezember. Bis nach Madison sind es nur zwei Stunden Autofahrt.«

Erinnerungen kehren zurück, Mr Newsome in seinen Birkenstock-Sandalen, einen Scotch in der einen und den Camcorder in der anderen Hand, Carries Mutter, die auf der Gitarre Weihnachtslieder und alte Volkslieder spielt.

»Ich habe Stella schon von dir erzählt. Du wirst sie mögen, Brett. Sie ist übrigens auch Lehrerin. Und meine Eltern würden sich so freuen, dich zu sehen. Mein Vater hat noch ganz tolle Filme von uns. Er hat dich immer so gern gemocht – deine Mutter auch. Bitte, komm doch her!«

Auf einmal habe ich so große Sehnsucht nach meiner alten Freundin, dass ich durch das ganze Land fahren würde, um sie zu treffen. Ich klemme das Telefon zwischen Schulter und Ohr und schaue in den Kalender. »Gut«, sage ich grinsend. »Steht jetzt in Großbuchstaben im Kalender. Und diesmal, Care Bear, komme ich wirklich. Versprochen.«

Ich schlafe am Küchentisch ein, wo ich das Menü für das Essen an Thanksgiving zusammengestellt habe. Dort findet mich Andrew, als er von der Arbeit nach Hause kommt.

»Hey!« Er stupst mich sanft am Arm. »Bettgehzeit, du Schlafmütze.«

Ich wische mir einen Spuckefaden von den Lippen. »Wie spät ist es?«

»Erst Viertel nach zehn. Du musst ja kaputt sein. Los, ab ins Bett mit dir.«

Ich erhebe mich und entdecke meinen nicht fertiggestellten Menüplan. »Ich möchte dieses Jahr Thanksgiving feiern«, erkläre ich. »Im Haus meiner Mutter. Ich will all ihre traditionellen Gerichte kochen. Was hältst du davon?«

»Wie du möchtest. Ich habe dir aber gesagt, dass Joad und Catherine nicht da sind, oder?«

Ich runzele die Stirn. »Nein. Das wusste ich nicht.«

Andrew öffnet den Kühlschrank. »Joad hat letztens eine Nachricht hinterlassen. Sie wollen nach London. Offenbar eine Geschäftsreise.«

»An Thanksgiving? Das ist doch bescheuert. Ich rufe Catherine an und gucke, ob sie noch absagen kann.«

Andrew nimmt ein Stück Käse und eine Flasche Heineken heraus. »Glaubst du wirklich, dass sie für einen Truthahn London absagen?«

Überraschend befällt mich ein Gefühl der Einsamkeit. Ich war davon ausgegangen, dass wir den ersten Feiertag ohne Mutter alle zusammen verbringen würden, um uns gegenseitig Halt zu geben. Doch in Wirklichkeit bin ich wahrscheinlich die einzige, die Halt braucht. Ich stoße einen Seufzer aus.

»Du hast recht. Dann sind es wohl nur wir, Jay und Shelley und die Kinder.« Strahlend sehe ich ihn an. »Komm, wir laden auch deine Eltern ein. Meinst du, sie würden kommen?«

»Bestimmt nicht. Zu viel Aufwand mit der Fahrt.«

»So weit ist Boston doch gar nicht entfernt.«

»Ist trotzdem ein Aufwand.« Er schiebt den Kühlschrank mit der Hüfte zu und holt ein Messer aus der Schublade.

Ich starre ihn an. »Werden wir irgendwann auch so sein? Wenn unsere Kinder groß sind und uns zu Thanksgiving einladen? Ist dir das dann auch zu viel Aufwand?«

Andrew schneidet eine Scheibe Asiago ab und schiebt sie sich in den Mund. »Kinder?«, fragt er mit erhobener Augenbraue. »Ich dachte, du hättest gesagt, du musst ein Kind bekommen. Singular.«

»Egal. Du weißt, was ich meine.«

Er spült den Käse mit einem Schluck Bier hinunter. »Wenn wir *ein* Kind haben, nehme ich an, dass du alle Feiertage mit ihm verbringen willst. Das ist in Ordnung.«

Ich bekomme einen bitteren Geschmack im Mund. Seine Antwort auf die nächste Frage möchte ich eigentlich nicht hören, aber ich muss sie ihm stellen. »Was ist mit dir? Wirst du Zeit mit unserer Familie verbringen wollen?«

»Herrgott nochmal!« Er knallt die Bierflasche auf die Granitarbeitsfläche. Sie schäumt über, wie sein Temperament. »Es reicht ja scheinbar nicht, dass ich bereit bin, Vater zu werden. Nein, ich soll Cliff Huxtable sein.« Er schüttelt den Kopf, und als er weiterspricht, mäßigt er seine Stimme, versucht, sich zusammenzureißen. »Ich ändere mein gesamtes Leben, damit dieses verfluchte Märchen wahr werden kann, Brett, und trotzdem reicht es dir noch nicht.«

»Es tut mir leid. Ich weiß zu schätzen, was du alles tust, wirklich.« Mein Kinn beginnt zu beben, ich stütze es in die Hand. »Du willst das alles nicht. Das spüre ich.«

Unangenehmes Schweigen legt sich über uns. Andrew betrachtet die Bierflasche in seiner Hand. Schließlich reibt er sich das Gesicht. »Können wir bitte ein andermal darüber reden? War ein anstrengender Tag.«

Ich nicke, aber weiß, dass »ein andermal« nicht mehr lange warten kann. Es ist ebenso egoistisch von mir, von ihm zu erwarten, dass er meine Träume teilt, wie es von ihm war, es von mir zu erwarten.

Es ist Freitagnachmittag; ich habe Peters Termin absichtlich ganz nach hinten geschoben, weil ich weiß, wie schnell er mir die Stimmung verderben kann. Autumn schickt mich in die Küche, wo Peter am Tisch sitzt. Auch wenn er jetzt immer aus seinem Zimmer kommt, ohne Theater zu machen, ist er trotzdem unhöflich und mürrisch, ähnlich wie seine Mutter. Heute sitzt sie im Wohnzimmer und bereichert unsere Stunde mit dem Geschrei der Talkshow im Fernsehen und dem Gestank ihrer Zigaretten.

Ich suche in meiner Tasche herum, bis ich das Mathebuch finde. »Heute beschäftigen wir uns hauptsächlich mit Mathe, Peter. Die meisten Sechstklässer machen noch keine Algebra. Du kannst stolz sein, dass dir diese Ehre zuteil wird.«

Ich schlage das Kapitel über Polynome auf. »Mal sehen, Mrs Kiefer will, dass wir heute das Dividieren von Polynomen üben. Gucken wir uns mal Aufgabe Nummer eins an. Kannst du es mal versuchen?«

Er sieht sich die Seite an, zieht die Stirn kraus und kratzt sich am Kopf. »Zu schwer.« Er schiebt mir das Buch zu. »Machen Sie.«

Ich werde gerade veräppelt, das ist mir klar. Mrs Kiefer hat mir versichert, dass Peter diese Übung mit links bewältigen kann. Dennoch klaube ich Stift und Papier zusammen. »Ist lange her, dass ich mit Polynomen gerechnet habe.« Ich schreibe die Aufgabe ab und schelte mich insgeheim, die Stunde nicht vernünftig vorbereitet zu haben.

Es dauert nicht lange, da hole ich den Taschenrechner raus. Ich tippe Zahlen ein, kritzele Ziffern aufs Papier, streiche sie durch, tippe andere Zahlen ein, radiere sie wieder weg. Derweil beobachtet mich Peter mit selbstgefälligem Grinsen.

Nach gut fünf Minuten habe ich die Lösung – und bin ganz stolz auf meine Leistung. Ich puste den Pony hoch und sehe ihn grinsend an.

»Ich hab's. Die Antwort lautet 3y durch 8x hoch minus vier.« Ich lege ihm meinen Zettel vor. »Und jetzt erkläre ich dir, wie ich zu dieser Lösung gekommen bin.«

Er betrachtet meine Aufgabe wie ein hochnäsiger Professor. »Haben Sie den Kehrwert der negativen Zahlen gebildet?«

Ich werde rot und überprüfe meine Lösung. »Kehrwert? ... was genau ... Du meinst, ob ich ...?«

Peter seufzt. »Wenn man bei Polynomen Quotienten vor sich hat, kann man den Kehrwert bilden, und negative Hochzahlen bei Zähler und Nenner kehren sich um. Ein Zähler mit Potenz und negativer Hochzahl wird ein Nenner mit Potenz und positiver Hochzahl und umgekehrt. Das wussten Sie doch, oder? Die richtige Antwort lautet 3y durch 8x hoch acht.«

Ich stütze die Ellenbogen auf den Tisch und massiere mir die Schläfen. »Ja, klar. Du hast absolut recht. Klasse gemacht, Peter.«

Ich spüre seinen Blick auf mir, während er sich langsam und gründlich am linken Arm kratzt. Schließlich schaue ich ihn an.

»Kann doch jeder Idiot«, sagt er, ohne den Blick abzuwenden. Damit sagt er mir: Ich bin dümmer als ein Idiot.

Der Himmel hat sich zu einem Rauchgrau verdunkelt, als ich das alte weiße Haus verlasse. Nach wenigen Häuserblocks halte ich vor einem verlassenen Spielplatz an und hole mein Handy aus der Tasche.

»Hallo, Doc, ich meine: Garrett. Hier ist Brett.«

»Hey. Ich habe gerade an Sie gedacht. Wie lief es heute?«

Ich lehne den Kopf gegen die Kopfstütze. »Ich habe gerade bei *Bist du schlauer als ein Siebtklässler?* verloren.«

Er lacht. »Sie haben es mit einem Sechstklässler zu tun«, erinnert er mich. »Also übertreiben Sie mal nicht.«

Trotz der furchtbaren Stunde muss ich lachen. Dann schlucke ich meinen Stolz hinunter und berichte von der Mathestunde – *meiner* Mathestunde.

»Als er mich fragte, ob ich die negativen Zahlen umgekehrt hätte, habe ich ihn angeguckt wie ein Auto.«

Garrett lacht laut auf. »Hab ich auch schon erlebt. Ist demütigend, wenn ein Kind schlauer ist als man selbst.«

»Ja, Peter denkt wahrscheinlich, dass ich normalerweise an der Essensausgabe stehe und nur zu ihm komme, weil sich die Schule keinen richtigen Lehrer mehr leisten kann.«

»Sie sind das Beste, was die Schule hätte schicken können, da bin ich mir sicher.«

Mein Herz macht einen kleinen Hüpfer. »Und ich finde, dass er von Glück sagen kann, dass Sie sein Arzt sind. Möchten Sie noch Teil zwei meiner Demütigung hören?«

»Aber sicher.«

Ich erzähle ihm von Peters gemeinem Kommentar. »Wirklich, er hat mich als Idiot bezeichnet.«

»Also ehrlich, damit liegt er ja so was von falsch.«

Ich grinse. »Nun, Sie haben mich ja noch nicht kennengelernt.«

Garrett schmunzelt. »Ich hoffe, das holen wir irgendwann nach. Und wenn, bin ich mir sicher, dass sich meine Ahnung bestätigen wird.«

Mein beschissener Tag hat sich gerade um das Hundertfache verbessert. »Danke. Sie sind wirklich nett.«

»Tja, Sie haben mich noch nicht kennengelernt.«

Wir lachen beide. »Na gut«, sagt er dann. »Ich halte Sie jetzt besser nicht länger auf. Offiziell ist schon Wochenende.«

Auf einmal werde ich ganz traurig. Ich möchte gerne sagen, es sei schon okay, ich säße lieber hier in meinem kalten Auto und spräche mit ihm, als nach Hause in die leere Wohnung zurückzukehren. Stattdessen verabschiede ich mich.

Winzige Schneeflöckchen jagen durch die kalte Novemberluft. Nackte Eichen säumen beide Seiten der Forest Avenue, ihre langen Äste neigen sich einander zu wie sehnsüchtige Liebende. Die gepflegten Rasenflächen des Sommers sind unter einer Schneeschicht vergraben, aber jede Auffahrt, jeder Bürgersteig ist geräumt. Vor ein paar Wochen hätte ich diese stattlichen Backsteinhäuser im Tudorstil noch bewundert. Doch heute verstört mich der eklatante Gegensatz zwischen dieser Idylle in Evanston und den Straßen der South Side, wo meine Schüler wohnen.

Im Garten bauen Jay und Trevor einen Schneemann, während Shelley und ich am Küchentisch sitzen, uns ein Glas Cabernet gönnen und Brie essen. »Dieser Käse ist unglaublich.« Ich schneide mir noch ein Eckchen ab.

»Ist Biokäse«, sagt Shelley.

»Hm, ich dachte, Käse ist immer Bio.«

»Nee, nee. Diese Kühe bekommen nur Gras zu fressen. Habe ich von den Übermüttern gelernt.«

»Siehst du, dabei dachtest du, als Hausfrau und Mutter gäbe es keine geistigen Herausforderungen.«

Shelley verdreht die Augen und schenkt sich noch ein Glas Cabernet ein. »Ich kann mit diesen Frauen einfach nichts anfangen. Es geht immer nur um die Kinder. Was ja in Ordnung ist, wer will es ihnen übelnehmen? Aber trotzdem! Ich habe eine von ihnen gefragt, was sie so liest, und sie antwortete mit völlig ernster Miene, am liebsten Dr. Seuss.«

Ich pruste los. »Allerdings, *Der Grinch* ist ja so was von spannend!«

Shelley johlt: »Und diese überraschende Wendung in *Horton hört ein Hu* – einmalig!«

Wir biegen uns vor Lachen – bis Shelleys Gewieher in Schluchzen übergeht. »Ich liebe meine Kinder wirklich«, sagt sie und wischt sich über die Wangen. »Aber ...«

Die Hintertür schlägt auf, und Trevor kommt in die Küche gestürmt. »Der Schneemann ist fertig, Tante Bwett.«

Shelley dreht sich zu ihm um. »Sie heißt Brrrett«, fährt sie ihren Sohn an. »Mit einem *rrrr*. Hörst du das eigentlich nicht?«

Trevor macht ein geknicktes Gesicht und rennt wieder nach draußen.

»Shelley!«, sage ich. »Trevor ist drei Jahre alt. Er muss das *r* noch nicht aussprechen können, das weißt du ganz genau. Du bist schließlich Logopädin.«

»Ich *war* Logopädin«, erwidert sie und sackt auf dem Stuhl zusammen. »Ich bin gar nichts mehr.«

»Das stimmt doch nicht. Du bist eine Mutter, die wichtigste ...«

»Ich bin scheiße als Mutter. Guck dir doch an, wie ich Trevor gerade angeschrien habe.« Sie rauft sich die Haare. »Ich drehe hier noch durch. Ich weiß, dass ich dankbar sein sollte, weil ich mit den Kindern zu Hause bleiben kann, aber wenn ich noch einmal zum Spielenachmittag mitkommen muss, flippe ich aus, das schwöre ich dir.«

»Geh wieder arbeiten«, sage ich sanft.

Sie reibt sich die Schläfen. »Und dein Bruder hat sein Interesse an mir verloren.«

»Was? Bestimmt nicht!«

Shelley schneidet noch ein Stückchen Käse ab, mustert es und wirft es zurück auf den Teller. »Ich habe nichts mehr zu erzählen.

148

Ich bin langweilig und erschöpft und darüber hinaus eine beschissene Mutter.«

»Geh wieder arbeiten.«

»Ich bin doch erst seit zwei Monaten raus. Ich muss dem Ganzen eine Chance geben.«

»Dann müsst ihr vielleicht mal zu zweit weg – ohne die Kinder. Fliegt auf eine tropische Insel. Gönnt euch Cocktails mit kleinen Schirmchen drin, lasst euch die Sonne auf den Pelz brennen.«

Shelley hebt die Arme und schaut an sich hinab. »Na klar. Diesen Körper in einen Badeanzug zu stopfen, wird mich bestimmt aufheitern.«

Ich weiß nicht, was ich sagen soll. Die arme Shelley! Was könnte schlimmer sein als das Gefühl, der eigene IQ bewege sich in Richtung Keller, während der Hintern immer breiter wird?

»Gut, vergiss die Karibik. Wie wär's mit New York, oder mit Toronto? Ein bisschen ausgehen, ein bisschen shoppen, mal Sex ohne Unterbrechung haben.«

Da grinst Shelley. Sie geht zur Küchentheke und kommt mit ihrem Kalender zurück. »Vielleicht könnten wir an meinem Geburtstag im Februar einen Kurztrip machen. Irgendwohin, wo es anders ist und schön, New Orleans zum Beispiel.«

»Super! Überleg dir was. Ach ja, der Kalender bringt mich drauf: Ich dachte, wir könnten Thanksgiving bei Mama feiern, weißt du, damit wir sozusagen mit ihr zusammen sind.«

Shelley hebt die Augenbrauen. »Das heißt, du hast ihr vergeben?«

»Nein. Ich werde immer noch sauer, wenn ich daran denke, dass sie meinen wahren Vater vor mir geheimgehalten hat.« Ich schüttele den Kopf. »Aber sie ist unsere Mutter, und ich möchte, dass sie in unsere Feiertage einbezogen ist.«

Shelley beißt sich auf die Lippe. »Ich wollte es dir schon längst erzählen: Patti hat uns nach Dallas eingeladen.«

Mein Herz sackt mir in die Hose, aber ich sage nichts.

»Seit drei Jahren habe ich Thanksgiving nicht mehr mit meiner Familie gefeiert, Brett. Mach mir bitte keine Schuldgefühle.«
Ich schüttele den Kopf. »Tut mir leid. Ich würde auch hinfahren. Du wirst mir bloß fehlen, mehr nicht.«

Sie tätschelt mir die Hand. »Du hast doch Andrew und Catherine und Joad. Das wird doch nett, oder?«

»Ehrlich gesagt wollen Joad und …« Ich verstumme, um Shelley nicht noch mehr Schuldgefühle zu machen. »Du hast recht, das wird bestimmt nett.«

13

Am Abend vor Thanksgiving beladen Andrew und ich den Wagen mit einem frischen Puter, drei DVDs, zwei Flaschen Wein und Andrews Laptop. Ich habe die Küche meiner Mutter bereits mit allem ausgerüstet, was wir sonst noch brauchen, um das Essen vorzubereiten. Doch kaum verlassen wir das Parkhaus, schlittert das Auto übers Eis und verfehlt um Haaresbreite den Bürgersteig auf der anderen Straßenseite.

»Herrgott nochmal!« Andrew umklammert das Lenkrad und bekommt den Wagen wieder unter Kontrolle. »Ich begreife einfach nicht, warum du so verrückt darauf bist, bei deiner Mutter zu feiern. Es wäre deutlich einfacher, hier zu bleiben.«

Hier? Andrew nennt das Loft nie »unsere Wohnung« oder »bei uns«. Genau genommen hat er damit auch recht. Es ist nicht unsere Wohnung, es ist seine. Was der Grund dafür sein könnte, dass ich darauf bestand, den Abend in Mamas Stadthaus zu verbringen, das einzige Heim, das sich in letzter Zeit auch so anfühlt.

Wir brauchen fast eine halbe Stunde für die drei Meilen, und mit jeder verstreichenden Minute wird Andrews Laune mieser. »Das Wetter wird nur noch schlimmer, der Regen überfriert. Los, fahren wir zurück.«

»Ich muss aber heute alles vorbereiten. Die ganzen Lebensmittel sind schon im Haus.«

Er flucht leise vor sich hin.

»Wir sind doch so gut wie da«, sage ich. »Und wenn wir nicht mehr wegkommen sollten, machen wir uns einen schönen

Abend. Wir rösten Marshmallows überm Kamin, spielen Karten oder Scrabble ...«

Er hält den Blick auf die Straße gerichtet. »Du vergisst, dass einer von uns arbeiten muss.« Ohne mich anzusehen, legt er mir eine Hand aufs Bein. »Hast du schon mit Catherine gesprochen?«

Mein Magen dreht sich, wie jedes Mal, wenn er mich nach einer Stelle bei Bohlinger Cosmetics fragt. »Sie ist in London, schon vergessen?«

»Die beiden sind doch gestern erst geflogen. Hast du Catherine nicht am Montag angerufen?«

»Sie war so beschäftigt mit den Vorbereitungen.«

Er nickt. »Dann sprichst du aber nächste Woche mit ihr, oder?«

Vor uns erscheint Mamas Haus wie ein Leuchtturm im Sturm. Andrew hält am Straßenrand. Ich seufze und öffne die Wagentür. »Da sind wir ja.«

Ich greife zu den Einkaufstüten, stapfe die Verandatreppe hinauf und bete, dass uns die unbeantwortete Frage nicht ins Haus folgt.

Als ich mit der Cranberrysoße fertig bin und den Pekan-Pie in den Ofen geschoben habe, riecht das Haus fast so wie früher. Ich lege die Schürze auf einen Barhocker und schlendere ins Wohnzimmer. Miles Davis tönt aus den Lautsprecherboxen, der Raum glüht sanft im bernsteinfarbenen Licht des Kamins und Mamas venezianischer Lampen. Ich kuschele mich neben Andrew aufs Sofa, der seinen Laptop auf dem Schoß hat.

»Was machst du da?«

»Guck nur, ob was Neues auf dem Markt ist.«

Meine Brust zieht sich zusammen. Wieder das Haus. Ich sehe, in welchem Preissegment er sucht, und schnappe beinahe nach Luft. Dann lehne ich den Kopf an Andrews Schulter und schaue zu. »Schade, dass die Hypothek mehr wert ist als die Wohnung.«

»Megan weiß doch gar nicht, wovon sie redet.«

»Aber fürs Erste sollten wir vielleicht etwas Kleineres suchen. Etwas, das wir uns leisten können, wenn wir unsere Ersparnisse zusammenlegen.«

»Ich hab gar nicht gewusst, dass du so ein Geizkragen bist. Mensch, du wirst ein riesiges Vermögen erben!«

Mein Magen krampft. So gerne ich das Thema auch vermeiden möchte, ist es doch Zeit, die Frage zu stellen, die mir seit Wochen auf der Zunge liegt.

»Was ist, wenn ich gar nichts erbe, Andrew? Wärst du dann trotzdem bereit, mir bei dieser Liste zu helfen?«

Er sieht mich mit finsterem Blick an. »Soll das eine Art Test sein?«

»Es ist möglich, dass ich gar nichts bekomme, verstehst du. Ich habe keine Ahnung, wo mein Vater ist, denn meine Mutter hat kaum Hinweise auf ihn hinterlassen. Vielleicht werde ich auch nicht schwanger.«

Andrew widmet seine Aufmerksamkeit wieder dem Laptop. »Dann gehen wir gerichtlich dagegen an. Das gewinnen wir.«

Stopp! Das reicht doch. Du wirst ihn zur Weißglut bringen, wenn du ihn weiter bedrängst.

»Deine Bereitschaft, mir zu helfen«, sage ich mit laut pochendem Herzen, »hat also nicht mit Geld zu tun?«

Seine Augen blitzen vor Zorn. »Glaubst du, ich bin hinter deinem Geld her? Mein Gott, ich flehe dich praktisch um einen Job an. Und du hast noch immer nicht zugesagt, mir zu helfen! Ich tue alles, was du willst, Brett. Ich bin mit dem Hund einverstanden, mit dem Lehrerjob, mit allen verfluchten Sachen. Im Gegenzug bitte ich dich nur um eins: um einen Job im Familienunternehmen und um das entsprechende Gehalt.«

Das sind zwei Bitten, denke ich bei mir. Aber er hat recht. Ob nun mit Widerwillen oder nicht – Andrew tut alles, was ich von ihm verlange. Warum also bin ich nicht zufrieden?

»Das ist kompliziert.« Ich nehme seine Hand. »Mama war damals nicht erbaut davon, und sie hat selten eine falsche geschäftliche Entscheidung getroffen.«

Andrew entreißt mir die Hand. »Wird deine Mutter für alle Zeit dein Leben beherrschen?«

Ich betaste meine Halskette. »Nein ... nein. Letztendlich wäre es Catherines Entscheidung.«

»Schwachsinn! Du hast den Einfluss, mich reinzuholen, und das weißt du genau.« Finster sieht er mich an. »Ich helfe dir bei deinen Zielen, und ich muss wissen, ob du mir auch bei meinen helfen willst.«

Ich wende den Blick ab. Sein Anliegen ist nicht unvernünftig. Es wäre so einfach, ja zu sagen. Ich könnte Catherine am Montag anrufen, und innerhalb von ein oder zwei Wochen hätte sie für ihn eine Stelle in der Firma gefunden. Er ist schließlich Anwalt, würde problemlos in unser Juristenteam passen, auch in die Buchhaltung, sogar in die Personalabteilung. Es steht in meiner Macht, die schlechte Stimmung heute Abend mit einem einzigen Satz aufzuhellen: *Ja, ich helfe dir.*

»Nein«, sage ich sanft. »Ich kann dir nicht helfen. Ich habe das Gefühl, es ist falsch, wenn ich gegen Mamas Willen entscheide.«

Andrew erhebt sich vom Sofa. Ich strecke die Hand nach ihm aus, aber er entzieht sich mir, als würde meine Berührung brennen. »Du warst früher so umgänglich, so verträglich. Du hast dich verändert. Du bist nicht mehr das Mädchen, in das ich mich verliebt habe.«

Das stimmt. Die bin ich nicht mehr. Ich wische mir eine Träne von der Wange. »Tut mir leid. Ich wollte den Abend nicht ruinieren.«

Er geht im Zimmer auf und ab, rauft sich die Haare. Ich kenne dieses Verhalten. Er versucht sich zu entscheiden. Er entscheidet, ob ich in Zukunft Teil seines Lebens sein soll. Machtlos sehe ich zu, bringe kein Wort heraus, bekomme kaum Luft. Schließlich bleibt er mit dem Rücken zu mir vor dem Erkerfenster stehen. Er streckt den Rücken und seine Schultern heben sich, als hätte gerade eine große Last seinen Körper verlassen. Dann dreht er sich zu mir um.

»Den Abend? Du hast gerade dein ganzes Leben ruiniert, *Schatz*.«

Es kommt mir verräterisch vor, in Mamas Bett zu schlafen. Schließlich ist sie der Feind. Wegen ihr habe ich meine Arbeit, mein Heim und alle Hoffnung verloren. Sicher, Andrew war kompliziert, manchmal auch ein Arsch, aber er war *mein* Arsch, und ohne ihn werde ich niemals schwanger werden.

Ich schleppe eine Decke nach unten und lege sie aufs Sofa. Es dauert eine Weile, bis ich mich an das schwache Licht der Straßenlaternen gewöhnt habe. Quer durchs Zimmer sehe ich meiner Mutter in die Augen. Das Foto wurde vor zwei Jahren bei einer Preisverleihung in Chicago aufgenommen, als sie zur Geschäftsfrau des Jahres gewählt wurde. Ihr grau meliertes Haar ist zu einem jungenhaften Kurzhaarschnitt frisiert, von dem ich behauptete, er stände niemandem außer ihr und Halle Berry. Sie sieht umwerfend aus mit ihren hohen Wangenknochen und der makellosen gebräunten Haut. Doch abgesehen von ihrer äußerlichen Schönheit, fand ich immer, dass das Bild Mamas Wesen einfing, ihre Weisheit, ihre Heiterkeit. Ich stehe auf, gehe zum Foto und nehme es an mich, stelle es auf den Couchtisch vor mich. Dann schlüpfe ich wieder unter die Decke und starre es an.

»Hattest du vor, mein Leben zu zerstören, Mama? War das dein Ziel?«

Ihre grünen Augen bohren sich in meine.

Ich ziehe das Foto näher heran und fange an zu schimpfen: »Wer bist du überhaupt? Du hast mich nicht nur mein ganzes Leben lang belogen, sondern wegen dir habe ich jetzt Andrew verloren, der einzige, der mir helfen konnte, meine Träume in die Tat umzusetzen.«

Tränen laufen mir über die Schläfen in die Ohren. »Jetzt bin ich ganz allein. Und ich bin schon so alt ...« Fast ersticke ich an meinen Worten. »Aber du hattest recht. Ich wünsche mir so sehnlich ein Baby, dass es wehtut. Und jetzt ... jetzt ist mein Traum zerplatzt wie eine Seifenblase.«

Ich setze mich auf und zeige mit dem Finger auf ihr lächelndes Gesicht. »Bist du jetzt zufrieden? Du hast ihn doch nie gemocht, oder? So, jetzt hast du deinen Willen bekommen. Er ist weg. Jetzt habe ich niemanden mehr.« Ich lege den Rahmen mit dem Gesicht nach unten mit solcher Wucht auf den Couchtisch, dass ich befürchte, das Glas sei kaputt. Aber ich schaue nicht nach. Ich drehe mich um und weine mich in den Schlaf.

Gnädig fallen die ersten Strahlen der Morgensonne durchs Erkerfenster und erlösen mich aus meinem unruhigen Schlaf. Als Erstes suche ich mein Handy unter der zerknüllten Bettdecke und prüfe meine Nachrichten. Ich hasse mich dafür, aber ich hoffe auf eine SMS von Andrew. Leider ist die einzige Botschaft, die ich erhalten habe, eine SMS von Brad, um Mitternacht in San Francisco abgeschickt: *Frohes Thanksgiving!*

Ich tippe zurück: *Dir auch.* Er ist bei Jenna, und auf einmal fehlt er mir unendlich. Wenn er hier wäre, würde ich ihn zum Essen einladen. Ich würde ihm mein Herz ausschütten und anschließend zuhören, wenn er seinen Frust mit Jenna loswerden will. So wie Andrew und ich durchlaufen Jenna und er gerade eine schwierige Phase. »Wir sind wie zwei Magnete«, würde er sagen. »Eben noch herrscht eine große Anziehungskraft zwischen uns, dann stoßen wir uns wieder ab.« Beim Vorbereiten der Salbeifüllung würden wir den Wein öffnen. Wir würden laut lachen, zu viel essen, Filme gucken ... all das tun, was ich eigentlich mit Andrew getan hätte. Doch als ich es mir mit Brad vorstelle, wirkt es locker und lustig, nicht gezwungen oder steif.

Gerade will ich ihm die SMS schicken, als mein Blick auf das Foto meiner Mutter fällt, das ich auf den Couchtisch gelegt habe.

Ich stelle es wieder hin. Ihre Augen sagen mir, dass sie mir meine Vorwürfe vergeben hat. Druck baut sich hinter meinen Augen auf. Ich drücke einen Kuss auf meinen Finger und streichele damit übers Glas, auf ihrer Wange erscheint mein Fingerabdruck. Heute ist ihr Gesicht voller Ermunterung, fast schon auffordernd, als würde sie mir Mut machen wollen.

Ich schaue auf mein Handy, mein Zeigefinger schwebt über der Taste zum Abschicken. Als hätten meine Finger einen eigenen Willen, huschen sie noch einmal über die Tastatur und fügen drei Worte hinzu.

Du fehlst mir.

Dann drücke ich auf *Senden*.

Es ist erst sechs Uhr früh. Der gesamte Tag liegt vor mir wie die endlose Weite Sibiriens. Ich checke wieder das Handy, werfe es dann frustriert durchs Zimmer. Mit einem dumpfen Aufprall landet es auf Mamas Perserteppich. Ich lasse mich auf einen Stuhl sinken und massiere mir die Schläfen. Wenn ich hierbleibe und alle dreißig Sekunden aufs Handy gucke, drehe ich noch durch. Ich greife zu Jacke und Schal, schlüpfe in die Gummistiefel meiner Mutter und stapfe nach draußen.

Im Osten erhellen Rosa- und Orangetöne einen metallgrauen Himmel. Ein scharfer Ostwind verschlägt mir fast den Atem. Ich ziehe mir den Schal über die Nase und schlage die Kapuze über den Kopf. Am Lake Shore Drive grüßt mich das eindringliche Getöse des Lake Michigan. Zornige Wellen klatschen ans Ufer, ziehen sich zurück, brechen sich erneut. Ich bummele über den Lakefront Trail, die Hände tief in den Manteltaschen vergraben. Der Weg entlang am See, der den ganzen Sommer lang Sportfetischisten und Touristen anlockt, ist an diesem Morgen nicht besonders gefragt. Eine bedrückende Erinnerung daran, dass die ganze Stadt heute mit Freunden und Verwandten feiert. In den Häusern wacht man langsam auf, plaudert bei Kaffee und Bagel, würfelt Sellerie und Zwiebeln für die Truthahnfüllung.

Ich biege um die Kurve beim Drake Hotel und halte mich gen Süden. Ein leeres Riesenrad kommt in Sicht, wie ein Ring am Finger des Navy Pier. Das verlassene Rad wirkt genauso einsam wie ich. Werde ich für alle Zeit allein sein? Männer in meinem Alter sind normalerweise verheiratet oder daten Zwanzigjährige. Im Dating-Menü des Lebens bin ich ein Speiserest.

Ein Jogger kommt auf mich zu, sein Labrador läuft voran. Ich trete beiseite, um die beiden vorbeizulassen, und der Hund mustert mich freundlich. Kaum sind sie weg, wirbele ich herum. Der Jogger trägt von Kopf bis Fuß schwarze Thermokleidung, aber irgendwas an ihm kommt mir bekannt vor. Er sieht sich nach mir um, und kurz treffen sich unsere Blicke. Er zögert, als würde er am liebsten zurücklaufen und mit mir sprechen, besinnt sich aber eines Besseren. Lächelnd hebt er den Arm zum Gruß, wendet sich wieder ab und läuft weiter. Er verschwindet in der Ferne. Da fällt es mir wie Schuppen vor die Augen ... Das war der Burberry-Mann! Der Typ, mit dem ich in der Bahn gesprochen habe und auch als ich neulich das Haus verließ. Oder doch nicht?

»Hey!«, rufe ich, aber das Rauschen der Wellen verschluckt meine Stimme. Ich verfalle in einen Trab. Als ich den Burberry-Mann das letzte Mal sah, wollte ich gerade zu einem Treffen mit Brad. Ich werde ihm sagen, dass ich jetzt Single bin. Ich muss ihn einholen! Aber meine schweren Stiefel verhindern, dass ich ihm näher komme. Er ist schon gute fünfzig Meter entfernt. Schneller! Mit dem Absatz bleibe ich hängen und falle prompt auf den Hintern. Da sitze ich auf dem kalten Asphalt und schaue dem Burberry-Mann nach, der ungerührt weiterläuft.

O Gott, ich habe einen neuen Tiefpunkt erreicht. Andrew und ich haben uns erst gestern Abend getrennt. Und hier stehe ich heute Morgen und laufe – jawohl: laufe – einem Mann nach, dessen Namen ich nicht mal kenne. Was könnte armseliger sein? Und als würde meine biologische Uhr nicht schon genug Druck ausüben, hat mir meine Mutter auch noch eine tickende Zeitbombe auf den Rücken geschnallt, die im nächsten September explodieren wird.

Als ich zurück zu Mamas Haus laufe, hat der Tag offiziell begonnen, aber wie es sich für einen November in Chicago gehört, sind schwere graue Wolken aufgezogen und halten die Sonne gefangen. Schneeflocken wirbeln durch die Luft und lösen sich auf, sobald sie auf meinem Wollmantel landen. Ein böse Vorahnung überfällt mich, als ich die Stufen zur Haustür meiner Mutter emporsteige. Ich will heute nicht allein sein. Ich kann die Vorstellung nicht ertragen, das bemitleidenswerte Wesen zu sein, das an Thanksgiving für sich ganz allein kocht.

Ich räume den Esszimmertisch ab, den ich am vergangenen Abend schon gedeckt hatte, falte Mutters geliebte Servietten und Tischdecken zusammen. Als wir vor drei Jahren in Irland waren, kaufte sie die handbestickte Leinenwäsche und bestand darauf, dass sie bei jeder Familienfeier benutzt wurde. Tränen rinnen mir übers Gesicht. Wir hätten uns nicht vorstellen können, dass unsere Familienfeiern so schnell ein Ende finden würden.

Um mich noch mehr zu quälen, hinterfrage ich meine Beziehung zu Andrew. Warum bin ich nicht liebenswert? Wieder treten mir Tränen in die Augen. Ich stelle mir vor, wie er ohne mich weitermacht, eine Frau findet, die völlig fehlerlos ist, die ihn glücklich machen kann. Eine Frau, die er heiraten will.

Mit einem Tränenschleier vor den Augen stopfe ich die Füllung in den Truthahn und schiebe ihn in den Ofen. Mechanisch schäle ich die Kartoffeln und vermenge die Zutaten für den süßen Kartoffelauflauf meiner Mutter. Als ich schließlich das Obst in die Schüssel schneide, höre ich endlich auf zu weinen.

Drei Stunden später ziehe ich den schönsten Truthahn aus dem Ofen, den ich je gemacht habe. Die Haut glänzt knusprig golden, Bratensaft brodelt in der Saftpfanne. Als nächstes hole ich den Auflauf heraus und atme den vertrauten Duft von Muskatnuss und Zimt ein. Im Kühlschrank stehen der Obstsalat und die Cranberrysoße. Ich schneide die restlichen Tomaten in den Salat und stelle ihn neben die Pies. Nachdem ich alles doppelt eingewickelt habe, packe ich das Essen in Picknickkörbe und Kartons, die ich zwischenzeitlich aus dem Keller geholt habe. Unterwegs rufe ich Sanquita im Joshua House an. Sie erwartet mich an der Tür, als ich vorfahre.

»Hallo, Süße. Kannst du das bitte nehmen?« Ich gebe ihr den Korb und kehre zum Wagen zurück. »Bin sofort wieder da.«

»Hast du uns einen Truthahn gemacht?«, fragt sie und beäugt den Picknickkorb.

»Allerdings.«

»Ms Brett hat uns einen Truthahn gemacht!«, ruft sie ihren Mitbewohnerinnen zu. Sie späht in den Korb. »Nicht nur Truthahnsandwich, was wir eben hatten, sondern einen richtigen Truthahn mit allem, was dazugehört!«

Ich muss dreimal zum Wagen gehen, bis alles ins Haus gebracht ist. Sanquita hilft mir, die Speisen auf der Küchentheke aufzustellen, wo die anderen Frauen sich versammeln wie Ameisen um ein Stück Würfelzucker. Inzwischen kenne ich die meisten Gesichter und sogar einige Namen. Tanya, Mercedes und Julonia packen die Gerichte aus, die anderen beugen sich vor.

»Die Füllung ist noch im Vogel, so mag ich es am liebsten.«

»Hm, wie lecker! Der Auflauf riecht herrlich!«

»Guck mal da – Pekan-Pie!«

»Guten Appetit, die Damen«, sage ich und sammele die leeren Körbe ein. »Wir sehen uns Montag, Sanquita.«

»Sie müssen nicht gehen«, murmelt das Mädchen und schaut auf ihre Schuhe. »Ich meine, Sie können mitessen, wenn Sie wollen.«

Ich bin sprachlos. Das Mädchen, das niemandem vertraut, öffnet mir die Tür – wenn auch nur einen Spaltbreit. So gerne ich auch eintreten würde, heute geht es nicht. »Danke, aber ich hatte einen langen Tag. Ich muss nach Hause.« Und das ist wo genau? Vielleicht sollte ich mal fragen, ob sie hier ein Zimmer frei haben.

Sanquita drückt die Schultern durch, ihr Gesicht wird wieder hart. »Na klar.«

Ich wische mir mit dem Finger unter den Augen entlang und spüre Krümel getrockneter Wimperntusche. »Mir geht's heute nicht so gut.« Ich schaue in ihr aufgedunsenes Gesicht und sehe, dass sie sich an der Stirn wund gekratzt hat, eine hässliche Nebenwirkung der Ansammlung von Giftstoffen in ihrem Körper.

»Was ist mir dir, Sanquita? Wie geht es dir?«

»Gut«, erwidert sie und weicht meinem Blick aus. »Mir geht's gut.«

In dem Moment kommt Jean Anderson, die mürrische Leiterin, durch die Tür. Die Tasche ihres Mantels ist eingerissen, unter dem Arm klemmt eine Plastik-Reisetasche.

»Ms Jean«, sagt Sanquita. »Heute müssen Sie doch gar nicht hier sein.«

»Lisa hat sich krank gemeldet.« Sie schält sich aus ihrem Mantel. »Komisch, dass die Krankheiten immer an Feiertagen zuschlagen.«

»Aber Ihre Tochter ist doch aus Mississippi da«, sagt Mercedes, »mit den Enkelkindern.«

»Die sind morgen auch noch da.« Jean holt sich einen Bügel aus dem Schrank, dreht sich um und erblickt mich. Ihr Gesicht wird zu Stein. »Was machen Sie denn hier?«

Bevor ich antworten kann, klatscht Sanquita in die Hände. »Ms Brett hat uns Truthahn und so gebracht. Kommen Sie!«

Jean rührt sich nicht, sondern beäugt mich. »Sind Sie dann so weit, Ms Bohlinger?«

»Ähm, ja. Ich muss los.« Ich tätschele Sanquitas Arm. »Bis Montag, meine Liebe.«

Ich bin drei Querstraßen weiter, als ich mit kreischenden Bremsen anhalte und wende. Ich halte vor dem Haus und flitze die Treppenstufen hinauf. Ms Jean steht an der Küchentheke und schneidet den Truthahn an.

»Hmm, lecker. Dieser Vogel ist aber eine Schönheit. Mercedes, Schätzchen, deckst du bitte den Tisch?« Als sie mich entdeckt, verschwindet ihr Lächeln.

»Was vergessen?«

»Fahren Sie nach Hause«, entgegne ich atemlos. »Ich bleibe heute Abend hier.«

Sie mustert mich von oben bis unten und wendet sich wieder dem Truthahn zu.

Ich fahre mir mit der Hand durch das zerzauste Haar. »Ich bin gerade von der Stadt angestellt worden. Ich wurde komplett durchleuchtet. Ich bin ungefährlich, versprochen.«

Jean legt das Messer aufs Schneidebrett und sieht mich finster an. »Warum sollte jemand wie Sie den Feiertag in einem Frauenhaus verbringen wollen? Haben Sie keine Verwandten zu Hause?«

»Es gefällt mir hier«, sage ich aufrichtig. »Und ich bin ganz vernarrt in Sanquita. Außerdem sind meine Verwandten unterwegs, ich bin allein. Sie dagegen haben das ganze Haus voller Gäste. Sie sollten bei ihnen sein.«

»Gehen Sie nach Hause, Ms Jean«, bekräftigt Mercedes. »Wir kommen schon klar.«

Sie beißt sich mit den Zähnen auf die Unterlippe. Schließlich weist sie mit dem Kopf Richtung Büro. »Kommen Sie!«

Während ich Ms Jean über den Flur folge, sehe ich mich über die Schulter um. Sanquita schaut uns nach, die Arme vor der Brust verschränkt. Habe ich eine unsichtbare Grenze überschritten? Dränge ich mich ihr auf, wenn ich hier heute übernachte? Unsere Blicke treffen sich. Sie hebt eine Hand. Ich sehe eine geballte Faust, dann einen Daumen. Sie streckt ihn mir entgegen. Ich könnte heulen.

Auch wenn das Joshua House an diesem Abend voll belegt ist, gibt es keine Brennpunkte, so weit Ms Jean sagen kann – keine bedrohlichen Ex-Freunde, keine Süchtigen. »Die Gäste – so nennen wir die Bewohnerinnen – dürfen sich tagsüber frei im Haus bewegen. Ab sieben Uhr ist die Küche geschlossen. Kinder müssen bis neun Uhr im Bett sein. Das Fernsehen wird um halb zwölf ausgemacht, danach müssen sich alle auf ihre Zimmer zurückziehen.« Sie weist auf ein Bett an der Wand. »Sie schlafen hier. Wir wechseln täglich die Wäsche, morgen früh ziehen Sie es einfach ab. Amy Olle löst Sie ab, um acht Uhr.« Sie seufzt. »Ich glaube, das ist es im Großen und Ganzen. Noch Fragen?«

Um sie zu beruhigen, belästige ich sie nicht mit dem Chor von Fragen in meinem Kopf. Muss ich mich vor jemandem in Acht nehmen? Gibt es eine Alarmanlage?

»Ich komme schon klar«, sage ich überzeugter, als ich mich fühle. »Gehen Sie.«

Doch sie schaut mich an, die Hände in die Hüften gestützt.

»Ich weiß ja nicht, was für einen Grund Sie haben, aber wenn ich herausfinde, dass Sie diese Frauen ausnutzen, dann sind Sie hier schneller rausgeflogen, als Sie sich das nächste Designertäschchen kaufen können. Haben Sie mich verstanden?«

»Ausnutzen? Nein. Nein, das verstehe ich nicht.«

Sie verschränkt die Arme vor der Brust. »Letztes Frühjahr tauchte hier eine hübsche Weiße auf, so ähnlich wie Sie, die als Ehrenamtliche aushelfen wollte. Durfte sie natürlich. Wir können jede Hilfe gebrauchen. Es dauerte keine Woche, da stand eine Filmcrew vor der Tür. Die kleine Madame bewarb sich als Richterin am Bezirksgericht. Alle sollten sehen, was für eine tolle Tante sie war, dass sie ehrenamtlich bei den armen Schwarzen auf der South Side aushalf.«

»So was würde ich niemals tun. Das verspreche ich Ihnen.«

Wir sehen uns in die Augen, bis sie schließlich den Blick abwendet.

163

»Meine Telefonnummer von Zuhause steht direkt hier«, sagt Jean und weist auf einen Haftzettel. »Rufen Sie an, falls Sie Fragen haben.«

Sie greift zu ihrer Tasche und verlässt das Zimmer ohne ein »Auf Wiedersehen« oder »Viel Glück«. Ich lasse mich auf den Stuhl sinken und versuche, mir etwas zu überlegen, für das ich dieses Thanksgiving dankbar sein kann.

14

Am Montagmorgen ruft Brad an und fragt, ob ich auf dem Heimweg von der Arbeit bei ihm in der Kanzlei vorbeikommen könne. Den ganzen Nachmittag lang wird meine Ahnung stärker, und als der Fahrstuhl in den 32. Stock steigt, wird sie fast zur Gewissheit. Ich bin überzeugt, dass er Neuigkeiten über meinen Vater hat.

Brad sieht mir lächelnd entgegen. »Hallo, B. B.« Er kommt auf mich zu und nimmt mich in den Arm. »Danke, dass du vorbeigekommen bist.« Er löst sich von mir und runzelt die Stirn. »Alles in Ordnung? Du siehst irgendwie müde aus.«

»Bin kaputt. Momentan bekomme ich einfach nicht genug Schlaf.« Ich presse die Lippen kurz aufeinander, damit sie ein bisschen Farbe bekommen. »Erzähl, was ist los?«

Er führt mich zu den Sesseln und stößt einen Seufzer aus. »Setz dich!« Er klingt niedergeschlagen, matt, und ich bekämpfe die Furcht, die mich zu überwältigen droht.

»Hat Pohlonski meinen Vater gefunden?«

Brad lässt sich neben mich in den Sessel fallen und fährt sich mit der Hand übers Gesicht. »Er hat's aufgegeben, Brett.«

»Was meinst du damit: aufgegeben? Ich dachte, er hätte noch sechs zur Auswahl.«

»Er hat bei jedem angerufen. Bei einem hatte er das Gefühl, der könnte es sein. Er war im Sommer '78 in Chicago. Aber er hat deine Mutter nicht gekannt.«

»Vielleicht hat er es nur vergessen. Spielt er Gitarre? Sag ihm, er soll nach dem Justine's fragen.«

»Der Mann studierte damals an der DePaul University. Hatte noch nie vom Justine's gehört. Keinerlei musische Begabung.«

»Scheiße!« Ich schlage auf die Sessellehne. »Warum hat mir meine Mutter bloß nicht von Johnny erzählt, als sie noch lebte? Sie muss mehr über ihn gewusst haben. Aber nein, dafür war sie zu egoistisch. Es war ihr wichtiger, sich selbst zu schützen, als mir zu helfen.« Ich schaue Brad an und versuche, meine Wut zu zügeln. »Und, was hat Pohlonski jetzt vor?«

»Tut mir leid, aber er hat getan, was er konnte. Er hat versucht, die Besitzer des Justine's ausfindig zu machen, aber sie sind verstorben. Wahrscheinlich wurde Johnny unter der Hand bezahlt, denn Steve kann keinerlei steuerliche Unterlagen auftreiben. Er hat sogar den Besitzer des Hauses auf der Bosworth gefunden.«

»Den Vermieter? Das ist gut. Der muss doch einen alten Vertrag mit Johnny Manns haben, oder?«

»Nein. Nichts. Der alte Mann lebt jetzt in einem Pflegeheim in Naperville und kann sich weder an Johnny Manns noch an deine Eltern erinnern.«

»Dann muss Pohlonski weitersuchen. Ich bezahle ihn doch dafür.«

Brads Schweigen macht mich nervös, schnell spreche ich weiter. »Vielleicht kommt Johnny doch nicht aus North Dakota. Wir weiten die Suche einfach aus. Wir überprüfen auch andere Schreibweisen.«

»Brett, Pohlonski ist in einer Sackgasse. Es gibt einfach nicht genug Daten zum Weitersuchen.«

Ich verschränke die Arme vor der Brust. »Mir gefällt dieser Pohlonski nicht. Er hat keine Ahnung von dem, was er macht.«

»Du kannst natürlich jemand anders engagieren, aber sieh dir einfach mal seine Aufzeichnungen an.« Brad reicht mir einige Notizen. Auf dem obersten Blatt ist eine Auflistung über die Suche nach Jon, John, Jonathan, Jonothon oder Johnny Manns. Einige Namen sind eingekreist, andere durchgestrichen. Am Rand sind Notizen vermerkt, Daten und Uhrzeiten von Telefonaten. Es liegt auf der Hand: Dieser Pohlonski hat sein Bestes getan, um meinen Vater zu finden.

»Na gut, sag ihm, er soll weitersuchen. Irgendwo ist Johnny, das weiß ich.«

»Ich habe beschlossen, dir dieses Lebensziel zu erlassen.«

Ich schaue Brad an: »Erlassen? Meinst du damit, dass ich aufhören soll?«

Er nimmt mir den Zettel vom Schoß. »Du musst nicht aufgeben. Die Entscheidung überlasse ich dir. Aber ich werde dich nicht drauf festnageln, Brett. Du hast es versucht, aber es hat zu nichts geführt.«

Ich beuge mich vor. »Dann sage ich dir jetzt, dass ich nicht aufgeben werde. Pohlonski muss sich noch mehr anstrengen. Wir erweitern die Jahresspanne. Vielleicht war mein Vater ja älter ... oder jünger.«

»B. B., das könnte Jahre dauern. Es wird dich ein Vermögen kosten. Ich denke, du solltest dich fürs Erste auf die anderen Ziele konzentrieren.«

»Vergiss es! Ich gebe nicht auf.«

Er sieht mich stirnrunzelnd an. »Brett, hör mir zu. Ich weiß, dass du nicht mehr viel Geld hast und ...«

»Doch«, unterbreche ich ihn.

Sein Blick fällt auf mein nacktes Handgelenk. »Ach, du Scheiße! Wo ist deine Rolex?«

Ich reibe über die Stelle, wo ich sonst die Uhr trug. »Brauchte ich nicht mehr. Mein Handy ist genauer, als die alte Uhr jemals war.«

Ihm fällt die Kinnlade runter. »Gott, hast du die Uhr ins Leihhaus gebracht?«

»Nein, verkauft. Bei eBay. Und ein bisschen Schmuck. Als nächstes sind meine Kostüme und die Handtaschen dran.«

Brad holt tief Luft und reibt sich mit der Hand übers Gesicht. »Oh, B. B., das tut mir so leid.«

167

Er glaubt, ich würde mein Geld verschwenden. Würde meinen Vater niemals finden. Ich umklammere seinen Arm.

»Das muss dir nicht leid tun, tut es mir ja auch nicht. Jetzt habe ich Geld. Ich kann weiter nach meinem Vater suchen. Und ihn zu finden, mein Freund, ist unbezahlbar.«

Er schenkt mir ein trauriges Lächeln. »In Ordnung. Ich sage Pohlonski, er soll weitermachen.«

Ich nicke und schlucke. »Wie war San Francisco?«

Brad atmet tief durch. »Nicht gerade ein lockerer Kurzurlaub. Jenna war ziemlich beschäftigt mit einer Story, an der sie gerade schreibt.«

Er berichtet von einem Tagesausflug in die Half Moon Bay, aber ich habe Schwierigkeiten, ihm zu folgen. Meine Gedanken sind bei meinem Vater. Ob er wohl Ähnlichkeit mit mir hat? Was für ein Mann er wohl ist? Wird er mich mögen, oder wird er sich für seine uneheliche Tochter schämen? Was, wenn er tot ist? Mein Mut sinkt.

»Kann Pohlonski auch die Sterberegister überprüfen?«

»Was?«

»Ich muss Johnny einfach finden, selbst wenn er tot ist. Sag Pohlonski doch bitte, er solle ebenso Sterberegister wie Geburtenregister überprüfen.«

Mit schweren Lidern sieht Brad mich an. Er notiert es sich in seinem Block, aber ich weiß, dass er es nur tut, um mich zu beschwichtigen.

»Wie war Thanksgiving?«, fragt er.

Ich erzähle ihm von meiner Trennung von Andrew. Er versucht, neutral zu bleiben, aber ich sehe die Anerkennung in seinem Gesicht.

»Du hast jemanden verdient, der deine Träume teilt. Und vergiss nicht, deine Mutter war nie überzeugt, dass Andrew der Richtige ist.«

»Ja, aber jetzt, da ich allein bin, kommen mir meine Ziele noch unerreichbarer vor.«

Brad sieht mir in die Augen. »Du wirst nicht allein bleiben. Glaub mir.«

Mein Herz tut einen Hüpfer, doch ich weise mich zurecht. Brad hat eine Freundin. Er ist tabu. »Egal«, sage ich und schaue aus dem Fenster. »Als Andrew weg war, habe ich Thanksgiving im Joshua House verbracht.«

»Was ist das?«

»Ein Frauenhaus. Eine Schülerin von mir wohnt dort. Du kannst dir wirklich nicht vorstellen, wie toll diese Frauen sind – außer der Leiterin, die kann mich nämlich nicht ausstehen. Na ja, einige von ihnen sind psychisch krank, aber die meisten sind ganz normale Frauen, die einfach nur eine schwere Zeit durchmachen.«

Brad betrachtet mich. »Stimmt das?«

»Ja, zum Beispiel Mercedes. Sie ist eine alleinerziehende Mutter und hat sich eine Hypothek mit variablem Zins aufschwatzen lassen. Als die Zinsen ins Unermessliche stiegen und sie das Haus nicht loswurde, musste sie ausziehen. Zum Glück erzählte ihr jemand vom Joshua House. Dort kann sie jetzt mit ihren Kindern wohnen.«

Brad sieht mich lächelnd an.

»Was ist?«

»Ich bewundere dich, wirklich.«

Ich winke ab. »Sei nicht albern. He, ich habe zugesagt, montags abends die Aufsicht zu übernehmen. Du musst nächste Woche mal vorbeikommen und die Frauen kennenlernen – besonders Sanquita. Sie ist immer noch eine harte Nuss, aber sie hat mich Thanksgiving eingeladen, zum Essen zu bleiben.«

Brad hebt den Zeigefinger und steht auf. Er holt die Umschläge meiner Mutter aus dem Aktenschrank und kehrt zu den Sesseln zurück.

»Herzlichen Glückwunsch!« Er hält mir Umschlag Nr. 12 entgegen: *Armen Menschen helfen.*

Ich will ihn nicht nehmen. »Aber ich hab nicht … ich war nicht …«

»Du hast es ohne Hintergedanken getan, völlig selbstlos. Genau so hätte es sich deine Mutter gewünscht.«

Ich denke an die fünf Minuten, die ich letzte Woche gebraucht habe, um für die SOS Kinderdörfer zu spenden, weil ich dachte, das würde mir diesen Umschlag einbringen. Ich ahnte zwar, dass Mama mehr von mir verlangen würde, aber ich hatte keine Idee, was oder wo das sein könnte. Glücklicherweise hat das Joshua House mich gefunden.

»Soll ich ihn aufmachen?«, fragt Brad.

Ich nicke, traue meiner Stimme nicht.

Brad liest vor: »*Meine liebe Brett, vielleicht kannst Du Dich an die Geschichte von dem alten Mann auf der Suche nach dem Glück erinnern, die ich Dir immer erzählt habe. Er wandert durch die ganze Welt, fragt jeden, den er trifft, ob er ihm das Geheimnis eines glücklichen Lebens verraten könne. Aber niemand kann ihm sagen, was das Geheimnis ist. Schließlich trifft der alte Mann einen Buddha, der bereit ist, ihm das Geheimnis zu verraten. Der Buddha beugt sich vor und nimmt die Hände des alten Mannes in seine. Er schaut ihm in die müden Augen und sagt: ›Tue nichts Schlechtes. Tue immer nur Gutes.‹*

Der alte Mann ist verwirrt. ›Aber das ist zu einfach. Das wusste ich schon mit drei Jahren!‹

›Ja‹, sagt der Buddha. ›Mit drei Jahren wissen wir das alle. Aber mit achtzig haben wir es vergessen.‹

Herzlichen Glückwunsch, meine Tochter, zu Deinen guten Taten! Sie sind wirklich das Geheimnis eines glücklichen Lebens.«

Ich breche in Tränen aus, und Brad hockt sich neben mich, nimmt mich in die Arme. »Sie fehlt mir so«, schluchze ich. »Sie fehlt mir so sehr.«

»Ich weiß«, sagt er und streicht mir über den Rücken. »Ich weiß genau, wie du dich fühlst.«

Er hat einen Frosch im Hals. Ich löse mich von ihm und tupfe mir die Augen trocken. »Dir fehlt dein Vater auch, nicht wahr?«

Er nickt und reibt sich über den Hals. »Ja, der Mann, der er früher war.«

Jetzt streichele ich ihm über den Rücken und versuche, ihm Trost zu spenden.

Ich bin erschöpft. Weinerlich. Habe das Gefühl, dass meine Brüste weicher sind als sonst. Auch wenn Andrew und ich seit meiner letzten Periode nur zweimal miteinander geschlafen haben, drängt sich mir doch die Vermutung auf, ich könnte ... nein! Nicht mal dran denken! Damit mache ich bloß alles kaputt. Dennoch steigt hin und wieder eine so reine, so heftige Freude in mir auf, dass es mich fast von den Füßen haut. Am Mittwochnachmittag jedoch verspüre ich keinerlei Freude. Um vier Uhr treffe ich vor Andrews Wohnung ein. Ich schließe die Tür auf, schleppe leere Kartons hinein und taste nach dem Lichtschalter. Die seelenlosen Räume sind kühl, ein Schauder läuft über mich hinweg. Ich werfe Mantel und Handschuhe auf die Couch und gehe die Treppe hoch nach oben ins Schlafzimmer. Ich will wieder fort sein, ehe Andrew von der Arbeit nach Hause kommt.

Ohne mir die Mühe zu machen, meine Kleidung zusammenzufalten oder zu sortieren, stopfe ich sie in die Umzugskartons, leere als erstes den Kleiderschrank, dann den Wandschrank. Wie habe ich so viel Kram anhäufen können? Ich denke an die Frauen im Joshua House mit ihren drei Schubladen und dem gemeinsamen Schrank und ekle mich vor meiner Verschwendungssucht. Ich schleppe vier Kartons ins Auto und fahre mit offenem Kofferraum zum Haus meiner Mutter, wo ich die Kartons in den Eingang stelle, um sofort die nächste Fuhre zu holen.

Um acht Uhr geht mir die Puste aus. Ich habe auch noch das letzte Kleidungsstück aus der Wohnung gerettet, außerdem Make-up, Cremes und all meine Haarpflegemittel. Mit dem Autoschlüssel in der Hand wandere ich ein letztes Mal durch das Loft. Mein Blick streift all die Möbel, die ich mitbrachte, alles, was ich kaufte. Habe ich versucht, die Wohnung mit Gegenständen von mir zu füllen in der Hoffnung, dass sie sich dann stärker nach Heimat anfühlen würde? Ich habe nicht nur die Hälfte der Hypothek und der Nebenkosten gezahlt, sondern kaufte auch den Esszimmertisch, das Sofa und den Zweisitzer, außerdem zwei hochauflösende Fernseher. Ich steige nach oben. Mir fällt wieder ein, dass ich die Schlafzimmermöbel in der ersten Woche nach unserem Einzug erstand. Ein Schlittenbett aus Ahornholz, eine Kommode, zwei Nachtschränkchen und den antiken Schrank, ohne den ich vermeintlich nicht leben konnte. Im Badezimmer entdecke ich die luxuriösen Handtücher von Ralph Lauren und die Badematte von Missoni, die ich bei Neiman Marcus fand. Kopfschüttelnd mache ich das Licht aus und gehe wieder nach unten. In der Küche öffne ich den Schrank und betrachte mein italienisches Geschirr, die beschichteten Töpfe und Pfannen, die Espressomaschine von Pasquini. Ich schlage die Hand vor den Mund.

Alles in dieser Wohnung, so kommt es mir vor, gehört mir. Ich muss Zehntausende von Dollar dafür ausgegeben haben! Aber ich kann Andrews Heim nicht leerräumen. Er wäre fuchsteufelswild. Was sollte ich auch jetzt mit den ganzen Möbeln anfangen? Ich müsste sie irgendwo einlagern, bis ich etwas Eigenes gefunden habe. Und was, wenn ich wirklich das bin, was ich hoffe? Könnte ich dann auch wieder hier einziehen?

Ich schließe den Küchenschrank. Soll Andrew ihn behalten. Er kann alles behalten. Das ist mein Friedensangebot.

Als ich meinen Mantel zuknöpfe, höre ich einen Schlüssel in der Tür. Scheiße! Ich knipse das Licht in der Küche aus und gehe in den Flur. Die Tür geht auf, ich höre eine Frauenstimme.

Schnell husche ich zurück in die Küche und drücke mich an die Wand neben dem Kühlschrank. Mein Herz schlägt so laut, dass ich befürchte, man könne es hören.

»Gib mir deinen Mantel«, sagt Andrew.

Die Frau antwortet etwas, aber ich kann es nicht genau verstehen. Zweifellos ist es eine weibliche Stimme. So viel steht fest. Ich bin wie festgewachsen, überlege, was ich tun soll. Warum habe ich mich nicht einfach bemerkbar gemacht? Wenn ich mich jetzt melde, sieht es aus, als hätte ich spioniert. Aber wenn sie mich erwischen, sieht es aus, als würde ich ihn stalken.

»Schönes Gefühl, wenn du hier bist«, sagt Andrew. »Du bringst die Wohnung zum Strahlen.«

Die Frau kichert albern. Ich kenne dieses Lachen. Ich halte die Luft an, um nicht laut zu schreien.

Andrew prüft die Getränke in der Bar. »Komm«, sagt er. »Ich zeige dir die obere Etage.«

Wieder bricht Megan in Kichern aus.

Aus der dunklen Küche beobachte ich, wie Andrew sie die Treppe hochführt, in der einen Hand eine Flasche Glenlivet, in der anderen zwei Gläser.

Am nächsten Nachmittag treffe ich mich mit den Umzugsleuten vor der Wohnung. Drei kräftige Männer in Blaumännern und Lederhandschuhen begrüßen mich.

»Was haben Sie denn heute für uns, Miss?«, fragt der Älteste.

»Ich möchte, dass Sie Wohnung Nr. 4 komplett leerräumen.«

»Komplett?«

»Ja. Nur der braune Sessel im Wohnzimmer bleibt.« Ich öffne die Tür zum Haus. »Ach, nee, die Matratze können Sie auch hier lassen.«

Ich packe Handtücher und Bettwäsche, Geschirr, Töpfe und Silberbesteck in Kartons. Die Möbelpacker kümmern sich um die großen Gegenstände. Zu viert brauchen wir drei Stunden, aber wir sind fertig, bevor Andrew nach Hause kommt. Ich sehe mich um. Die Wohnung, die sich nie heimelig anfühlte, ist jetzt vollständig von mir befreit.

»Wohin geht die Fuhre?«, fragt der Mann mit dem Ziegenbärtchen.

»Carroll Avenue. Joshua House.«

Am Morgen des 11. Dezember fahre ich mit einem Kofferraum voller Geschenke und einem gefüllten Tank los zum jährlichen Weihnachtsbrunch der Newsomes. Zwei Stunden später halte ich erschöpft und mit einem schummrigen Gefühl im Bauch neben einem Dutzend anderer Wagen und schaue hinüber zu dem hübschen gelben Ranchhaus. Auf einem Schild im Vorgarten, unter dem Schnee kaum zu lesen, steht: *Make Love Not War*. Ich muss lächeln, dankbar, dass sich manche Dinge niemals ändern.

Fußstapfen in verschiedenen Größen führen über den Bürgersteig. Ich öffne den Kofferraum und höre, wie die Haustür aufgeht. Eine Frau in Jeans und Fleecejacke kommt auf mich zugestürmt. Sie rutscht aus und fällt beinahe hin. Ich fange sie auf, und wir beide brechen in Lachen aus.

»Bretel!«, ruft sie. »Toll, dass du da bist!«

Sie nimmt mich in die Arme und drückt mich an sich. Mir schießen Tränen in die Augen.

»Es hat sich gelohnt«, flüstere ich. »Und wenn nur hierfür.«

Sie hält mich auf Armeslänge Abstand. »Wow! Du bist noch hübscher als auf den Fotos bei Facebook.«

Ich schüttele den Kopf und betrachte die Frau vor mir. Sie hat kurz geschnittenes braunes Haar und gute fünfzehn Pfund zu viel. Ihre helle Haut leuchtet rosa, und hinter ihrer Brille strahlen große blaue Augen voll aufrichtiger Freude. Ich putze den Schnee von ihrem Ärmel. »Du bist wunderschön«, sage ich.

»Komm!«, sagt Carrie. »Rein mit dir!«

»Warte. Vorher muss ich noch etwas erledigen.« Ich halte sie an den Armen fest und blicke ihr in die Augen. »Es tut mir so leid, wie ich dich behandelt habe, Carrie. Bitte verzeih mir.«

Sie läuft rot an und winkt ab. »Das ist doch albern. Es gibt nichts zu verzeihen.« Sie packt mich am Ellenbogen. »Jetzt komm. Alle sind schon ganz wild darauf, dich endlich wiederzusehen oder kennenzulernen.«

Der Geruch von frischgekochtem Kaffee, das Lachen und

Plaudern – alles erinnert mich an den alten Bungalow der Newsomes auf der Arthur Street. Carries drei farbige Kinder sitzen um einen Eichentisch herum und fädeln Popcorn und Cranberrys auf. Ich hocke mich neben die neunjährige Tayloe.

»Ich weiß noch, wie ich einmal mit deiner Mutter und deinen Großeltern Popcorn aufgefädelt habe. Da waren wir in Egg Harbor.« Ich sehe Carrie an. »In der alten Holzhütte deiner Großeltern. Weißt du noch?«

Sie nickt. »Die gehört jetzt meinen Eltern. Mein Vater hat zu Ehren deines Besuchs schon die ganze Woche über alte Videos rausgesucht. Er hat mit Sicherheit auch noch Aufnahmen von uns in Egg Harbor.«

»Er hätte wirklich Filmemacher werden sollen. Er war ja nie ohne Kamera unterwegs. Weißt du noch, wie er uns beim Sonnen gefilmt hat, obwohl noch Schnee lag?«

Wir lachen, und Stella kommt in die Küche. Sie ist klein und schmal, hat kurzes blondes Haar und eine dunkle Brille. Sie wirkt klug und ernst, wie eine Fitnesstrainerin. Doch kaum lächelt sie, werden ihre Gesichtszüge weich.

»Hey, Brett! Du hast es geschafft!«

Sie stellt ihre Kaffeetasse auf die Küchentheke ab und will mir die Hand geben. Mit einem breiten Lächeln sieht sie mir in die Augen. »Ach, ich bin übrigens Stella.«

Ich lache begeistert und spüre, dass Carrie eine gute Wahl getroffen hat. Anstatt Stellas Hand zu nehmen, strecke ich die Arme aus.

»Ich freue mich so, dich kennenzulernen, Stella.«

»Ebenfalls. Carrie guckt schon den ganzen Vormittag aus dem Fenster. So aufgeregt habe ich sie nicht mehr erlebt, seit wir die Kinder bekommen haben.« Sie zwinkert Tayloe zu und schmunzelt. »Wie wär's mit einer Tasse Kaffee?«

Carrie hebt die Augenbrauen. »Oder mit einer Bloody Mary. Wir haben auch Mimosas da und den geliebten Eierpunsch meiner Mutter.«

Ich schiele auf die Becher der Kinder. »Habt ihr auch Kakao?«

»Kakao?«

Ich lege eine Hand auf den Bauch. »Wahrscheinlich bin ich nur übervorsichtig.«

Carries Blick schweift zu meinem vermeintlichen Babybäuchlein hinüber. »Bist du …? Kann das sein?«

Ich lache. »Vielleicht. Ich weiß es nicht genau, aber ich bin schon zehn Tage überfällig. Und ich bin ständig müde … mir ist immer flau im Magen …«

Sie nimmt mich in die Arme. »Das ist ja herrlich!« Dann sieht sie mich an. »Das ist doch herrlich, oder?«

»Du hast ja keine Vorstellung!«

Mit einem Becher heißem Kakao folge ich Carrie ins Familienzimmer, wo eine unnachahmliche Mischung aus Jung und Alt versammelt ist. Ein schiefer Weihnachtsbaum nimmt eine komplette Ecke des Raumes ein, in einem riesigen Kamin aus Feldstein knistert ein echtes Feuer.

»Heiliger Bimbam!«, ruft Mr Newsome, als er mich erblickt. »Rollt den roten Teppich aus! Ich glaube, wir haben Besuch aus Hollywood!«

Er umarmt mich und dreht sich mit mir im Kreis, bis wir fast umfallen. Durch einen Tränenschleier sehe ich ihn an. Sein Bart ist inzwischen graumeliert, und der ehemals dicke Pferdeschwanz ist zu einem kurzen silbernen Haarschopf geworden, aber sein Lächeln ist so strahlend wie immer.

»Schön, Sie wiederzusehen«, sage ich.

Seine hübsche Frau steht hinter ihm, das rötlichblonde Haar immer noch schwer und lockig. »Jetzt bin ich dran«, sagt sie und nimmt mich in die Arme. Ihre Umarmung ist angenehm, die erste mütterliche Berührung seit Monaten.

»Ach, Mrs Newsome«, sage ich und erhasche einen Hauch ihres Patschuli-Öls. »Ich habe Sie vermisst.«

»Ich habe dich auch vermisst, mein Schatz«, flüstert sie. »Und um Himmels willen, wir kennen uns jetzt seit fast dreißig Jahren.

Sag Mary und David zu uns. Und jetzt hole ich dir einen Teller. David hat eine herrliche Pilzquiche gemacht. Und du musst unbedingt meinen Kürbisbrotpudding probieren. Die Karamellsoße ist zum Dahinschmelzen.«

Es ist wie eine Heimkehr. Ich sonne mich in der Liebe und Aufmerksamkeit dieses exzentrischen Ehepaars, das alte Wollpullover und Birkenstocksandalen trägt. Langsam blüht mein Herz wieder auf, so verkümmert es nach dem Tod meiner Mutter und Andrews Trennung auch war.

Am frühen Nachmittag tut mir vom Reden und Lachen der Hals weh. Einige sind gegangen, ich stehe mit Carrie und Stella in der Küche und unterhalte mich mit Mary, wir räumen das übrig gebliebene Essen fort. Von nebenan ruft uns Carries Vater in sein Hobbyzimmer.

»Guckt mal, was ich hier habe.«

Wir drängeln uns in sein gemütliches, mit Kiefernholz vertäfeltes Hobbyzimmer, und Carries Kinder versammeln sich um den Fernseher, als erwarteten sie eine DVD von Disney. Stattdessen erwachen auf dem Bildschirm ein sommersprossiges Mädchen und seine dunkeläugige Freundin zum Leben. Völlig verzaubert schauen Carrie und ich uns zwei Filme an, machen Witze über uns.

David geht zu seinem Schrank und sucht die Regale voller DVDs durch. »Hat ungefähr sechs Monate gedauert, meine alten Videofilme auf DVD zu konvertieren.« Er findet eine Scheibe und holt sie hervor. »Hier kommt ein Film, an den du dich wohl kaum erinnern kannst.« Er schiebt die DVD in den Schlitz und drückt auf PLAY.

Eine hübsche junge Brünette mit einer Farrah-Fawcett-Frisur winkt in die Kamera. Sie trägt einen dunkelblauen Mantel, der sich über dem Bauch nicht mehr zusammenknöpfen lässt, und zieht zwei flachsblonde Jungen auf einem Schlitten. Ich springe vom Sofa auf, knie mich vor den Fernseher, schlage die Hand vor den Mund.

»Mama«, sage ich mit belegter Stimme und drehe mich um. »Das ist meine Mutter! Und sie ist schwanger ... mit mir.«

Carrie reicht mir eine Packung Taschentücher, ich tupfe mir die Augen trocken.

»Sie ist wunderschön«, flüstere ich. Doch aus der Nähe erkenne ich, dass ihr Gesicht voller Traurigkeit ist. »Woher hast du diesen Film?«

»Den habe ich gedreht, als wir alle auf der Bosworth Avenue wohnten.«

»Bosworth? Du meinst, auf der Arthur Street.«

»Nee. Wir kannten uns schon vorher. Wir waren die ersten Kunden deiner Mutter.«

Die Haare in meinem Nacken stellen sich auf. Ich sehe David an. »Wann genau habt ihr meine Mutter denn kennengelernt?«

»Wir sind Ostern eingezogen ... das war Frühjahr ...« Er schaut hilfesuchend zu seiner Frau hinüber.

»1978«, sagt Mary.

Ich fasse mir an den Hals, gelähmt von einer Mischung aus Aufregung und Angst. »Johnny Manns«, sage ich. »Könnt ihr euch an den erinnern?«

»Johnny? Oh ja, und wie! Der spielte Gitarre im Justine's.«

»Er war ein Riesentalent«, sagt Mary. »Und sah obendrein toll aus. Alle Frauen aus der Gegend waren in ihn verschossen.«

Ich kann es kaum glauben: Hier, in diesem Zimmer, sind zwei Menschen, die meinen Vater kennen.

15

»Erzählt mir von ihm«, sage ich und wage kaum zu atmen.
»Bitte, erzählt mir alles!«

»Ich habe sogar etwas Besseres«, sagt David und durchsucht
seine DVD-Bibliothek. Er holt eine Plastikhülle aus dem Schrank,
prüft die Aufschrift und geht damit zum Fernseher. »Ich habe
ihn damals gefilmt, als er im Justine's an der Theke arbeitete. Wir
waren uns alle sicher, dass es dieser Typ mal zu etwas bringen
würde.«

Er drückt auf PLAY, und das Herz klopft in meiner Brust.
Man sieht eine kleine, schwach beleuchtete Kneipe voll junger
Gesichter. Ich rutsche näher an den Bildschirm heran, beobachte, wie die Kamera auf einen Mann zoomt, der auf einem Hocker sitzt. Er hat einen Schopf struppiger schwarzer Haare, Voll-
bart und Schnäuzer. Die Kamera fährt näher heran, und seine
braunen Augen blicken in meine. Ich kenne diese Augen. Ich
sehe sie jedes Mal, wenn ich in den Spiegel schaue. Unbewusst
stöhne ich auf und lege die Hand auf den Mund.

»Das nächste Lied stammt aus dem Doppelalbum der Beatles,
The White Album«, sagt Johnny. »Im Booklet steht zwar, Lennon
und McCartney hätten es gemeinsam geschrieben, aber tatsächlich ist es von Paul. Er schrieb es im Frühjahr 1968, als er in
Schottland war. Die wachsenden Spannungen zwischen Schwarzen und Weißen in den Vereinigten Staaten inspirierten ihn
dazu.« Er schlägt einen Akkord an. »In England werden Frauen
im Slang auch *bird* genannt.«

Er spielt die ersten Riffs der Einleitung. Als er den Mund öffnet, erklingt die Stimme eines Engels. Ich schluchze auf. Johnny singt von einem *blackbird with brocken wings*, einer Amsel mit gebrochenen Flügeln, die fliegen möchte, frei sein möchte. Sein ganzes Leben lang hat der Vogel darauf gewartet, dass dieser eine Moment kommt.

Ich denke an meine Mutter, belastet mit zwei kleinen Söhnen und einem Mann, den sie nicht liebte. Auch sie muss sich Flügel gewünscht haben.

Ich denke an mich selbst, die ich mein ganzes Leben auf diesen Moment gewartet hat. Der Moment, in dem ich in die freundlichen Augen eines Mannes blicke und weiß, dass er mein Vater ist.

Tränen laufen mir über die Wangen. Das Lied endet. Der Film zeigt eine andere Szene im Justine's, diesmal mit einer Sängerin. Ohne um Erlaubnis zu fragen, spule ich zurück und sehe mir den Auftritt erneut an und dann noch einmal. Ich lausche der Stimme meines Vaters, seinen Worten. Ich versuche, sein schönes Gesicht, seine feinen Hände zu berühren.

Nach der vierten Wiederholung sitze ich stumm da. Irgendwann zwischendurch hat sich Mary zu mir auf den Boden gesellt. David hockt auf der anderen Seite. Er legt mir die DVD in den Schoß.

»Die gehört dir, weißt du?«

Ich streiche mit dem Finger über die Scheibe und nicke. »Er ist mein Vater.«

»Kommt, Kinder, wir spielen Uno!«, ruft Stella. »Wer als erstes am Küchentisch sitzt, darf geben.«

Als Carrie und ihre Familie außer Hörweite sind, nimmt Mary meine Hände in ihre. »Wie lange weißt du es schon?«

»Ich habe es erst vor kurzem erfahren. Sie hat mir ihr Tagebuch hinterlassen.« Mein Blick schweift hinüber zu David. »Wusstet ihr es?«

»Nein, natürlich nicht«, erwidert David. »Deine Mutter hatte viel zu viel Stil, um so was zu erzählen. Aber alle wussten, dass er hin und weg von ihr war.«

180

Ich stöhne auf, vor Erleichterung und Herzschmerz. Mary tätschelt mir den Rücken, bis ich wieder gleichmäßig atme. »War er ein guter Mann?«, will ich wissen.

»Der allerbeste«, sagt sie.

David nickt. »Johnny war der Hauptgewinn.«

Ich halte die Luft an. »Wo ist er jetzt?«

»Als letztes haben wir gehört, dass er im Westen lebt«, erklärt Mary. »Aber das ist schon wieder fünfzehn Jahre her.«

»Wo denn?« Mir ist plötzlich schwindelig. »In L. A.?«

»Eine Zeitlang in San Francisco. Aber wir haben ihn aus den Augen verloren. Vielleicht ist er woanders hingezogen.«

»Das hilft mir schon. Ich habe einen Detektiv beauftragt, der seit Monaten versucht, ihn zu finden. Ihr glaubt ja nicht, wie viele Johnny Manns es in diesem Land gibt.«

David merkt auf. »Schätzchen, er hieß nicht Johnny Manns. Er hieß Manson. ›Manns‹ war sein Bühnenname, wegen des Massenmörders. Der Name ›Manson‹ trug in den Siebzigern ein furchtbares Stigma.«

Nach und nach dringen seine Worte zu mir durch. »Johnny Manson? Ach, du meine Güte! Du liebe Güte! Danke!« Ich umarme erst David, dann Mary. »Kein Wunder, dass ich ihn nicht finden konnte.«

»Deine Mutter hat seinen richtigen Namen vielleicht gar nicht gewusst. Ich kannte ihn nur, weil ich in dem Sommer im Justine's gearbeitet habe und für die Gehaltsabrechnung zuständig war.«

»Ich hätte mich dumm und dämlich gesucht, wenn ich euch nicht wiedergesehen hätte.«

Ein Schauder fährt mir über den Rücken. Ziel Nr. 9 führte mich zu Carrie, und Carrie führte mich zu meinem Vater. Wusste Mama, dass das passieren würde? Eine lebenslange Freundschaft *plus* einen Hinweis auf meinen Vater. Zwei auf einen Streich.

Während Carrie und ich mit den eingepackten Essensresten zu meinem Wagen marschieren, wähle ich mit dem Handy Brads Nummer. »Wartest du eben?«, frage ich Carrie. »Dauert nur eine Sekunde.«

»Ja, sicher«, sagt sie. In einer Tüte hat sie selbstgemachte Holundermarmelade.

»Ich stelle ihn auf laut, dann kannst du ihn kennenlernen. Er ist ein Schatz.«

Carrie hebt die Augenbrauen. »Wirklich?«

Ich gebe ihr einen Klaps, dann höre ich Brads Stimme.

»Mein Vater heißt John Manson, nicht Manns«, sage ich zur Begrüßung. »Und er wohnt irgendwo im Westen. Das musst du schnell Pohlonski sagen. Ich habe gerade ein Video mit ihm gesehen. Er ist wunderbar.«

»Wo bist du, B. B.? Ich dachte, du wärst in Wisconsin.«

»Bin ich auch. Bei Carrie. Ich habe dich laut gestellt. Sag Carrie mal Hallo.«

»Hallo, Carrie.«

Carrie lacht. »Hi, Brad.«

»Gut, hör zu: Carries Eltern wohnten auf der Bosworth Avenue. Sie kannten Johnny Manns!« Ich fasse die Ereignisse des Tages für ihn zusammen. »Ist doch kaum zu glauben, oder? Das hätte ich nie erfahren, wenn ich nicht Kontakt zu Carrie aufgenommen hätte.« Ich sehe sie an. »Sie ist ein Geschenk, in jeder Hinsicht.«

»Das könnte der Durchbruch sein. Sobald wir aufgelegt haben, hinterlasse ich Pohlonski eine Nachricht.«

»Was glaubst du, wie lange braucht er dann noch, um meinen Vater zu finden?«

»Das kann ich nicht sagen, aber über Nacht wird das wohl nicht gehen. Selbst jetzt, mit dieser neuen Information, kann es noch Monate dauern.«

Ich beiße mir auf die Lippen. »Sag ihm, dass er sich beeilen soll, ja?«

»Mach ich. Hey, hast du Lust auf einen Film, wenn du nach Hause kommst? Oder auf Essengehen? Oder noch besser: Komm einfach her. Ich koche was für uns.«

Er tut mir leid. Ich weiß, wie endlos ein Sonntag sein kann, wenn man allein ist.

»Angebot Nr. 3 klingt gut. Ah, ich habe auch eine Nachricht vom Tierheim bekommen. Meine Bewerbung wurde angenommen. Willst du mich nächste Woche begleiten, wenn ich mir meinen Welpen aussuche?«

»Gerne. Fahr vorsichtig, B. B.«

Als ich auflege, wirft Carrie mir einen Seitenblick zu. »Seid ihr zwei ein Paar?«

»Nein«, erwidere ich und stelle eine Dose mit Plätzchen auf den Beifahrersitz. »Nur gute Freunde. Wirklich.«

»Sei vorsichtig, Bretel. Ich glaube, der Typ will was von dir.«

Ich schüttele den Kopf und nehme ihr die Tüte ab. »Brad hat eine Freundin.«

Sie grinst mich an. »Dann halte ihn dir warm. Du siehst glücklich aus, wenn du mit ihm sprichst.«

»Mach ich«, sage ich. »Und bin ich, tatsächlich.«

Brads gemütliche Doppelhaushälfte auf der North Oakley Avenue ist ein willkommener Anlaufpunkt nach der langen Fahrt. Im Hintergrund läuft Eva Cassidy, ich sitze auf einem Barhocker und sehe zu, wie Brad Parmesan auf den Caesar's Salad reibt. Er hält den Blick gesenkt, ich erzähle von Carrie und ihrer Brut, und er lacht, doch ich merke, dass es aufgesetzt ist. Schließlich rutsche ich vom Hocker und nehme ihm die Käsereibe ab.

»Moment mal, Midar, was ist hier los? Irgendwas liegt dir auf dem Herzen, das merke ich doch.«

Er reibt sich den Nacken und stößt die Luft aus. »Jenna meint, wir sollten mal eine Pause einlegen.«

Ich schäme mich, es zuzugeben, doch ein Teil von mir jubelt innerlich. Jetzt sind wir beide Single – wer weiß, was daraus noch werden kann. Doch dann sehe ich den Kummer in seinem Gesicht. Er ist verliebt, und zwar nicht in mich.

»Das tut mir so leid.« Ich nehme ihn in die Arme, und er erwidert die Umarmung. »Weißt du«, sage ich leise, »du könntest doch vielleicht was Besonderes versuchen, irgendwas, das beweist, wie ernst du es meinst.«

Er tritt zurück. »Zum Beispiel ihr einen Heiratsantrag machen?«

»Genau! Wenn du sie wirklich willst, Midar, dann setz dich durch! Hast du mir doch auch geraten. Scheiß auf die Entfernung und den Altersunterschied. Frag sie, ob sie dich heiraten will!«

Er dreht mir den Rücken zu und stützt die Hände auf die Theke. »Hab ich schon. Sie hat nein gesagt.«

»O Gott! Das tut mir unendlich lei…«

Brad hebt die Hand, damit ich still bin. »Genug Gejammer.« Er wischt sich die Hände am Küchentuch ab und wirft es auf die Theke. »Wir haben Grund zum Feiern.«

Er schreitet durch die Küche ins angrenzende Wohnzimmer und nimmt einen rosa Umschlag vom Couchtisch. »Bin heute Mittag im Büro vorbeigefahren«, erklärt er und wackelt mit dem Umschlag vor mir herum. »Dachte, du wolltest ihn vielleicht haben?«

Ziel Nr. 9: *Für immer die Freundin von Carrie Newsome sein.*

Ich eile zu ihm, betrachte den handbeschrifteten Umschlag und freue mich auf die Worte meiner Mutter. Aber ich kann nicht feiern, solange es Brad schlecht geht.

»Nicht heute«, sage ich. »Heben wir den für einen Tag auf, wenn es dir besser geht.«

»Auf gar keinen Fall! Wir öffnen ihn jetzt.«

Er bricht das Siegel, ich lasse mich aufs Sofa fallen und klammere mich an ihn, während er vorliest.

»*Liebe Brett, vielen Dank, mein Schatz, dass Du meinen Wunsch (und auch Deinen) erfüllt hast, Deine Freundschaft zu Carrie wieder aufleben zu lassen. Ich werde nie vergessen, wie niedergeschlagen Du warst, als die Newsomes nach Madison zogen. Hilflos musste ich zusehen, wie Dein Herz im Staub versank. Vielleicht hast Du damals begriffen, dass wahre Freundschaft schwer zu finden ist. Nachdem Carrie zu Besuch kam, entferntet ihr zwei euch voneinander, auch wenn Du mir nie den Grund genannt hast. Ich glaube, dass Du leider nie wieder eine so gute Freundin wie Carrie gehabt hast. Erst als ich krank wurde, erkannte ich, wie seicht die Beziehungen zu Deinen Bekannten sind. Abgesehen von Shelley und mir erkenne ich keine anderen wahren Freundinnen.*«

»Sie hat Megan nicht genannt«, bemerke ich. »Andrew auch nicht. Glaubst du, sie wusste damals schon, dass sie keine richtigen Freunde sind?«

Brad nickt. »Vermute ich mal.«

Er liest weiter: »*Ich hoffe, Carrie wird diese Lücke füllen. Genieße und pflege diese Freundschaft, meine liebe Tochter. Und grüße bitte Carries Eltern von mir. David und Mary waren meine ersten Kunden, als wir auf der Bosworth Avenue wohnten. Und sie waren große Fans von Deinem Vater.*«

Ich schlage die Hand vor den Mund. »Damit meint sie Johnny, nicht Charles. Sie gibt mir einen Tipp, für den Fall, dass es mir entgangen ist.« Ich sehe Brad an. »Warum hat sie es mir nicht einfach geradeheraus gesagt? Warum lässt sie mich diese Schnitzeljagd machen?«

»Ich gebe zu, das ist seltsam.«

»Sie war immer so direkt – zumindest dachte ich das. Warum jetzt diese ganzen Andeutungen und Anspielungen? Sie treibt mich in den Wahnsinn.« Ich atme durch und löse die geballten Fäuste. »Aber was gut ist: Jetzt finde ich ihn endlich.«

»Freu dich nicht zu früh. Es kann noch dauern. Vielleicht Monate … oder noch länger.«

»Wir werden ihn finden, Brad.« Ich nehme ihm den Brief meiner Mutter ab und wedele ihm damit vor dem Gesicht herum. »Kann sein, dass sie ihre Spielchen mit mir treibt, aber sie würde mir nie eine dermaßen große Enttäuschung bereiten.«

»Hoffentlich hast du recht.« Er schlägt mir leicht aufs Knie. »Komm, das Essen ist fertig.«

16

Am Freitagnachmittag will ich gerade das Licht im Büro ausmachen, als Megan anruft. Seit ich sie in Andrews Loft gesehen
habe, habe ich ihre Anrufe und Nachrichten ignoriert. Ich will
das Handy schon wieder in die Tasche zurücklegen, als ich mich
in letzter Sekunde umentscheide. Was soll's.

»Hey, Chica«, sagt sie mit ihrer Stimme einer alternden Cheer-
leaderin. Schwer vorstellbar, dass ich das mal süß fand. »Shel hat
gesagt, du bekommst heute einen Hund.«

Ich schiebe den Schlüssel in die Tür und drehe, bis es klickt.

»Das ist der Plan.«

»Super. Ich hab einen Kunden, der eine Eigentumswohnung
am Lake Shore Drive kaufen will, aber in dem Haus sind keine
Haustiere erlaubt. Er ist ganz fertig, weil er seinen Champ jetzt
irgendwo anders unterbringen muss. Champ ist ein richtiger
Preisträger, hat bei mehreren Hundeausstellungen gewonnen.
Reinrassiger Greyhound. Total edel. Er meinte jedenfalls, du
könntest ihn haben. Ist doch unglaublich, oder? Er will ihn dir
schenken!«

Ich stoße die Schwingtüren auf. »Danke, aber ich habe kein
Interesse.«

»Was? Warum nicht? Der Hund ist wertvoll!«

Ich hüpfe die Treppe hinunter und sause nach draußen. Blen-
dender Sonnenschein fällt mir ins Gesicht, dazu weht der Dezem-
berwind. »Ich will keinen Preisträger-Hund, Megan. Der sieht
bestimmt super aus, aber das ist mir viel zu aufwendig. Die ganze
Pflege, das Trainieren und die Shows. Es ist anstrengend, den

Bedürfnissen solcher Tiere nachzukommen.« Ich spreche immer schneller, kann mich einfach nicht zusammenreißen. »Nach einer Weile gehen sie einem auf den Geist – mit ihrer komplizierten Ernährung, den besonderen Seifen und schicken Shampoos. Das ist mir zu viel! Außerdem sind denen meine Bedürfnisse völlig egal! Es geht immer nur um sie! Das sind egoistische …«

»Mein Gott, Brett, reg dich ab. Wir reden über einen verdammten Hund!«

»Allerdings reden wir über einen verdammten Hund.« Ich lehne mich gegen die Autotür und atme tief aus. »Wie konntest du nur, Meg?«

Sie holt hörbar Luft, und ich stelle mir vor, wie sie an einer mit Lippenstift verschmierten Zigarette zieht. »Was? Meinst du Andrew? Achtung, Eilmeldung: Ihr zwei seid nicht mehr zusammen! Solange ihr ein Paar wart, das schwöre ich bei Gott, habe ich ihn keines Blickes gewürdigt.«

»Oh, da bin ich aber dankbar!«

»Unglaublich, dass du sämtliche Möbel ausgeräumt hast! Er war so was von sauer! Und dann hast du ihn nicht zurückgerufen. Er hat gedroht, dich wegen Hausfriedensbruchs anzuzeigen.«

»Ich habe die Nachrichten abgehört. Ich habe nur das genommen, was mir gehört, Megan. Das weiß Andrew auch ganz genau.«

»Du kannst von Glück sagen, dass ich ihn beruhigt habe. Ich habe ihm gesagt, er könnte sich neue Möbel leisten. Schließlich ist er Anwalt, verdammt nochmal!« Sie hält inne. »Er hat doch Geld, Brett, oder? Ich meine, als uns der Kellner gestern Abend die Rechnung brachte, blieb Andrew ganz ungerührt sitzen, als würde er damit rechnen, dass ich bezahle.« Sie kichert. »Er denkt natürlich, dass ich's dicke habe, als erfolgreiche Maklerin und so.«

Ha! Endlich bekommt Megan, was sie verdient. Und Andrew auch. Die beiden sind so selbstsüchtig, so materialistisch und oberflächlich …

Ich halte inne. Welches Recht habe ich, über sie zu urteilen? Auch ich war in den letzten zwanzig Jahren ein *Material Girl* ... mit meinen Designerklamotten und dem BMW, meinen teuren Handtaschen und dem Schmuck. Und war ich nicht genauso oberflächlich und selbstsüchtig, als ich Carrie im Stich ließ, obwohl sie mich dringend gebraucht hätte? Dennoch hat sie mir verziehen. Vielleicht ist es an der Zeit, ebenso großmütig zu sein wie sie.

»Meggie, steck dir höhere Ziele! Du bist eine schöne Frau mit jeder Menge Potential. Such dir jemanden, der dich anhimmelt, der dich auf Händen ...«

Sie lacht. »Oh, Brett, hör auf mit deiner verdammten Heuchelei. Ich verstehe ja, dass du eifersüchtig bist, aber jetzt find dich damit ab: Er – liebt – dich – nicht!«

Mir bleibt die Spucke weg. Großmütig? Nix da. Nicht heute.

»Du hast recht. Ihr zwei passt wirklich perfekt zueinander.«

Ich steige ins Auto. »Und Megan, mach dir keine Sorgen mehr über deine kurzen Arme. Die werden dein kleinstes Problem sein.«

Mit diesen Worten mache ich mich auf den Weg zu meiner liebenswerten, treuen Promenadenmischung.

Brad wartet auf dem Bürgersteig, als ich in meinem neuen Gebrauchtwagen vor dem Aon Center halte.

»Was ist? Ist der BMW in der Werkstatt?« Er gibt mir ein Bussi auf die Wange und schnallt sich an.

»Nee. Hab ich verkauft.«

»Du machst Witze! Hierfür?«

»Plus dringend benötigtes Bargeld. Es fühlte sich einfach nicht gut an, so ein Auto zu fahren, während die meisten Familien, mit denen ich zu tun habe, nicht mal eins besitzen.«

Brad pfeift anerkennend. »Du engagierst dich wirklich für deinen Job.«

»Yep, obwohl ich gestehen muss, dass ich mich ziemlich freue, die nächsten zwei Wochen freizuhaben. Offizielle Weihnachtsferien.«

Er stöhnt. »Den Job will ich auch haben.«

Ich lache. »Ich habe wirklich großes Glück. Die Kinder sind toll. Aber ich mache mir Sorgen um Sanquita. Sie sieht in letzter Zeit alles andere als gesund aus. Inzwischen ist sie im vierten Monat, aber man kann kaum was sehen. Sie geht regelmäßig zum Arzt im Cook County Health Department, aber das sind nur ganz normale Ärzte, keine Spezialisten für Nierenerkrankungen. Ich habe für sie einen Termin bei Dr. Chan am medizinischen Zentrum der University of Chicago gemacht. Sie soll eine der besten Nephrologen Amerikas sein.«

»Und was gibt's Neues vom Irren?«

»Von Peter?« Ich seufze. »Habe ihn heute Morgen noch gesehen. Er ist superintelligent, aber ich komme einfach nicht an ihn ran.«

»Hast du noch Kontakt zu seinem Psychiater?«

Ich lächle. »Yep. Das ist ein Riesenvorteil. Garrett ist so ein netter Mann. Er ist unheimlich klug und erfahren, aber gleichzeitig völlig aufgeschlossen. Wir reden über Peter, aber irgendwann kommen wir immer auf unsere Familien oder unsere Träume zu sprechen. Ich habe ihm sogar von der Wunschliste erzählt.«

»Du magst ihn.«

Wenn ich es nicht besser wüsste, würde ich sagen, Brad sei eifersüchtig. Aber das ist ja verrückt. »Ich halte viel von Dr. Taylor. Er ist Witwer. Seine Frau starb vor drei Jahren an Bauchspeicheldrüsenkrebs.«

Ich lege die Hand vor den Mund und gähne.

»Müde?«, fragt Brad.

»Kaputt. Ich weiß nicht, was in letzter Zeit mit mir los ist.« *Es sei denn, ich bin vielleicht schwanger!* Ich sehe ihn an. »Irgendwas von Jenna gehört?«

Er schaut aus dem Fenster. »Nada.«

Ich drücke seinen Arm. Was für eine dumme Frau.

Uns empfangen die Gerüche von Sägespänen und Hundefell, als wir das Tierheim von Chicago betreten. Eine Frau mit silbernem Haar kommt in Jeans und Flanellhemd auf uns zu, ihre Arme holen bei jedem Schritt weit aus. »Willkommen im Tierheim!«, sagt sie. »Ich bin Gillian, ich arbeite hier ehrenamtlich. Wie kann ich Ihnen helfen?«

»Ich habe die Bewilligung erhalten, ein Tier zu übernehmen.« Um das Gebell zu übertönen, muss ich laut sprechen. »Ich bin heute hier, um mir einen Hund auszusuchen.«

Gillian zeigt mit einem kurzen dicken Finger auf eine abgetrennte Fläche. »Die registrierten Hunde sind in dem Bereich. Das sind Hunde mit Stammbaum und Papieren. Die werden normalerweise sehr schnell vermittelt. Gerade gestern Abend ist ein hübscher Portugiesischer Wasserhund reingekommen. Der ist bestimmt in null Komma nix weg. Seit sich die Obamas Bo zugelegt haben, ist die Rasse absolut gefragt.«

»Ich suche eher einen Mischling«, sage ich.

Sie hebt die Augenbrauen. »Ach, wirklich?« Gillian dreht sich um und holt weit mit der Hand aus. »Mischlinge sind toll. Das einzige Problem bei einem Mischling ist, dass man nichts über ihn sagen kann. Man weiß nicht, welches Temperament er vererbt bekommen hat und für welche Krankheiten er anfällig ist.«

So ähnlich wie ich. »Das Risiko gehe ich ein.«

Es dauert keine zehn Minuten, ihn zu finden. Durch Metallstäbe blickt mich ein flauschiger Hund mit Kaffeebohnenaugen freundlich und flehentlich zugleich an.

»Hallo, mein Süßer!« Ich zupfe an Brads Ärmel. »Darf ich vorstellen? Mein neuer Hund!«

Gillian öffnet den Käfig. »Hey, Rudy!«

Rudy springt heraus, beschnüffelt uns mit wedelndem Schwanz. Er schaut zu Brad hoch, dann zu mir, als würde er seine zukünftigen Eltern prüfen.

Ich nehme ihn auf den Arm, er windet sich und leckt mir die Wangen. Ich lache selig.

»Er mag dich«, sagt Brad und streichelt dem Hund die Ohren.
»Total niedlich.«

»Ja, nicht?«, stimmt Gillian zu. »Rudy ist anderthalb Jahre alt,
ausgewachsen. Ich würde vermuten, es ist Bichon frisé und Co-
cker drin, dazu noch ein Schuss Pudel.«

Egal, das Endprodukt ist jedenfalls zuckersüß. Ich schnüffele
an seinem weichen Fell. »Warum geben die Leute so einen Hund
ab?«

»Sie würden sich wundern. Meistens ist es ein Umzug, ein
Baby oder sie kommen mit dem Temperament nicht zurecht.
Wenn ich mich recht erinnere, wollte Rudys Besitzer jemanden
heiraten, der keine Tiere mag.«

Es kommt mir vor, als seien Rudy und ich füreinander bestimmt: zwei heimatlose Mischlinge, die die verloren haben, die
wir lieben – oder wenigstens zu lieben glaubten.

Während ich den Scheck für meinen neuen Hund und seine
gesamte Ausstattung ausfülle, liest Brad in einer Broschüre über
das Tierheim. »Hör mal«, sagt er. »Das Tierheim möchte dem
Leiden der Tiere ein Ende machen und unterstützt Gemeinden,
die streunenden, missbrauchten oder vernachlässigten Haustie-
ren in Großstädten wie Chicago helfen.«

»Toll«, sage ich und trage das Datum auf dem Scheck ein.

Brad tippt auf ein Foto. »Gillian, gebt ihr auch Pferde ab?«

Mitten im Schreiben hält mein Stift inne, ich sehe Brad mit zusammengekniffenen Augen an.

»Aber sicher«, antwortet Gillian. »Was suchen Sie denn?«

Er hebt die Schultern. »Ich habe null Ahnung. Erzählen Sie
mir doch mal, was Sie so da haben.«

»Reden wir von einem Pferd für Sie oder für Ihre Kinder?«,
fragt Gillian, während sie in einem Ringbuch blättert.

»Schon gut, Gillian«, sage ich. »Wir schaffen uns kein Pferd
an.«

»Nur für uns«, erwidert Brad. »Jedenfalls fürs Erste.«

Einen kurzen süßen Moment lang stelle ich mir ein Kind –

mein Kind – auf einem Pferd vor. Aber bis dahin dauert es noch Jahre. »Darüber müssen wir erst noch reden«, sage ich zu Brad. »Es ist völlig ausgeschlossen, dass ich mich um ein Pferd kümmere.«

»Das hier ist sie.« Gillian legt das Ringbuch vor uns und tippt mit ihrem abgeplatzten Fingernagel auf ein Foto. »Das ist Lady Lulu. Reinrassige, kastrierte Stute. Fünfzehn Jahre alt. Sie war früher ein Rennpferd, hat aber jetzt Probleme, Arthritis und so, deshalb wollte der Besitzer sie nicht behalten.« Gillian schaut Brad in die Augen, spürt wohl, dass er hier derjenige mit richtigem Interesse ist. »Lulu wäre hervorragend geeignet als Lehrpferd für kleine Kinder oder für leichte Ausritte. Sie ist ein absolutes Schäfchen, wirklich ein Schatz. Wollen Sie sie besichtigen?«

Ich reiße den Scheck aus dem Buch und reiche ihn ihr. »Danke, Gillian. Wir denken darüber nach.«

»Sie steht in Marengo, auf der Paddock Farm. Sie sollten sie sich wirklich mal ansehen. Sie ist was ganz Besonderes.«

Wir fahren auf der State Street Richtung Norden, Rudy sicher in seiner Box auf dem Rücksitz. Er späht aus dem Fenster wie ein kleiner Naseweis, gebannt vom hupenden Verkehr, von den Menschen, die in den Geschäften verschwinden, von den weihnachtlichen Lichtern in den Zweigen. Ich drehe mich nach hinten um und halte eine Hand in die Box.

»Alles in Ordnung, Kleiner?«, frage ich. »Ich bin ja bei dir.«

Auch Brad dreht sich um. »Bleib schön ruhig, Rudy. Wir sind gleich zu Hause.«

Wir klingen wie stolze Eltern, die ihr Neugeborenes vom Krankenhaus heimbringen. Im beengten dunklen Auto muss ich grinsen.

»Wegen des Pferdes«, holt Brad mich in die Realität zurück.

»Ja, was ist mit dem Pferd? Ich finde, das ist das Ziel, das mir erlassen werden sollte.«

»Wieso?«, fragt er. »Willst du kein Pferd?«

»Ich bin ein Stadtmensch, Midar. Ich liebe Chicago. Und es macht mich wirklich fertig, weil meine Mutter das wusste. Warum hat sie bloß ein so unrealistisches Ziel auf der Liste gelassen?«

»Super. Du willst Lady Lulu also zu Klebstoff verarbeiten lassen?«

»Hör auf. Das meine ich ernst. Ich habe schon herumtelefoniert, wo man ein Pferd unterstellen könnte. Aber das kostet ein Vermögen: das Futter, die Ausrüstung, die Pflege. Wirklich, das ist monatlich mehr Geld, als viele Leute als Hypothek zurückzahlen. Ist dir klar, was das Joshua House mit so viel Geld tun könnte?«

»Da hast du recht. Es ist eine gewisse Verschwendung. Aber es wird dir nicht das Genick brechen, B. B. Du hast gerade dein Auto verkauft. Jetzt hast du das Geld.«

»Nein, habe ich nicht! Das Geld ist für Pohlonski. Mein Geld wird täglich weniger.«

»Aber das ist doch nur vorübergehend. Sobald du dein Erbe bekommst …«

»*Falls* ich mein Erbe bekomme! Wer weiß, wann es so weit ist? Es ist unmöglich, die ganzen Ziele innerhalb eines Jahres zu erreichen.«

»Gut. Konzentrieren wir uns nur auf eins. Es *ist* doch theoretisch möglich, dass du ein Pferd kaufst, oder?«

»Aber ich habe keine Zeit dafür. Der nächste Stellplatz, den ich finden konnte, ist eine Stunde entfernt.«

Brad schaut aus dem Fenster. »Ich glaube, in dem Punkt müssen wir deiner Mutter vertrauen. Bis jetzt hat sie uns nicht im Stich gelassen.«

»Bei diesem Ziel geht es doch nicht nur um mich! Es geht um ein Lebewesen – ein Tier, für das ich keine Zeit habe. Das mache ich nicht. Ein Hund ist eine Sache, aber ein Pferd ist, na ja, eine ganz andere Sorte Tier.«

Brad nickt ergeben. »Na gut. Stellen wir das Ziel noch eine

Zeitlang auf die Weide. Dann hast du Zeit, deine Ängste in Zaum zu halten. Ich will schließlich nicht die Pferde scheu machen.«

Ich verdrehe die Augen, aber es ist schön, ihn wieder lachen zu sehen.

»Mit dir gehen wohl die Pferde durch!« Ich kann dem albernen Spiel nicht widerstehen.

»Nicht schlecht.« Er hält mir die Hand zum Abklatschen hin. »Aber immer sachte mit den jungen Pferden.«

»Was hat dich denn geritten?«, erwidere ich und versuche, ein ernstes Gesicht zu machen.

»Ach, komm doch von deinem hohen Ross herunter!«, legt er nach.

Ich schüttele den Kopf. »Du bist so ein Loser.«

Brad trägt Rudy über die Schwelle des Hauses, als wäre der Hund seine frisch angetraute Braut. Mit der freien Hand schleppt er die Tüte mit Zubehör in den Eingangsbereich, während ich die Lampen anschalte und das Licht am Weihnachtsbaum einstecke. Das nach Tanne duftende Zimmer erglüht im Schein der bunten Lämpchen.

»Ein wunderschönes Haus«, sagt Brad und setzt Rudy ab. Unverzüglich flitzt der Kleine zum Baum und schnüffelt an den rot eingepackten Geschenken darunter.

»Komm her, Rudy! Es gibt was zu fressen.«

Brad füllt Wasser in den Napf, ich schütte Hundefutter in die Schüssel. Wir bewegen uns in der Küche wie Ginger und Fred, als hätten wir unsere Bewegungen einstudiert. Brad trocknet sich die Hände an einem Frotteetuch ab, ich wasche meine in der Spüle. Ich stelle das Wasser ab, er reicht mir das Handtuch.

»Wie wär's mit einem Glas Wein?«, frage ich.

»Sehr gerne.«

Ich hole eine Flasche Pinot Noir hervor und sehe, dass Brad die Küche abschätzt wie ein Immobilienmakler. »Hast du schon mal überlegt, das Haus zu kaufen?«

»Dieses Haus? Ich bin unglaublich gerne hier, aber es gehört meiner Mutter.«

»Noch mehr Grund, es zu behalten.« Er lehnt sich gegen die Kücheninsel. »Ich finde, das Haus sieht aus wie du, falls es so was gibt.«

Ich drehe den Korkenzieher in die Flasche. »Wirklich?«

»Wirklich. Es ist elegant und schick, aber es hat auch etwas Warmes, Sanftes.«

Das geht mir runter wie Öl. »Danke.«

»Denk mal drüber nach.«

Ich hole ein Weinglas aus dem Schrank. »Kann ich mir das denn überhaupt leisten? Ich müsste es meinen Brüdern abkaufen, weißt du?«

»Klar könntest du dir das leisten. Wenn du dein Erbe erhältst.«

»Aber du vergisst, dass ich noch den Richtigen finden und ein Kind bekommen muss. Meine große Liebe will vielleicht nicht im Haus meiner Mutter wohnen.«

»Er wird dieses Haus lieben. Und die Straße runter ist ein Park, perfekt für eure Kinder.«

Er sagt das mit so einer Gewissheit, dass ich ihm beinahe glaube. Ich gebe ihm ein Glas. »Hat meine Mutter dir mal verraten, warum sie wollte, dass meine Brüder und ich das Haus im ersten Jahr behalten?«

»Nee. Aber ich schätze, sie wusste, dass du eine Unterkunft brauchen würdest.«

»Ja, das vermute ich auch.«

»Und wahrscheinlich hat sie gedacht, das Haus ist so schön, dass du nicht mehr weg willst.« Brad schwenkt sein Weinglas. »Weshalb sie diese Dreißig-Tage-Klausel eingebaut hat. Sie wollte nicht, dass du dich zu wohl fühlst.«

»Moment mal … was?«

»Diese Klausel in ihrem Testament. Dass niemand länger als dreißig Tage in Folge hier wohnen darf. Vergessen?«

»Allerdings«, entgegne ich ehrlich. »Heißt das, ich kann hier nicht bleiben? Ich muss mir eine andere Wohnung suchen?«

»Yep. Steht alles im Testament. Du hast doch eine Kopie, oder?«

Ich schlage die Hände vors Gesicht. »Ich habe gerade einen Hund gekauft! Hast du eine Ahnung, wie schwer es ist, eine Wohnung zu finden, in der man Tiere halten darf? Und meine Möbel! Ich habe sie alle dem Joshua House geschenkt. Ich habe kein Geld ...«

»Hey, hey.« Brad stellt sein Glas ab und hält mich an den Handgelenken fest. »Das geht schon in Ordnung. Guck mal, du hast letzte Woche eine Nacht im Joshua House verbracht, genau genommen fangen die dreißig Tage also wieder von vorne an. Du hast jede Menge Zeit, dir etwas zu suchen.«

Ich entziehe ihm meine Hände. »Warte mal kurz. Du sagst, weil ich zwischendurch woanders übernachtet habe, wohne ich jetzt eigentlich erst sechs Tage in Folge hier?«

»Genau.«

»Also, so lange ich jeden Monat ein oder zwei Nächte woanders schlafe, zum Beispiel im Joshua House, komme ich nie an diese dreißig Tage heran?«

»Ähm, ich glaube nicht, dass ...«

Ich grinse triumphierend. »Das heißt, dass ich hier unbegrenzt wohnen kann. Problem gelöst!«

Bevor er widersprechen kann, halte ich ihm mein Wasserglas entgegen. »Prost!«

»Prost!« Er stößt mit mir an. »Heute kein Vino?«

»Ich trinke momentan nichts«, entgegne ich und schaue betreten auf mein Wasserglas.

Kurz bevor das Glas seine Lippen berührt, hält er inne. »Du hast doch heute Nachmittag gesagt, du wärst immer so müde, oder?«

»Yep.«

»Und du trinkst keinen Alkohol?«

»Richtig, Einstein.«

»Heilige Scheiße! Hast du ein süßes Geheimnis?«

Ich lache. »Ich vermute es. Ich habe einen Schwangerschaftstest gekauft, aber zu viel Angst, ihn zu machen. Ich warte bis nach den Feiertagen.«

»Du hast Angst, dass er positiv ist.«

»Nein! Ich habe Angst, dass er negativ ist. Dann wäre ich total fertig.« Ich sehe Brad an. »Es ist zwar nicht gerade so, wie ich es mir immer ausgemalt habe, jetzt als Single und so. Ich werde Andrew die Entscheidung überlassen, ob er eine Rolle im Leben seines Kindes spielen möchte. Er wird keinen Unterhalt zahlen müssen. Schließlich ist das mein Traum. Ich werde mein Kind ...«

»Ho, ho, ho! Immer langsam, B. B.! Du hörst dich an, als ob das alles schon sicher ist. Pass auf, dass du, na ja, das Pferd nicht von hinten aufzäumst.«

»Hör auf mit diesen dummen Pferdesprüchen!«

Er hält mich auf Armeslänge Abstand. »Im Ernst, Brett. Ich kenne dich. Du steigerst dich da richtig rein. Tritt auf die Bremse, bis du es sicher weißt.«

»Zu spät«, erwidere ich. »Ich bin schon total aufgeregt. Zum ersten Mal seit der Diagnose meiner Mutter kann ich mich auf etwas freuen.«

Wir nehmen unsere Gläser mit ins Wohnzimmer, wo Rudy ausgestreckt vor dem Kamin liegt. Brad zieht einen Umschlag aus der Gesäßtasche, bevor er sich aufs Sofa setzt. Ziel Nr. 6.

»Wollen wir uns anhören, was deine Mutter zu Rudy sagt?«

»Bitte!« Ich setze mich in den Clubsessel, schlage die Beine unter.

Brad betastet seine Hemdtasche. »Mist. Hab meine Lesebrille vergessen.«

Ich springe auf und hole die Lesebrille meiner Mutter vom Sekretär. »Hier, bitte!« Ich reiche Brad die lila-blaue Fassung.

Er verzieht das Gesicht, aber setzt sie trotzdem auf.

Bei seinem Anblick mit der bunten Frauenbrille bekomme ich einen Lachkrampf. »Mannomann!«, kreische ich und zeige auf ihn. »Du siehst zum Wegwerfen komisch aus!«

Er packt mich, zieht mich aufs Sofa, nimmt mich in den Schwitzkasten. »Das findest du wohl komisch, was?« Er reibt die Fingerknöchel über meinem Kopf.

»Hör auf!«, rufe ich und muss wieder lachen.

Irgendwann beruhigen wir uns. Durch das Gerangel bin ich neben ihm auf der Couch gelandet, sein linker Arm liegt noch immer auf meinen Schultern. Eine besser erzogene Frau würde schnell das Weite suchen. Schließlich hat er mit seiner Freundin nur eine Pause eingelegt. Ich hingegen? Bleibe da, wo ich bin.

»Gut«, sagt Brad. »Benimm dich.« Mit der rechten Hand schlägt er den Brief auseinander.

An ihn gekuschelt, nicke ich. »Gut, Opa. Lies vor!«

Er verzieht die Lippen, aber beginnt zu lesen.

»Herzlichen Glückwunsch zu Deinem neuen Hund, mein Liebling! Ich freue mich so für Dich! Als Kind hast Du Tiere immer so geliebt, aber als Erwachsene musst Du diese Leidenschaft irgendwann verdrängt haben. Ich weiß nicht genau, warum, obwohl ich so eine Ahnung habe.«

»Andrew war ein Putzteufel. Das wusste sie.«

»Kannst Du Dich noch an den Collie erinnern, der mit uns Freundschaft schloss, als wir in Rogers Park wohnten? Du hast ihm den Namen Leroy gegeben und uns angefleht, ihn behalten zu dürfen. Wahrscheinlich weißt Du es nicht, aber ich habe mich stark für Dich eingesetzt. Ich habe Charles angefleht, dass Du Leroy behalten durftest, aber er war so was von penibel. Ein Tier im Haus kam für ihn nicht in Frage. Er meinte, es würde riechen!«

Ich reiße Brad den Brief aus den Händen und lese die letzten beiden Sätze noch mal. »Vielleicht habe ich wirklich jemanden gesucht, der so ist wie Charles, weil ich hoffte, dass er mich lieben würde.«

Brad drückt meine Schulter. »Jetzt erkennst du das immerhin. Du wirst Charles Bohlinger nicht mehr zufriedenstellen oder ihm beweisen müssen, dass du liebenswert bist – auch keinem anderen Mann.«

Ich lasse seine Worte auf mich wirken. »Ja. Das Geheimnis meiner Mutter hat mich befreit. Wenn sie es mir nur früher erzählt hätte.«

»Pass gut auf Deinen kleinen Mischling auf – es ist doch ein Mischling, oder? Wirst Du dem Hund erlauben, oben zu schlafen? Wenn ja, schlage ich Dir vor, die Bettdecke zur Seite zu legen. Es ist sehr teuer, sie reinigen zu lassen. Und jetzt geh los und erfreue Dich an Deinem Hund, mein Schatz. Mama.«

Ich nehme Brad den Brief erneut ab und überfliege ihn schnell noch einmal. »Sie weiß, dass ich in ihrem Haus wohne. Wie kann sie das wissen?«

»Keine Ahnung. Vielleicht hat sie nur logisch gedacht.«

»Logisch gedacht?«

»Andrew wollte keinen Hund, daher kannst du, wenn du jetzt einen Hund hast, nicht mehr bei Andrew wohnen. Wenn du nicht mehr bei Andrew wohnst, ist es logisch, dass du hier bist.«

Ich schaue ihn an. »Siehst du? Sie will, dass ich hier bin. Diese Dreißig-Tage-Klausel muss ein Versehen sein.«

Meine Stimme ist fest, aber insgeheim frage ich mich, ob ich mir etwas vormache.

Brad und ich liegen auf dem Sofa, die Füße in Socken auf dem Couchtisch vor uns, während der Abspann von *Weiße Weihnachten* über den Bildschirm läuft. Brad trinkt den letzten Schluck Wein und blickt auf die Uhr. »O Gott, jetzt aber los.« Er steht auf und reckt sich. »Ich habe meiner Mutter gesagt, dass ich morgen früh aufstehe. In zwei Tagen ist Weihnachten; sie wartet, dass ich ihr beim Schmücken des Baumes helfe.«

Brad wird die Feiertage mit seinen Eltern in ihrem Backsteinhaus in Champaign verbringen und so tun, als würde niemand fehlen – genau wie ich.

»Bevor du gehst, musst du noch dein Geschenk auspacken.«

»Oh, du brauchst mir doch nichts zu kaufen!« Er winkt ab. »Aber wenn du's doch getan hast, nehme ich es gerne an. Los. Her damit!«

Ich hole das rechteckige Päckchen unter dem Baum hervor. Als Brad es öffnet, betrachtet er es sprachlos. Schließlich zieht er ein Holzschiff heraus.

»Wunderschön!«

»Ich fand es passend, da du ja am Ruder des Rettungsbootes stehst und so.«

»Sehr aufmerksam von dir.« Er gibt mir einen Kuss auf die Stirn. »Aber du bist der Kapitän deines Schiffs«, sagt er sanft.

»Ich bin nur ein Matrose.« Er steht wieder auf. »Warte kurz.«

Brad verschwindet in der Garderobe und kehrt mit einem kleinen silbernen Kästchen zum Sofa zurück.

»Für dich.«

Im Kästchen liegt auf einem Bett aus rotem Samt ein goldener Glücksbringer – ein winziger Fallschirm.

»Damit du immer sicher landest.«

Ich betaste den Anhänger. »Wie wunderschön. Danke, Brad! Und danke, dass du in den letzten drei Monaten für mich da warst. Das meine ich ernst. Ohne dich hätte ich das alles nicht geschafft.«

Er wuschelt mir durchs Haar, doch sein Blick ist traurig. »Sicher hättest du das. Aber ich freue mich, dass ich dabei sein durfte.«

Ohne Vorwarnung beugt er sich vor und küsst mich, langsamer und bewusster, als wir es sonst tun. Ich halte den Atem an. Dann springe ich auf. Er hat zu viel getrunken; das mit uns beiden könnte heute Abend gefährlich werden, unglücklich und verletzlich, wie wir sind. Ich bringe ihn zur Haustür und hole seinen Mantel von der Garderobe.

»Frohe Weihnachten«, sage ich und versuche, locker zu klingen. »Versprich mir, dass du sofort anrufst, wenn du etwas über meinen Vater erfährst.«

»Versprochen.« Doch anstatt seinen Mantel entgegenzunehmen, sieht er mir tief in die Augen und streicht mir sanft mit dem Handrücken über die Wange. Sein Blick ist so zärtlich, dass ich ihn intuitiv auf die Wange küsse.

»Ich möchte, dass du glücklich bist.«

»Ebenfalls«, flüstert er und kommt einen Schritt näher. Ich versuche, das leichte Flattern in meinem Bauch zu ignorieren. Er liebt Jenna. Er streichelt mir übers Haar und schaut mich an, als würde er mich zum ersten Mal sehen. »Komm her«, sagt er mit rauer Stimme.

Mein Herz schlägt mir bis zum Hals. *Mach diese Freundschaft nicht kaputt! Er ist einsam. Er ist verletzt. Er vermisst Jenna.*

Ich überhöre die Stimme der Vernunft und falle in seine Arme.

Er hält mich ganz fest, ich höre ihn Luft holen, als wolle er jede Faser von mir in sich aufnehmen. Er drückt seinen Körper an mich, ich spüre seine Hitze, die Härte, die Kraft. Ich schließe die Augen und schmiege mich an seine Brust. Er riecht nach Tanne, ich spüre, wir ihm das Herz in der Brust schlägt. Ich dränge mich enger an ihn, kann die Leidenschaft in mir nicht länger zurückhalten. Er fährt mir mit den Fingern durchs Haar, ich spüre seine Lippen an meinem Ohr, an meinem Hals. O Gott, es ist so lange her, dass ich so geküsst wurde. Langsam wende ich ihm das Gesicht zu. Seine Augen sind voller Gefühl, er schließt sie und senkt seine Lippen auf meine. Sein Mund ist warm und süß.

Mit letzter Willenskraft löse ich mich von ihm.

»Nein, Brad«, flüstere ich und hoffe dabei fast, dass er mich nicht hört. Ich will diesen Mann haben, aber es ist jetzt nicht richtig. Er hat nur eine Pause mit Jenna eingelegt. Er muss diese Beziehung beenden, ehe er sich auf eine neue einlässt.

Schließlich nimmt er die Hände aus meinen Haaren. Er macht einen Schritt zurück, reibt sich übers Gesicht. Als er mich ansieht, hat er rote Flecke auf den Wangen, entweder vor Leidenschaft oder vor Scham.

»Es geht nicht«, sage ich. »Es ist zu früh.«

Sein Blick wirkt verletzt, kläglich lächelt er mich an. Mit einer Hand zieht er meinen Kopf heran und küsst mich auf die Stirn. »Warum musst du immer so verdammt pragmatisch sein?«, fragt er mit berührend rauer Stimme.

Ich lächle, aber es tut mir im Herzen weh. »Gute Nacht, Brad.«

Ich stehe in Socken auf der Türschwelle und sehe ihm nach, bis er um die Ecke verschwindet. So schwer es auch war – ich weiß, dass ich die richtige Entscheidung getroffen habe. Brad ist noch nicht bereit für eine neue Beziehung.

Ich gehe ins Haus und schließe die Tür. Heute spüre ich einen Funken Hoffnung. Ich leide nicht mehr ganz so stark unter der Schwermut, die mich immer niederdrückte, wenn ich allein in Andrews Wohnung war. Auch wenn Brad noch nicht bereit sein mag, wieder zu lieben, hat mir doch die Leidenschaft, die sich heute Abend in mir regte, gezeigt, dass ich es vielleicht schon bin. Ich drehe mich zu Rudy um, der auf dem Teppich schläft. Ich habe jetzt einen Hund. Und nächstes Jahr um diese Zeit werde ich auch ein Kind haben. Ich blicke auf meinen flachen Bauch und stelle mir mich in ein paar Monaten vor, in Umstandskleidung und mit Schwangerschaftsstreifen. Der Gedanke erfüllt mich mit solcher Freude, dass mein Herz beinahe platzt.

Es ist Weihnachten, und ich wache von Rudys Schnauze auf, die mir in die Rippen stupst. Ich kraule seinen Kopf. »Frohe Weihnachten, mein Junge.« Sofort habe ich eine Liste vor Augen, was ich alles noch erledigen muss, um das große Abendessen für meine Familie vorzubereiten. Mein Bauch krampft sich zu einer kleinen Kugel zusammen.

»Komm, legen wir los, Rudy. Wir haben heute Gäste.« Ich

zucke zusammen, als mein Bauch erneut krampft, und richte mich mit Mühe auf. Der Schmerz lässt nach, ich ziehe den Morgenmantel über. Doch als ich auf das Bettlaken blicke, sehe ich ihn:

Einen leuchtend roten Fleck.

17

Einen Moment lang weigert sich mein Kopf, die Realität zu akzeptieren. Ich starre nur den Fleck an. Dann drücken die Rippen nach innen, ich bekomme kaum noch Luft, falle auf die Knie und berge den Kopf in den Händen. Neben mir bellt Rudy und schiebt die Schnauze zwischen meine verschränkten Arme. Aber in diesem Moment kann ich mich nicht um ihn kümmern. Ich bin leer.

Nach zehn Minuten gramgebeugter Lähmung springe ich auf und reiße die Laken vom Bett. Tränen strömen mir über die Wangen, ich stoße ein lautes, elendes Geheul aus. Schweißtropfen sammeln sich an meinem Haaransatz. Ich knülle die Laken zusammen und stopfe sie in den Wäschekorb. Mit dem Korb auf der Hüfte ziehe ich die Vorhänge auf. Ein Weihnachtsmorgen so perfekt wie ein Norman-Rockwell-Gemälde begrüßt mich. Aber ich kann mich an der Schönheit des Tages nicht erfreuen. Meine Seele ist so hohl und leer wie mein Unterleib.

Ich lasse den Weihnachtstag über mich ergehen wie in Narkose. Emma und Trevor sind fasziniert von meinem kleinen Hündchen; die drei unterhalten uns Erwachsene ganz prächtig. Innerlich erstarrt sehe ich zu, gleichgültig gegenüber der Freude und dem Gelächter, selbst gegenüber dem guten Essen. Catherine isst von jedem Gericht auf dem Tisch einen kleinen Bissen, während die anderen nur so reinschaufeln. Ich stochere lustlos im Essen herum.

Der Verlust meines Phantomkindes erinnert mich an den Tod

meiner Mutter, aufs Neue trauere ich um sie. Zum dritten Mal heute schließe ich mich oben im Badezimmer ein. Ich beuge mich über das Waschbecken, spritze mir kaltes Wasser ins Gesicht und rede mir ein, ich werde zurechtkommen.

Ich wollte dieses Baby. Ich war so überzeugt, schwanger zu sein. Und meine Mutter … sie sollte eigentlich hier sein, verdammt nochmal. Sie hatte noch ein Weihnachtsfest verdient, so sehr, wie sie die Feiertage genoss.

Letztes Jahr verbrachten wir Weihnachten so wie immer, in seliger Ungewissheit des Schicksals, das uns im folgenden Jahr ereilen sollte. Hätte ich gewusst, dass es ihr letztes Weihnachtsfest sein würde, hätte ich ihr etwas Besonderes geschenkt, etwas, das sie gerührt hätte. Stattdessen kaufte ich ihr einen Sandwich-Toaster. Dennoch strahlte sie vor Freude, als sei es das Geschenk gewesen, das sie am meisten erhofft hatte. Sie nahm mich an jenem Morgen in die Arme und flüsterte. »Du machst mich so froh, meine liebe Tochter.«

Jede ungeweinte Träne in meiner Brust bricht sich plötzlich Bahn. Schluchzend sacke ich auf dem Boden zusammen. Ich brauche die Liebe meiner Mutter heute so sehr. Ich möchte ihr von dem Enkelkind erzählen, das ich ihr hatte schenken wollen. Sie würde mich beruhigen und mir versichern, dass es einen anderen Himmel geben würde.

»Brett!«, ruft Joad. Er klopft an die Tür. »Hey, Brett! Bist du da drin?«

Ich hebe den Kopf und atme tief durch. »Ja.«

»Da ist ein Anruf für dich.«

Ich erhebe mich von den kalten Fliesen und putze mir die Nase. Wer mich wohl anruft? Mit Carrie habe ich am Vorabend zwanzig Minuten gesprochen. Wahrscheinlich ist es Brad, der noch mal nachhört, wie es mir geht, und sich abermals für sein »lüsternes« Verhalten entschuldigen will. Ich öffne die Tür und trotte durch den Flur. Trevor kommt mir auf der halben Treppe entgegen und reicht mir das Telefon.

»Hallo?«, sage ich und tätschele meinem Neffen den Kopf, bevor er wieder nach unten hüpft.

»Brett?«, fragt eine fremde Stimme.

»Ja.«

Es folgt eine Pause, ich weiß nicht, ob die Verbindung unterbrochen wurde.

»Hallo?«, frage ich erneut.

Dann spricht er endlich. Seine Stimme ist voller Gefühl. »Hier ist John Manson.«

18

Ich flitze die Treppe hoch, ins Schlafzimmer meiner Mutter, schlage die Tür hinter mir zu, lasse mich auf den Boden sinken und lehne mich mit dem Rücken gegen die Tür.

»Hallo, John«, sage ich, als ich schließlich die Sprache wiederfinde. »Frohe Weihnachten.«

Er lacht, ein liebes, tiefes Geräusch. »Dir auch frohe Weihnachten.«

»Das muss dir alles sehr sonderbar vorkommen«, sage ich. »Ich gewöhne mich gerade selbst erst an die Vorstellung, und das Tagebuch kenne ich auch erst seit zwei Monaten.«

»Stimmt. Aber es ist gleichzeitig ganz wunderbar. Es ist schade, dass Elizabeth keinen Kontakt zu mir aufgenommen hat, aber ich kann ihre Gründe verstehen.«

Ach ja?, möchte ich gerne fragen. Die würde ich nämlich auch gerne kennen. Aber dieses Thema kann noch warten – bis wir uns gegenübersitzen und an den Händen halten oder zusammen auf einer Couch sitzen, sein Arm um meine Schultern.

»Wo wohnst du?«

»In Seattle. Ich habe hier einen kleinen Musikladen, Manson Music. Ein paar Mal pro Monat trete ich sogar mit der Gitarre auf.«

Ich kann gar nicht aufhören zu grinsen und stelle mir diesen wunderbaren, musikalischen Mann vor, der mein Vater ist. »Erzähl mir mehr von dir! Ich will alles über dich wissen.«

Er lacht wieder. »Das tue ich, versprochen. Aber im Moment habe ich es ein bisschen eilig …«

»Entschuldigung«, sage ich. »Es ist Weihnachten. Ich will dich nicht aufhalten. Ich würde dich wirklich gerne sehen. Kannst du nicht nach Chicago kommen? Ich muss erst nach Neujahr wieder zur Arbeit.«

Er seufzt. »Ich würde dich wirklich gerne besuchen, aber der Zeitpunkt könnte nicht schlechter sein. Ich habe eine zwölfjährige Tochter. Ihre Mutter ist vor einiger Zeit nach Aspen gezogen, ich habe das Sorgerecht.«

»Ich habe eine Schwester?« Seltsamerweise bin ich bei all meinen Vater-Tochter-Phantasien nie auf diese Idee gekommen. »Das ist ja super! Wie heißt sie?«

»Zoë. Und sie ist wirklich super. Aber sie hatte heute starken Husten. Ich mache mir Sorgen, dass sie eine Erkältung bekommt. Verreisen ist momentan leider nicht möglich.«

»Das ist aber schade.« Mir kommt ein Gedanke, und sofort sprudelt er aus mir heraus. »Ich könnte auch nach Seattle kommen! Dann müsste Zoë nicht reisen und ...«

»Das ist ein liebes Angebot, aber der Zeitpunkt passt gerade nicht.« Er klingt streng. »Ich muss vorsichtig sein und Zoë möglichst von anderen Menschen fernhalten.«

Sofort ist mir klar, was hier passiert. Mein Vater macht Ausflüchte. Er will mich nicht sehen. Er möchte nicht, dass seine leicht zu beeindruckende kleine Tochter sein peinliches Geheimnis erfährt. Warum habe ich nicht damit gerechnet? »Na gut, dann ein andermal. Du musst jetzt bestimmt zurück zu Zoë.«

»Ja. Aber Brett, ich freue mich, dich gefunden zu haben. Ich freue mich darauf, dich zu sehen, es muss bloß noch ein bisschen warten. Verstehst du das?«

»Natürlich«, lüge ich. »Sag Zoë alles Liebe von mir. Ich hoffe, dass es ihr bald besser geht.«

Ich lege das Telefon beiseite. Endlich habe ich meinen Vater gefunden. Und obendrein habe ich noch eine Halbschwester. Warum fühle ich mich bloß stärker abgelehnt als je zuvor?

Alle Augen sind auf mich gerichtet, als ich das Wohnzimmer betrete. »Das war mein Vater«, sage ich in dem Bemühen, fröhlich zu klingen. »John Manson.«

Shelley erwacht aus einem Nickerchen. »Wie war er so?«

»Wunderbar. Er scheint wirklich super nett zu sein. Sehr lieb, das merkt man schon.«

»Wo wohnt er?«, will Joad wissen.

Ich lasse mich vor den Kamin sinken und umschlinge die Knie. »In Seattle. Er macht immer noch Musik. Ist das nicht cool?«

»Habt ihr euch verabredet?«, fragt Shelley.

Ich suche Rudys süßes Köpfchen und kraule ihn am Kinn. »Noch nicht, aber bald.«

»Lad ihn doch nach Chicago ein«, sagt Jay. »Wir würden ihn alle gerne kennenlernen.«

»Das mache ich, sobald seine Tochter wieder gesund ist. Momentan ist sie nicht so richtig auf dem Damm. Könnt ihr das fassen? Ich habe eine kleine Schwester!«

Joad hält mir seine Bloody Mary entgegen und hebt eine Augenbraue. »Er hat also eine richtige Familie?«

Es verschlägt mir fast den Atem. »Was meinst du mit ›eine richtige Familie‹?«

»Nichts, nur dass …«

»Joad meint«, sagt Catherine, »dass er eine Familie hat, die bei ihm lebt, die er kennt.«

Jay hockt sich neben mich auf den Boden und legt eine Hand auf meine Schulter. »Du bist auch seine richtige Familie. Aber mach dich lieber auf alles gefasst, Schwesterherz. Es wird anders sein mit Johnny und dir, wenn ihr jetzt nach vierunddreißig Jahren versucht, euch näherzukommen. Er hat dich nicht in den Schlaf gewiegt, hat sich nicht zu dir ins Bett gelegt, wenn du schlecht geträumt hast …«

Hat sich nicht um mich gesorgt, wenn ich Schnupfen hatte …

Joad nickt. »Eine Frau bei mir im Büro hatte ihren Sohn zur Adoption freigegeben. Als er sie neunzehn Jahre später auf-

suchte, war ihr Wiedersehen furchtbar unangenehm. Sie hatte zwei kleine Kinder, und auf einmal wollte dieser Fremde zu ihrem Leben gehören. Sie fühlte keinerlei Verbindung zu ihm.« Er schüttelt den Kopf, als wolle er die albtraumhafte Vorstellung loswerden. Dann sieht er mich an.»So wird es bei euch natürlich nicht sein.«
Ein schwerer Nebel legt sich auf meine Brust. Der Vater, den ich gesucht habe, will mich nicht kennenlernen. Er hat eine andere Tochter, eine *richtige* Tochter, die er anbetet. Und ich bin der Virus, von dem er fürchtet, er könne ihre Harmonie zerstören. Hat meine Mutter mit so etwas gerechnet? Hat sie mir deshalb nie von ihm erzählt?

Um neun Uhr stehe ich mit den Schuhen in der Hand in der Haustür, erschöpft und traurig, und verabschiede meine Verwandten. Joad und Catherine gehen als letzte. Joad steht im Eingang und scheint zu zögern. Er nestelt an seinen Autoschlüsseln herum und reicht sie dann Catherine.»Lass schon mal den Wagen an, Schatz. Ich bin gleich da.«
Kaum ist sie weg, kommt er zur Sache.»Was ich die ganze Zeit fragen wollte: Wie lange willst du hier eigentlich noch wohnen, in Mutters Haus?«
Sein Tonfall lässt mein Herz schneller schlagen.»Ich … ich weiß nicht genau. Ich weiß nicht, wo ich sonst hingehen soll.«
Er reibt sich das Kinn.»Mutter hat eine maximale Aufenthaltsdauer von dreißig Tagen festgelegt. Du bist seit Thanksgiving hier, oder?«
Ungläubig schaue ich ihn an. In diesem Moment ist nichts von der Güte meiner Mutter in ihm zu erkennen, ich sehe nur noch Charles Bohlinger.»Ja, aber sie hat von dreißig Tagen in Folge gesprochen. Ich schlafe jeden Montag im Joshua House.«
Er lächelt nicht, nur mit den Augen, und zwar auf eine höhnische Weise, die mir ein unangenehmes Gefühl bereitet.»Und? Du meinst, da fängt die Zählung jede Woche von vorne an?«

211

Genau das meine ich. Aber der Ausdruck in seinem Gesicht sagt mir, dass er anderer Meinung ist. »Was willst du von mir, Joad? Ich lebe von einem Lehrergehalt. Ich habe nichts geerbt. Ich habe meine gesamten Möbel verschenkt.«

Er hebt abwehrend die Hände. »Schon gut, schon gut. Vergiss es. Ich dachte nur, dass gerade du dich an Mutters Vorgaben würdest halten wollen. Bleib hier, so lange du willst. Ist mir persönlich egal.« Er gibt mir ein Küsschen auf die Wange. »Danke für den schönen Tag. Hab dich lieb.«

Ich schlage die Tür hinter ihm zu, aber das Palisanderholz ist so schwer, dass sie nicht mal ins Schloss fällt. Ich stapfe ins Wohnzimmer, dann drehe ich mich um und werfe die Schuhe gegen die Tür. »Du Arschloch!«

Rudy schießt von seinem Teppich und kommt zu mir geschlichen. Ich lasse mich neben ihm auf den Boden sinken. »Und du?«, sage ich und kraule sein Fell. »Dank dir müssen wir jetzt eine Wohnung suchen, wo struppige alte Köter erlaubt sind. Was sollen wir bloß tun?«

Ich bin emotional erschöpft und wünsche mir nichts anderes mehr, als in die üppigen Kissen im Bett meiner Mutter zu sinken und ins Land der Träume zu entschwinden. Stattdessen liege ich bis drei Uhr nachts wach. Meine Gedanken springen von meinem Vater zu meinem leeren Unterleib bis zur bitteren Realität, an die mich meine Brüder erinnert haben. Die spontane Liebe, die ich zu meiner Halbschwester empfand, hat sich aufgelöst, an ihre Stelle ist ein verstörendes Gefühl von Eifersucht und Selbsthass getreten.

Ich drehe mich auf die Seite, und meine Gedanken wandern zu Joad. Immer wieder gehe ich seine Worte – seine Anschuldigung – im Kopf durch, bis ich schließlich die Decke zurückschlage und die Treppe runter nach unten gehe. Mein Laptop steht auf der Küchentheke.

Innerhalb von zehn Minuten wird mir schmerzlich klar, dass

mein mageres Einkommen und mein behaarter Freund beträchtliche Hindernisse auf der Suche nach einer neuen Unterkunft darstellen werden. Nachdem ich Seiten mit schicken Mietwohnungen durchsucht habe, die mein gesamtes Monatsgehalt verschlingen würden, hole ich tief Luft und verändere die Suche. Ich kann auch ohne zweites Schlafzimmer leben. Aber selbst die Preise für Wohnungen mit einem Schlafzimmer sind noch zu hoch. Es gibt nur eine Lösung: Ich muss weiter südlich gucken. Die begehrten Gegenden im Nordosten, wo ich mein gesamtes Leben verbracht habe, sind schlichtweg zu teuer. Wen interessiert es schon, dass alle, die ich kenne, nördlich vom Loop wohnen?

Ich drücke auf *Enter* und merke, dass ich richtig gelegen habe. Die Miete südlich vom Loop ist deutlich günstiger ... aber immer noch nicht billig genug für jemanden, der im ersten Jahr als Lehrer arbeitet. Ohne meinen Rentenfonds anzutasten oder bei völlig Fremden zur Untermiete zu wohnen, habe ich nur noch die Möglichkeit, in den Süden des Eisenhower Expressway zu ziehen – eine Gegend, in der zu wohnen ich mir nicht im Traum vorstellen kann.

Das geht nicht! Ich kann nicht in einer Ecke wohnen, die mir fremd ist – eine Gegend voller Verbrechen und Korruption. Wieder bin ich ratlos. Was hat sich meine Mutter nur dabei gedacht?

19

Die Sonne lugt gerade über den Horizont, als ich Sanquita übermüdet und mit roten Augen zu ihrem Termin bei Dr. Chan im Joshua House abhole. Es ist ein eiskalter Morgen, dessen Geräusche einem im Gedächtnis bleiben: knirschender Schnee unter den Stiefeln, krachende Eisplatten auf dem Lake Michigan, brummende Öfen. Sanquita sitzt in einem Velours-Jogginganzug und einer knappen Jacke mit Kunstfellkapuze neben mir im Auto und reibt sich die nackten Hände vor der Lüftung.

»Im U. S. News & World Report stand, das Medizinische Zentrum der University of Chicago hätte eine der besten Nephrologie-Stationen landesweit«, erkläre ich.

Sanquita klappt die Sonnenblende herunter, lehnt sich zurück und schiebt die Hände unter die Oberschenkel. »Ich raff immer noch nicht, warum Sie das tun. Haben Sie nichts Besseres zu tun?«

»Weil du mir wichtig bist.«

Sie verdreht die Augen. Ich lasse nicht locker. »Ich weiß, dass du das nicht hören willst, und ich weiß, dass du mir noch nicht vertraust, aber das ist die schlichte Wahrheit. Und wenn einem jemand wichtig ist, möchte man ihm helfen.«

»Ich brauch Ihre Hilfe aber nicht. Sobald das Baby da ist, geht's mir wieder besser.«

»Ich weiß«, sage ich und würde meinen Worten gerne glauben. Doch das tue ich nicht. Sanquita wirkt wächsern im fahlen Morgenlicht, und ihr Bauch sieht aus, als würde sie nicht genug zunehmen.

»Hast du dir schon einen Namen überlegt?«, frage ich, um ihre Stimmung zu heben.

»Yep.« Sie kratzt sich mit den Händen an den Beinen. »Ich will das Baby nach meinem kleinen Bruder nennen.«

»Dein Bruder muss etwas ganz Besonderes sein.«

»War er auch. Und schlau.«

»War er?«, hake ich vorsichtig nach.

»Er ist tot.«

»Oh, Sanquita, das tut mir leid.« Ich bin inzwischen klug genug, nicht weiter in sie einzudringen. Sobald es persönlich wird, macht Sanquita dicht. Wir fahren schweigend, bis sie zu meiner Überraschung weiter spricht.

»Ich war in der sechsten Klasse. Deonte und Austin gingen noch nicht zur Schule, wir anderen schon. Sie hatten Hunger. Deonte kletterte auf den Küchenschrank. Er wollte an die Cornflakes.«

Die Härchen auf meinen Armen stellen sich auf, am liebsten würde ich sagen, sie soll aufhören. Ich möchte nicht wissen, wie es weitergeht.

Sanquita schaut aus dem Beifahrerfenster. »Er wusste nicht, dass der Herd an war. Sein Schlafanzug fing Feuer. Austin tat sein Bestes, aber er konnte ihm nicht helfen.«

Sie schüttelt den Kopf, den Blick in die Ferne gerichtet.

»Wahrscheinlich bin ich seit damals sauer auf meine Mutter. Die Leute vom Amt meinten, es wäre nicht ihre Schuld gewesen, aber ich weiß, warum sie nicht mitgekriegt hat, dass meine Brüder schrien. Als ich von der Schule nach Hause kam, hab ich alles im Klo runtergespült. Nie im Leben wären wir in eine Pflegefamilie gegangen. Manchmal überlege ich, warum ich das getan habe.«

Mein Magen zieht sich zusammen. Marihuana? Kokain? Crystal Meth? Ich frage nicht nach. Vorsichtig lege ich eine Hand auf ihren Arm. »Das tut mir so leid, meine Süße. Deonte wird durch dein Baby weiterleben. Das ist so lieb von dir.«

Sie schaut mich an. »Nee, nee. Nicht Deonte. Ich werde das Kind Austin nennen. Austin war danach ein anderer Mensch. Meine Mutter redete ihm ein, es wäre seine Schuld gewesen. Er wurde total still. Hatte alle möglichen Probleme. Mit vierzehn hörte er auf, zur Schule zu gehen. Ungefähr zwei Jahre später hat er sich mit der Pistole von meinem Onkel erschossen. Nachdem er gesehen hatte, wie Deonte starb, war das Leben einfach zu schwer für ihn.«

Abgesehen von den Krankenschwestern und der munteren Arzt-helferin hinter der Glasscheibe sind wir die ersten in Dr. Chans Praxis. Im schmucklosen Empfangsbereich sitzt Sanquita neben mir und füllt die Formulare aus.

»Sanquita Bell«, ruft eine Schwester in einer Zimmertür.

Sanquita steht auf. »Kommen Sie mit?«

Ich schaue von meiner Zeitschrift auf. »Schon gut, ich kann hierbleiben.«

Sie beißt sich auf die Unterlippe, aber rührt sich nicht.

»Ich kann auch gerne mit reinkommen, wenn du willst. Musst du entscheiden.«

»Das wär okay.«

Ich kann es kaum glauben. Sanquita will mich dabei haben. Ich verstaue die Zeitschrift. Beruhigend lege ich die Hand auf ihre Schulter, so folgen wir der Schwester ins Untersuchungs-zimmer.

In einem dünnen grünen Krankenhaushemd sitzt Sanquita auf dem Untersuchungstisch. Ein Tuch bedeckt ihre schmalen nack-ten Beine. Ungeschminkt und mit zurückgebundenem Haar sieht sie aus wie ein kleines Mädchen, das auf den Kinderarzt wartet. Leise klopft es an der Tür, dann kommt Dr. Chan herein. Sie stellt sich Sanquita vor und schaut dann mich an. »Und Sie sind?«

»Ich bin Brett Bohlinger, Sanquitas Lehrerin – und Freundin. Ihre Mutter wohnt in Detroit.«

Die Ärztin nickt, als reiche ihr die ausweichende Antwort. Nach einer gründlichen Untersuchung, mehrfacher Blutabnahme und einer ermüdenden Liste von Fragen zieht Dr. Chan die Latexhandschuhe aus und sagt Sanquita, sie könne sich wieder anziehen. »Wir sehen uns gleich drüben im Besprechungszimmer.«

Wir sitzen vor dem Schreibtisch, und Dr. Chan verliert keine Zeit, sondern kommt sofort zum Thema. »Sie sind schwer krank, Sanquita. Die Schwangerschaft stellt eine beträchtliche Komplikation dar. Der ohnehin schlechte Zustand Ihrer Nieren wird durch den Stress der Schwangerschaft weiter gefährdet. Wenn die Nieren nicht richtig arbeiten, steigt der Kaliumspiegel, wovon ich bei Ihnen ausgehe. Dann besteht das Risiko eines Herzstillstands.« Sie blättert in den Unterlagen auf ihrem Tisch. Aber ich kann nicht beurteilen, ob sie ungeduldig ist oder ob ihr die Situation unangenehm ist. »Ich möchte Sie noch einmal sehen, wenn die Laborergebnisse vorliegen, aber das hier ist alles eine Frage der Zeit. Ich schlage vor, dass Sie so schnell wie möglich abtreiben.«

»Was? Nein!« Sanquita sieht mich an, als hätte ich sie verraten. »Nein!«

Ich lege ihr eine Hand auf den Arm und sage zur Ärztin: »Sie ist schon im zweiten Drittel, Dr. Chan.«

»Wenn das Leben der Mutter auf dem Spiel steht, werden Spätabtreibungen durchgeführt. In diesem Fall ist das so.«

Sanquita steht mühsam auf, will dieses Gespräch offenbar beenden. Ich hingegen bleibe sitzen. »Welche Prognose hat sie, wenn sie es nicht macht?«

Dr. Chan sieht mir in die Augen. »Dann steht es fifty-fifty. Für das Kind höchstens dreißig Prozent.«

Sie sagt nicht *Überlebenschance*. Es ist nicht nötig.

Sanquita schaut durch die Windschutzscheibe nach vorn, ihr Gesicht ist wie versteinert. »Da gehe ich nicht noch mal hin. Nie im Leben. Diese Frau will, dass ich mein Baby umbringe. Das tue ich nicht.«

»Mäuschen, das will sie nicht, sondern sie hält es für das Beste für dich. Dein Leben ist in Gefahr. Verstehst du das?«

»Verstehen *Sie* das?« Wütend funkelt sie mich an. »Sie haben keine Kinder. Sie haben kein Recht, mir zu sagen, was ich tun soll!«

Es bricht mir das Herz. Ohne Vorwarnung überfällt mich die Erinnerung an den roten Blutfleck. Ich bemühe mich, gleichmäßig zu atmen. »Du hast recht. Entschuldigung.«

Einige Meilen fahren wir schweigend, Sanquita schaut aus dem Beifahrerfenster. Wir sind fast auf der Carroll Avenue, als sie schließlich wieder spricht, auch wenn ihre Stimme so leise ist, dass ich sie kaum verstehen kann. »Sie wollten auch Kinder, oder?«

Bei ihr hört es sich an, als sei es bereits zu spät, als habe sich das Fenster für mich schon geschlossen. In ihrer Welt ist vierunddreißig uralt. »Ja, ich wollte – ich will – Kinder.«

Sie dreht sich zu mir um. »Sie wären eine gute Mutter gewesen.«

Das ist die liebste und zugleich die gemeinste Bemerkung, die sie machen kann. Ich drücke ihr die Hand. Sie entzieht sie mir nicht. »Das wirst du auch, wenn du irgendwann das Nierenproblem gelöst hast. Aber im Moment … will ich dich einfach nicht verlieren.«

»Ms Brett, verstehen Sie das nicht? Mein Leben bedeutet mir nichts, wenn ich das Baby nicht hab. Ich sterbe lieber selbst, als das Baby umzubringen.«

Eine Liebe, für die man im Notfall sterben würde. Sanquita hat sie gefunden. Und wie es sich für ein so starkes Gefühl gehört, könnte diese Liebe sie wirklich umbringen.

Es ist erst zehn Uhr, als ich Sanquita im Joshua House absetze. Ich hatte eigentlich vorgehabt, den Vormittag mit ihr zu verbringen, irgendwo frühstücken zu gehen, ein paar Kleinigkeiten für das Baby zu kaufen, aber uns ist alles andere als zum Feiern zumute, so dass ich es nicht mal vorschlage.

Als ich rückwärts aus der Auffahrt setze, entdecke ich auf dem Rücksitz die Zettel, die ich bei meiner nächtlichen Wohnungssuche ausgedruckt habe. Ich halte am Straßenrand und blättere sie durch, suche das hübsche Backsteinhaus, das ich in Pilsen gesehen habe. Vielleicht fahre ich mal dort vorbei, nur um einen Blick drauf zu werfen. Dann kann ich Joad und Brad erzählen, ich hätte mir schon was angeguckt.

Ich blättere die Ausdrucke durch. Es sind sechs Wohnungen in Little Italy, vier Apartments im University Village, aber das nette Häuschen in Pilsen kann ich einfach nicht finden. Ich weiß, dass ich es ausgedruckt habe. Wo ist es hin? Wo zum Teufel ... Ich bekomme gleich Zustände ... Also auf nach Little Italy.

Ich versuche, mich mit dem Argument zu überzeugen, dass ich in Pilsen näher an der Arbeit und am Joshua House wäre. Aber es heitert mich nicht auf. Die Stadtviertel auf der South Side wirken trostlos und deprimierend ... fast schon gefährlich. Ich werde munterer, als ich zur Kolonie der Italiener in Little Italy mit der geschäftigen Einkaufszone und einigen der besten Restaurants der Stadt gelange. Das wäre eine Möglichkeit. Mit gedrückten Daumen suche ich die erste Adresse. Doch es ist kein niedliches Häuschen, wie ich es gerade gesehen habe, sondern ein Betonklotz, dessen Fenster zur Straße hin vernagelt sind. Meine Güte, diese Absteige hat aber null Ähnlichkeit mit dem Foto im Internet. Ich rege mich noch mehr auf, als ich in die Loomis Street komme, wo das Schild ZU VERMIETEN im Vorgarten gar nicht mehr zu finden ist, so zugemüllt ist er mit alten Autoreifen und einem verrosteten Bügelbrett. Und das hat meine Mutter für mich gewollt? Ich weiß nicht, ob ich verletzt, beleidigt oder erzürnt sein soll. Doch: alles zusammen.

Es ist fünf Uhr an Silvester, und ich sitze auf dem Fensterplatz im Haus meiner Mutter, in der Hand eine Tüte M&Ms. Draußen verliert die Sonne den Kampf gegen den Mond, während sich die Stadt auf die alljährliche Party vorbereitet. Rudy liegt zusammengerollt zu meinen Füßen, ich bringe Carrie am Telefon auf den neusten Stand, erzähle ihr von Sanquitas Besuch im Krankenhaus und von Joads Fragen zu meiner Wohnsituation.

»Und gestern Abend hat Johnny noch mal angerufen. Er hat wie immer nur über Zoë gesprochen. Ihre Erkältung ist schlimmer geworden. Er macht sich Sorgen. Ich wollte ihm sagen: *Ich hab's verstanden. Du brauchst dir keine Gedanken zu machen. Ich werde nicht bei euch auf der Schwelle stehen.*«

»Zieh doch keine voreiligen Schlüsse. Sobald Zoë wieder gesund ist, hat er den Kopf für euch beide frei. Glaub mir! Ich weiß, wie es ist, wenn ein Kind krank ist. Man kann an nichts anderes mehr denken.«

Ich will einwenden, dass es eine stinknormale Erkältung ist, Himmel nochmal, halte mich aber zurück. Sanquita hatte recht: Ich verstehe das nicht. Ich habe keine Kinder.

»Und, wie geht's den Kurzen?«, frage ich.

»Super. Tayloe hatte Donnerstagabend einen Auftritt. Ich schicke dir das Video. Sie ist die Große hinten, die ständig aus dem Rhythmus ist, so wie ich früher immer.«

Wir kichern. »Was machst du heute Abend?«, fragt Carrie.

»Nichts. Jay und Shelley sind auf irgendeinem protzigen Empfang. Ich habe ihnen angeboten, auf die Kinder aufzupassen, aber Shelley hat einen Babysitter besorgt. Also hab ich mir alle alten Meg-Ryan-Filme ausgeliehen, die ich finden konnte.« Ich tappe hinüber zu den DVDs auf dem Couchtisch. »*Schlaflos in Seattle. E-Mail für dich* ... Hast du Lust zu kommen?«

»Wenn du auch *Harry und Sally* hast, fahr ich sofort los.«

»Hab ich als erstes ausgeliehen.«

Wir lachen. »Ach, Bretel, du fehlst mir so! Wir gehen heute Abend zu einer Party mit Arbeitskollegen von Stella. Ehrlich gesagt, würde ich gerne mit dir tauschen. Manchmal beneide ich dich wirklich.«

»Ach, Quatsch«, entgegne ich und kehre zum Fenstersitz zurück. »An meinem Leben gibt's nichts zu beneiden.« Ich bekomme einen Kloß im Hals. »Es ist deprimierend, allein zu sein, Carrie. Ich gehe über die Straße, sehe junge Paare – meistens schieben sie auch noch einen Kinderwagen – und fühle mich so alt. Was ist, wenn ich niemals jemanden kennenlerne? Was ist, wenn ich niemals Kinder bekomme? Werden die Kinder der Nachbarn irgendwann an meinem Haus vorbei laufen und Angst vor der verrückten Alten haben, die da ganz allein lebt?« Ich nehme ein Taschentuch und putze mir die Nase. »O Gott, werde ich ganz allein sterben, hier in Mamas Haus?«

»Nein. Denn du darfst da gar nicht wohnen, schon vergessen? Du wirst eher ganz allein in einer schäbigen Mietwohnung abkratzen.«

»Oh, wie schön!«

Carrie lacht. »Das wird schon werden, Bretel. Du bist vierunddreißig, nicht vierundneunzig. Und du wirst jemanden kennenlernen.« Sie hält inne. »Ich glaube sogar, du hast ihn schon gefunden.«

»Wirklich?« Ich verstaue das Taschentuch. »Und wer soll das sein?«

»Der Anwalt deiner Mutter.«

Mein Herz tut einen Hüpfer. »Brad? Ach, komm!«

»Hast du noch nie drüber nachgedacht? Und lüg mich jetzt nicht an!«

Seufzend nehme ich noch eine Handvoll M&Ms. »Ja, vielleicht.« Ich erzähle ihr von unserer letzten Begegnung und seinem halbherzigen Versuch, mich zu verführen. »Jenna und er nehmen eine Auszeit. Er war einsam und angetrunken. Wenn wir was angefangen hätten, hätte das alles kaputt gemacht.«

»Seine Beziehung ist doch seit Monaten am Stottern. Hast du mir selbst gesagt. Hör zu, ich hab nachgedacht. Du hast dich

221

doch gefragt, warum deine Mutter Brad engagiert hat und nicht den alten Knacker, bei dem sie jahrelang war, oder?«

»Ja, und?«

»Ich glaube, sie wollte dich mit Brad verkuppeln.«

Ich setze mich auf. »Du meinst, sie wollte, dass Brad und ich ein Paar werden?«

»Yep.«

Als würden Sonnenstrahlen durch einen Gewitterhimmel brechen, sehe ich plötzlich alles in einem anderen Licht. Unglaublich, dass ich nicht von selbst darauf gekommen bin. Mama hat Brad Midar als ihren Nachlassverwalter auserkoren und nicht Mr Goldblatt, weil sie wusste, dass wir uns ineinander verlieben würden. Sie hat für mich eine neue Beziehung mit einem Mann in die Wege geleitet, den sie kannte und achtete. Das rote Tagebuch war doch nicht ihr letztes Geschenk an mich!

Ich starre das Telefon an und gehe in Gedanken zum siebenundvierzigsten Mal durch, was ich sagen will. Meine Hände zittern, aber irgendwie fühle ich mich auch seltsam ruhig. Ich bin nicht allein. Meine Mutter ist bei mir, ich kann es spüren. Ich betaste den kleinen goldenen Anhänger, den Fallschirm, der meine weiche Landung sicherstellen soll. Ich atme tief durch und rufe Brad an. Beim dritten Klingeln hebt er ab.

»Ich bin's«, sage ich.

»Hey, wie geht's?« Brad klingt kaputt, und ich stelle mir vor, wie er sich nach der Uhr reckt, um nachzusehen, wie spät es ist. Ich bin versucht, ihn zu necken, was wir zwei für Loser sind, an Silvester allein zu Haus zu sein, aber jetzt ist nicht die Zeit für Späße. Ich schlucke.

»Kannst du heute Abend Gesellschaft gebrauchen?«

Meine Frage ist nicht misszuverstehen. Anfangs schweigt er, und mein Mut sinkt. Ich bin kurz davor, zu lachen und zu sagen, das sei nur ein Witz gewesen, als ich seine Stimme höre, weich und warm wie ein Glas Sherry an einem kalten Abend. »Gerne.«

Zarte Flocken fallen wie gesiebtes Mehl vom Himmel. Ich biege in die Oakley ab und fahre die ruhige Straße entlang, sanft beleuchtet von Straßenlaternen. Wunderbarerweise finde ich einen Parkplatz nur eine Querstraße von Brad entfernt. Ein gutes Omen, vermute ich. Ich steige aus und beginne zu laufen, je näher ich seinem Haus komme. Alles ist so, wie es sein soll. Zusammen werden wir die letzten Ziele erreichen, inklusive dem gefürchteten Pferd. Selbst der Schwangerschaftsfehlalarm erschüttert mich jetzt nicht mehr. Brad wird einen umwerfenden Vater abgeben, viel besser als Andrew es je gewesen wäre. Mir ist schwindelig, so aufgeregt bin ich, mein neues Jahr, mein neues Leben zu beginnen.

Auf der Veranda bleibe ich stehen. Was ist, wenn wir uns irren, Carrie und ich? Mein Herz pocht mir bis in die Schläfen. Mache ich gerade einen Fehler? Bevor ich Zeit habe, noch mal darüber nachzudenken, geht die Tür auf, und wir sehen uns in die Augen. Brad hat eine Jeans an, darüber ein Baumwollhemd. Er sieht so süß aus, dass ich mich ihm in die Arme werfen möchte. Aber dafür bleibt mir keine Zeit. Er kommt mir zuvor.

Er schiebt die Tür zu und drückt mich gegen die Wand. Ich atme stoßweise, alles dreht sich. Ich winde mich aus dem Mantel und schlinge die Arme um seinen Hals. Er nimmt mein Gesicht in die Hände und küsst meinen Hals, meine Lippen, seine Zunge spielt mit meiner.

Er schmeckt leicht nach Whiskey, und ich möchte ihn austrinken. Ich fahre mit den Fingern durch sein Haar. Es ist weich und schwer – genau so, wie ich es mir vorgestellt habe. Seine Hände tasten an meinem Körper hinab. Er hebt meinen Pulli an, seine Finger berühren meine nackte Haut. Ich erschaudere.

Er zieht mir den Pullover über den Kopf, schiebt die Hände unter meinen BH und umfasst meine Brüste. »O Gott«, flüstert er an meinem Hals. »Du bist so schön!«

Ich stehe in Flammen. Blind nestele ich an seiner Gürtelschnalle herum. Ich finde das Ende des Gürtels und ziehe es heraus. Dann reiße ich die Knöpfe der Jeans auf.

Im Nachbarraum höre ich sein Handy klingeln.

Brad erstarrt, seine Finger verharren über meinem Busen.

Es klingelt wieder.

Mit jeder Faser meines Körpers weiß ich, dass es Jenna ist.

Und dass auch Brad es weiß.

»Hör nicht hin«, flüstert er und streichelt meine Brüste. Doch seine Finger bewegen sich jetzt ungeschickt, als hätten sie ihren Rhythmus verloren – oder das Interesse.

Ich lehne den Kopf an seine Schulter und höre, wie das Telefon erneut klingelt. Schließlich lässt Brad die Hände sinken.

Mir wird übel. Ich bin so bescheuert. Was habe ich mir bloß dabei gedacht? Ich löse mich von ihm und verschränke die Arme vor der nackten Brust. »Los!«, sage ich. »Geh ans Telefon.«

Doch es hat aufgehört zu klingeln. Das einzige Geräusch ist das verzagte Brummen des Ofens und Brads schwerer Atem. Er steht vor mir, die Hose aufgeknöpft, das Hemd zerknittert, und reibt sich den Nacken. Er streckt eine Hand nach mir aus, und ich erkenne seinen bedeutungsschweren Blick. Er sagt, dass er mir nicht wehtun will. Er sagt mir, dass sein Herz einer anderen gehört.

Ich versuche, die Lippen zu einem Lächeln zu verziehen, aber meine Mundwinkel haben ihren eigenen Willen und fallen nach unten. »Ruf sie an!«, flüstere ich und bücke mich, um meinen Pullover aufzuheben.

Ich springe die Verandatreppe hinunter, er ruft mir nach. Am Bürgersteig verfalle ich in einen Trab, voller Angst, die Welt könne über mir zusammenbrechen, wenn ich auch nur einen kurzen Moment stehen bliebe.

20

Zum Glück gehen die Feiertage vorüber, und der Unterricht beginnt wieder. Niemals hätte ich gedacht, mein Leben könne so jämmerlich werden, dass ich lieber arbeiten gehe als Urlaub zu haben. Ich werfe mir die Ledertasche über die Schulter, die Reisetasche über die andere. »Viel Spaß bei Tante Shelley, Rudy. Wir sehen uns morgen!«

Es ist noch keine sechs Uhr, als ich auf der Straße bin, doch schon jetzt ist der Verkehr der reine Wahnsinn. Im Kopf gehe ich den vor mir liegenden langen Tag durch. Was um Himmels Willen hat mich dazu gebracht, am ersten Arbeitstag sofort wieder die Abendschicht im Joshua House zu übernehmen? Aber wahrscheinlich ist es wohl besser, wenn ich im Frauenhaus bin, statt allein zu Hause zu sitzen und das Baby zu beweinen, das es nie gab, die neue Liebe, aus der nichts wird, und den Vater, den ich vielleicht nie sehen werde.

Ich mache das Licht an, und mein Büro erwacht zum Leben. Auf der Fensterbank stehen meine Geranien. Die Blüten sind vertrocknet, die Blätter vergilbt und brüchig, doch sie haben es geschafft, die zweiwöchige Pause zu überstehen – genau wie ich. Ich fahre den Computer hoch. Es ist noch keine sieben Uhr, das heißt, ich habe herrliche zwei Stunden Zeit, alles vorzubereiten, bevor mein anstrengender Tag beginnt. Die Abschlussprüfungen des ersten Halbjahrs fangen am nächsten Tag an, Sanquita will bis zum Wochenende fünf Prüfungen ablegen.

Das blinkende rote Licht an meinem Telefon verrät mir, dass ich Nachrichten habe. Ich greife zum Notizblock und höre sie mir an. Die ersten beiden sind Neuzugänge. Die dritte Nachricht ist von Dr. Taylor, aufgesprochen am 23. Dezember. Als ich seine Stimme höre, setze ich mich und nage am Stift.

»Hey, hier ist Garrett. Nur für den Fall, dass Sie während des Urlaubs Nachrichten abhören sollten, wollte ich Ihnen meine Handynummer geben: 312–555–4928. Sie können jederzeit anrufen. Ich bin da. Die Feiertage können schwierig sein, besonders das erste Weihnachten ohne Ihre Mutter.« Er überlegt kurz. »Egal, ich wollte Ihnen nur sagen, wie Sie mich erreichen können. Und wenn Sie meine Nachricht erst im neuen Jahr hören, freue ich mich, dass Sie die Feiertage überlebt haben. Herzlichen Glückwunsch und ein frohes neues Jahr. Lassen Sie uns telefonieren.«

Ich lege den Stift hin und starre das Telefon an. Dr. Taylor macht sich aufrichtig Sorgen um mich. Ich bin nicht nur die Lehrerin seines Patienten. Ich spiele die Nachricht ein zweites Mal ab, nur um seine Stimme zu hören, und muss zum ersten Mal seit Tagen lächeln. Ich wähle seine Nummer in der Hoffnung, dass auch er ein Frühaufsteher ist.

Ist er.

»Frohes neues Jahr, Dr. Taylor! Hier ist Brett. Ich habe gerade Ihre Nachricht gehört.«

»Hey! Also, ich hatte bloß … ich wusste nicht, ob …«

Er klingt beschämt, ich grinse. »Danke. Das weiß ich wirklich zu schätzen. Wie waren Ihre Feiertage?«

Er erzählt, er hätte Weihnachten mit seinen Schwestern und deren Familien verbracht. »Wir waren zum Essen bei meiner Nichte in Pennsylvania.«

»Bei Ihrer Nichte?« Kurz bin ich verwirrt. Aber sicher: Anders als die kleine Emma ist seine Nichte bereits erwachsen, vielleicht sogar so alt wie ich. »Wie schön.«

»Melissa ist die Tochter meiner ältesten Schwester. Kaum zu glauben, dass ihre beiden Kinder jetzt schon selbst zur Highschool gehen.« Er macht eine kurze Pause. »Wie waren die Feiertage bei Ihnen?«

226

»Sie können von Glück sagen, dass ich Ihre Nachricht erst heute abgehört habe. Wenn ich Ihre Nummer vorher gehabt hätte, hätte ich sie als Kurzwahl in mein Handy programmiert.«

»So schlimm, hm?«

»Ja. So schlimm.«

»Mein erster Patient kommt erst um neun. Möchten Sie darüber reden?«

Ich erspare ihm die Einzelheiten mit meiner Periode an Weihnachten und dem demütigenden Zwischenfall mit Brad, aber vermittele ihm kurze Eindrücke der Ferien – die Trauer um meine Mutter, die ergebnislose Suche nach einer Wohnung, Sanquitas Arzttermin. Versteht sich von selbst, dass er ein hervorragender Zuhörer ist. Schließlich ist er Psychologe. Dennoch gibt dieser Arzt, der sich auf Geisteskrankheiten spezialisiert hat, mir das Gefühl, normal zu sein – und kein abgedrehter Freak, der kurz vorm Durchdrehen ist, so wie ich mich manchmal fühle. Er hat mich sogar zum Lachen gebracht ... Aber dann will er wissen, ob ich etwas von meinem Vater gehört habe.

»Der hat tatsächlich Weihnachten angerufen. Er hat noch eine andere Tochter«, platzt es aus mir heraus. »Eine, die er kennt und liebt. Er ist nicht halb so heiß darauf, mich kennenzulernen, wie ich ihn.« Kaum habe ich das ausgesprochen, bedaure ich es. Ich sollte nicht eifersüchtig auf meine Schwester sein. Es geht ihr nicht gut. Ich sollte mehr Verständnis haben.

»Ihr habt euch noch nicht verabredet?«

»Nein.« Ich zwicke mir in den Nasenrücken. »Zoë ist erkältet. Er will nicht, dass sie in dem Zustand verreist, er will sie auch keinen Bakterien aussetzen, die ich möglicherweise mit mir herumtrage.«

»Und für Sie fühlt sich das wie eine Zurückweisung an.« Seine Stimme ist zart und verständnisvoll.

»Ja«, flüstere ich. »Ich dachte, er würde den ersten Flieger nach Chicago nehmen. Vielleicht hat er Angst, dass es Zoë durcheinanderbringt, wenn ich auftauche. Wer weiß? Ich komme mir so egoistisch vor, aber ich habe so lange gewartet. Ich möchte ihn einfach nur kennenlernen – und Zoë auch. Sie ist schließlich meine Schwester.«

»Ja, natürlich.«

»Ich komme mir vor … als wäre ich ein Geschenk für meinen Vater, das er gar nicht haben will. Ich bin nur die Kopie, und er hat schon das Original.« Ich kneife die Augen zu. »Es ist ganz einfach so, dass ich eifersüchtig auf Zoë bin. Ich weiß, dass ich das nicht zu sein brauche, aber ich kann nichts dagegen tun.«

»Es gibt keine Vorschriften, wenn es um unsere Gefühle geht. Sie sind, wie sie sind.« Garretts Stimme ist wie ein kühler Waschlappen auf meiner fiebrigen Stirn. »Für Sie muss es sich anfühlen, als würde Ihr Vater Ihre Schwester schützen, aber Sie nicht.«

Ich bekomme kein Wort mehr heraus und wedele mir Luft zu. »Hm.« Dann schiele ich auf die Uhr. »Ach, du meine Güte! Schon halb neun! Jetzt müssen Sie aber Schluss machen.«

»Brett, Ihre Gefühle sind normal. Wie jeder gesunde Mensch sehnen Sie sich nach einer Beziehung, in der sie sich umsorgt, geschützt und geliebt fühlen. Sie hatten große Erwartungen, dass Ihr Vater diese Bedürfnisse erfüllen würde. Vielleicht tut er das ja noch. Aber diese Bedürfnisse können auch auf andere Weise gestillt werden.«

»Verschreiben Sie an dieser Stelle immer Valium oder so?«

Er lacht. »Nein. Sie brauchen keine Medikamente. Sie brauchen einfach nur mehr Liebe im Leben – sei es von Ihrem Vater oder von einem Partner oder aus einer anderen Quelle, vielleicht sogar aus sich selbst. Ihnen fehlt Liebe, und sie ist ein grundlegendes menschliches Bedürfnis. Ob Sie's glauben oder nicht – Sie gehören zu den wenigen Glücklichen, die zugeben können, dass sie sie brauchen. Es gibt viele unglückliche Menschen, die ihre Bedürfnisse verdrängt haben. Die Suche nach Liebe macht verletzlich. Nur gesunde Menschen können es sich leisten, verletzlich zu sein.«

228

»Im Moment fühle ich mich nicht besonders gesund, aber da Sie der Fachmann sind, will ich Ihnen mal glauben.« Ich schiele auf meinen Kalender und sehe, dass ich um Viertel nach neun einen Termin mit Amina habe. »Ich muss jetzt wirklich los, und Sie auch. Aber vielen Dank für die Sitzung. Bekomme ich am Ende der Behandlung eine fette Rechnung von Ihnen zugeschickt?«

Er lacht. »Kann sein. Oder ich zwinge Sie irgendwann dazu, mir ein Mittagessen auszugeben.«

Ich bin überrumpelt. Flirtet Dr. Taylor etwa mit mir? Hm. Ich habe noch nie was mit einem älteren Mann gehabt. Aber ich muss zugeben, ich habe auch nicht gerade am laufenden Band Verabredungen mit Männern in meinem Alter. Könnte Garrett mein Michael Douglas sein? Mein Spencer Tracy? Ich zerbreche mir den Kopf nach einer originellen Antwort, nach etwas Lockerem, aber Handfestem, das ihm zeigt, die Tür ist geöffnet – wenn auch nur einen Spalt.

Aber es dauert zu lange.

»An die Arbeit!«, sagt er, geschäftsmäßiger als sonst. »Rufen Sie mich doch bitte nach Ihrem nächsten Termin mit Peter an, ja?«

»Sicher, ja, natürlich.«

Ich will ihn noch mal auf das Essen ansprechen, aber er verabschiedet sich bereits, und ehe ich mich versehe, ist die Verbindung unterbrochen.

Im wörtlichen und im übertragenen Sinn.

Den ganzen Tag fällt ein feiner Nieselregen auf die Stadt wie Weihwasser, und als die Temperaturen sinken, verursachen sie ein Verkehrschaos. Wie immer hebe ich mir Peter bis zum Schluss auf, da ich weiß, dass er in der Lage ist, auch noch meinen schönsten Tag zu ruinieren – und das ertrage ich besser, wenn der Tag schon fast vorbei ist.

Die heutige Stunde ist nicht besser als die anderen. Wie immer weicht er meinem Blick aus und brummt seine Antworten durch zusammengebissene Zähne. Und wie immer tut er mir leid, dieser kluge Junge, der den ganzen Tag in diesem verqualmten Haus eingesperrt ist. Zum Ende unserer Stunde hole ich einen Stapel Bücher aus der Tasche.

»Ich war letztens in der Buchhandlung, Peter. Ich dachte, du würdest vielleicht mal gerne etwas lesen … weißt du, um dich zu beschäftigen.« Ich sehe ihn an, hoffe auf ein Blitzen der Vorfreude oder Aufregung. Aber er starrt nur auf den Tisch vor sich.

Ich nehme das beste Buch vom Stapel. »Ich weiß, dass du dich für Geschichte interessierst. Dieses Buch handelt von den Kindern, die den Großen Treck nach Westen gemacht haben.« Ich greife zum nächsten. »Und in diesem hier geht es um die Expedition von Lewis und Clark.«

Ich will ihm das nächste zeigen, da reißt er mir die Bücher aus der Hand.

Ich lächele. »Okay. Nimm sie. Sie gehören dir.«

Er drückt sich den ganzen Stapel besitzergreifend an die Brust.

Ich jubiliere innerlich. Zum ersten Mal hat unsere Stunde ein gutes Ende.

Es nieselt immer noch, als ich die Verandastufen hinunter gehe. Ich halte mich am Handlauf fest, auf den Betonstufen liegt Schneematsch. In der Einfahrt höre ich, wie die Tür hinter mir aufgeht.

Ich drehe mich um. Peter steht im Regen auf der Veranda, die neuen Bücher auf dem Arm. Er starrt mich an, und ich frage mich, ob er sich bedanken will. Ich warte kurz, aber er sagt nichts. Wahrscheinlich schämt er sich. Ich winke ihm zu und nähere mich meinem Auto. »Viel Spaß beim Lesen, Peter!«

Ein lauter Knall lässt mich zusammenfahren. Ich drehe mich um. Peter beobachtet mich mit hämischem Grinsen. Die neuen Bücher liegen auf der Veranda, saugen sich in den Pfützen voll.

Ich schließe die Tür zu meinem Büro auf, werfe die nasse Tasche zu Boden und stürze zum Telefon. Nach dem vierten Klingeln nimmt er ab.

»Garrett, hier ist Brett. Haben Sie kurz Zeit?«

Mit immer noch zitternder Stimme beschreibe ich ihm Peters gehässige Reaktion auf mein Geschenk.

Garrett seufzt. »Das tut mir wirklich leid. Ich werde morgen ein paar Telefonate führen. Sein Verhalten eskaliert langsam. Es wird Zeit, dass wir eine andere Lösung für Peter finden.«

»Eine andere Lösung?«

»Hausunterricht ist nicht das Richtige für das Kind. Cook County hat ein erstklassiges Programm für psychisch kranke Jugendliche: ›Neue Wege‹. Auf zwei Schüler kommt ein Lehrer, und die Schüler haben zweimal am Tag Einzeltherapie. Peter ist noch ein bisschen jung, aber ich hoffe, dass man eine Ausnahme macht.«

Ich bin erleichtert und enttäuscht zugleich. Bald wird Peter keine Last mehr für mich sein. Aber es fühlt sich an, als würde ich aufgeben, als würde ich eine Aufführung noch vor dem Ende verlassen. Und wer weiß? Möglicherweise würde sie am Ende ja doch noch gut ausgehen?

»Vielleicht fand er die Bücher ja doof oder eine Zumutung«, sage ich. »Vielleicht war er beleidigt, weil ich ihm etwas geschenkt habe, als wäre er ein Almosenempfänger.«

»Das hat nichts mit Ihnen zu tun, Brett. Er ist kein normales Kind. Sie werden ihn leider nicht für sich gewinnen können, egal wie sehr Sie sich bemühen. Er will Ihnen absichtlich wehtun. Bisher sind es nur emotionale Verletzungen, aber ich habe Sorge, dass es schlimmer werden könnte.«

Ich denke an Peters Grinsen, kalt und herzlos. Ein Schauer läuft mir über den Rücken.

»Jetzt habe ich Ihnen Angst gemacht, oder?«

»Schon gut.« Ich schaue auf die trübe Straße unten. Eigentlich hatte ich den ganzen Abend hierbleiben wollen, bis ich um neun

Uhr die Schicht im Joshua House antrete. Aber auf einmal fühlt sich mein schnuckeliges Büro abgeschottet und unheilvoll an.

»Sie haben doch heute vom Essengehen gesprochen, nicht?« Garrett zögert. »Ja.«

Ich hole tief Luft und kneife die Augen zusammen. »Hätten Sie vielleicht spontan Zeit für einen Kaffee? Oder für einen Drink?«

Ich halte den Atem an. Als er endlich antwortet, meine ich, ein Lächeln in seiner Stimme zu hören. »Ich würde Sie sehr gerne auf einen Drink treffen.«

Der Verkehr ist die Hölle, wie ich geahnt habe. Ich habe keinen der schicken Läden vorgeschlagen, die ich immer mit Andrew besucht habe, sondern Petterino's, eine Bar mit Restaurant im Vierziger-Jahre-Stil in der Nähe vom Loop, in der Garrett sich meiner Meinung nach wohlfühlen wird. Aber es ist zwanzig vor sechs, und ich bin immer noch auf der South Side, Meilen vom Theaterviertel entfernt. Zu sechs Uhr werde ich es niemals schaffen. Warum habe ich heute Morgen bloß seine Nachricht gelöscht, ohne mir seine Handynummer aufzuschreiben?

Als mein Telefon klingelt, denke ich, dass es Garrett ist und mir sagen will, dass auch er im Stau steht. Aber das kann nicht sein; er hat meine Handynummer ja auch nicht.

»Hier ist Jean Anderson vom Joshua House. Sie müssen eigentlich erst um neun Uhr hier sein, aber heute müssen Sie früher kommen.«

Meine Nackenhaare stellen sich auf. Was bildet sich diese Frau eigentlich ein, dass sie mich herumkommandieren kann? »Tut mir leid, ich habe was vor. Ich könnte so gegen acht Uhr da sein, aber ich kann nichts versprechen.«

»Es geht um Sanquita. Sie hat Blutungen.«

»Ich komme sofort.«

Ich werfe das Handy auf den Beifahrersitz und wende mitten auf der Straße. Zwei Autos hupen mich an, ich ignoriere sie. Ich kann an nichts anderes mehr denken als an das Mädchen mit den grünbraunen Augen und an das Baby, für das sie sterben würde.

»Bitte, lass das Baby nicht sterben«, bete ich auf dem Weg zum Frauenhaus vor mich hin.

Als ich am Bordstein halte, springt Jean aus ihrem weißen Chevrolet. Sie kommt mir in der Auffahrt entgegen.

»Ich bringe sie ins Cook County Memorial«, sagt sie. »Ich habe einen Zettel mit allen Anweisungen für heute Abend hinterlegt.«

Ich stürze zum Wagen und reiße die Hintertür auf. Sanquita liegt auf der Rückbank und massiert ihren Bauch. Ihr aufgedunsenes Gesicht glitzert vor Schweiß, aber sie lächelt, als sie mich sieht. Ich drücke ihre Hand.

»Halte durch, Kleine!«

»Kommen Sie morgen wieder? Ich muss doch die Prüfungen ablegen.«

Trotz allem, was sie durchmacht, hat sie die Prüfungen nicht vergessen. Ich schlucke den Kloß im Hals hinunter. »Wann immer du so weit bist. Mach dir keine Sorgen. Deine Lehrer verstehen das.«

Ihre Augen flehen mich an. »Beten Sie für mein Baby, Ms Brett.«

Ich nicke und schlage die Autotür zu. Als Jean losfährt, schicke ich noch ein Gebet hinterher.

Ich entdecke Jeans Zettel im Büro, darauf Angaben zu einem Streit, der zwischen zwei Bewohnerinnen schwelt. Sie hofft, dass ich vermitteln kann, falls Zeit dafür ist. Doch bevor ich etwas tun kann, muss ich bei Petterino's anrufen und Garrett absagen. Ich suche gerade das Telefonbuch, als ich Geschrei aus dem Fernsehraum höre. Ich springe auf, verlasse das Büro und gerate mitten in eine Auseinandersetzung.

»Was hast du in meinen Sachen zu suchen?«, schreit Julonia mit knallrotem Gesicht. Sie steht wenige Zentimeter vor Tanya, aber Tanya weicht keinen Schritt zurück.

»Ich hab gesagt, ich war nicht an deiner Schublade. Mach dich doch mal locker!«

»Beruhigt euch, Mädels«, sage ich, aber meine Stimme bebt. »Hört sofort auf!«

Wie schon die Schüler in der Gesamtschule beachten sie mich gar nicht. Aus den anderen Zimmern kommen weitere Bewohnerinnen, um sich das Spektakel anzusehen.

»Ich bin *total* locker«, gibt Julonia zurück, die Hände in die Hüften gestemmt. »Ich muss nicht anderer Leute Geld klauen! Ich hab Arbeit, anders als du. Du machst ja nix anderes, als den ganzen Tag auf deinem fetten Arsch sitzen.«

Ein allgemeines *Oooh* geht durch die Zuschauerreihen. Im Fernsehen erteilt eine Richterin jemandem einen scharfen Verweis. Ich versuche, ihre Autorität zu übernehmen.

»Aufhören!«

Tanya will eigentlich gehen, aber überlegt es sich anders. Behende wie eine Akrobatin macht sie einen Ausfallschritt und schlägt Julonia mit der Faust aufs Kinn. Völlig verdutzt betupft Julonia ihre Lippen. Als sie die Hand sinken lässt, hat sie Blut an den Fingern.

»Du Hure!« Sie reißt Tanya an den Haaren. Ein Büschel fällt zu Boden.

Tanya flucht drauflos und will sich auf Julonia stürzen. Zu meinem Glück hält Mercedes Tanya von hinten fest. Ich packe mit einer mich selbst verblüffenden Kraft nach Julonias Arm und ziehe sie hinter mir her ins Büro. Ich trete die Tür zu und schließe mit zitternden Händen hinter uns ab. Julonia flucht, die Adern an ihrer Stirn treten hervor, aber zumindest habe ich sie von den anderen getrennt. Hinter der Tür höre ich Tanya toben, aber ihre Stimme verliert langsam an Lautstärke. Ich hocke mich auf den Schreibtisch und weise aufs Bett.

»Setz dich«, sage ich und atme tief durch.

Julonia hockt sich auf die Bettkante, beißt sich mit den Zähnen auf die Unterlippe und ballt die Fäuste. »Sie hat mir Geld geklaut, Ms Brett. Ich schwöre.«

»Wie viel denn?«

»Sieben Dollar.«

»Sieben Dollar?« Angesichts der Wut hatte ich angenommen, es ginge um Hunderte. Wieder komme ich mir ganz klein vor. Für jemanden, der nichts hat, sind sieben Dollar ein Vermögen. »Wieso glaubst du, dass Tanya dein Geld genommen hat?«

»Sie ist die Einzige, die weiß, wo ich meine Asche aufbewahre.«

Ich sehe sie fragend an.

»Meine Scheine. Mein Geld.«

»Ach so. Aber kann es nicht sein, dass du's ausgegeben hast und es nicht mehr weißt? Das geht mir ständig so. Ich gucke in mein Portemonnaie und denke, da fehlt Geld, aber wenn ich länger drüber nachdenke, fällt mir ein, wofür ich es ausgegeben habe.«

Julonia legt den Kopf schräg und macht ein finsteres Gesicht. »Nee. So was gibt's bei mir nich.« Sie schaut unter die Decke und kneift die Augen zusammen. »Ich wollte Myanna eine neue Buchtasche kaufen. Ihre ist ganz kaputt. Bei Walmart gibt's eine für vierzehn Dollar. Die Hälfte hatte ich schon zusammen, und jetzt hat die faule Sau es mir geklaut.«

Es bricht mir das Herz. Ich will mein Portemonnaie holen und ihr alles geben, was ich habe, aber das verstößt gegen die Vorschriften. »Ich sag dir was. Ich besorge dir einen kleinen Safe. Den bringe ich morgen vorbei. Dann kann keiner mehr an deine Asche ran.«

Sie lächelt mich an. »Das wäre voll der Hammer. Aber das Geld hab ich dann trotzdem nicht wieder. Haben Sie eine Ahnung, wie lang ich gebraucht hab, um sieben Dollar zu sparen?«

Nein, habe ich nicht. Aus Gründen, die ich nicht erklären geschweige denn rechtfertigen kann, wurden mir bei der Geburt bessere Karten ausgeteilt, Karten mit Liebe, Geld und guter Ausbildung. Ich werde überwältigt von Schuldgefühlen, Dankbarkeit und Demut.

»Diese Büchertasche, die du kaufen willst, welche Farbe hat die?«

»Myanna will eine pinke.«

»Und die gibt's bei Walmart, in der Kinderabteilung?«

»Genau.«

»Julonia, ich glaube, ich habe genauso eine Büchertasche. Ich habe sie für meine Nichte gekauft, aber die hatte schon eine. Sie ist noch ungebraucht. Möchtest du die gerne haben?«

Sie sieht mich an, als wüsste sie nicht, ob ich die Wahrheit sage. »Eine pinke?«

»Hm.«

Ihr Gesicht leuchtet auf. »Das wäre total cool. Im Moment hat Myanna ihre Bücher in einer Plastiktüte. Sie braucht eine richtige Büchertasche.«

»Also gut, dann bringe ich sie morgen vorbei.«

»Auch den Safe?«

»Ja, auch den Safe.«

Ich sitze am Schreibtisch und massiere mir die Schläfen. Schließlich habe ich die Kraft, ein Formular hervorzuholen und es auszufüllen. Datum: 5. Januar. Uhrzeit: Ich schaue auf die Uhr und will 19:15 notieren. Auf einmal lasse ich den Stift fallen. »Nein!« Ich reiße die Schublade auf, zerre das Telefonbuch heraus und suche, so schnell ich kann. Schließlich finde ich die Nummer von Petterino's.

»Hallo«, sage ich zum Oberkellner. »Ich war heute Abend mit einem Freund bei Ihnen verabredet. Ich hoffe, er ist noch da. Er heißt Dr. Garrett Taylor. Er ist ein Herr …« Mir fällt ein, dass ich Garrett überhaupt nicht beschreiben kann. »Er ist allein.«

»Sind Sie vielleicht Ms Bohlinger?«

Ich lache voller Erleichterung. »Ja. Ja, die bin ich. Könnte ich bitte mit ihm sprechen?«

»Es tut mir leid, Ms Bohlinger. Dr. Taylor ist vor fünf Minuten gegangen.«

21

Fast stündlich rufe ich im Krankenhaus an. Um drei Uhr nachts versichert mir Ms Jean, dass Sanquita durchkommt. Am nächsten Morgen stelle ich gerade das Geschirr in die Spülmaschine, als ich ein Auto vorfahren höre. Ich flitze nach draußen. Noch bevor der Motor ausgeschaltet ist, reiße ich die Wagentür auf. Sanquita liegt auf der Rückbank, den Kopf ans Fenster gelehnt.

»Hallo, Kleine! Wie geht es dir heute Morgen?«

Sie hat dunkle Ringe unter den glasigen Augen. »Sie haben mir was gegeben, damit die Wehen aufhören.«

Sanquita legt Jean und mir die Arme um die Schultern, und mit vereinten Kräften hieven wir sie die Verandastufen hinauf ins Haus. An der Treppe nehme ich Sanquita auf den Arm. Sie fühlt sich so leicht und zerbrechlich an. Ich bringe sie auf ihr Zimmer und lege sie ins Bett.

»Muss meine Prüfungen machen«, murmelt sie.

»Darum kümmern wir uns später. Jetzt schlaf erst mal ein bisschen.« Ich küsse sie auf die Stirn und knipse das Licht aus. »Ich komm später noch mal nach dir gucken.«

Wieder unten, zieht Jean ihr Kopftuch ab, und ihr Wuschelkopf aus schwarzen Locken kommt zum Vorschein.

»Ich habe die ganze Nacht versucht, ihre Mutter zu erreichen, aber das Telefon ist wohl abgestellt«, sagt sie. »Das arme Ding ist ganz allein.«

»Ich kann bei ihr bleiben.«

Jean zieht die Stiefel aus und schlüpft in ein Paar praktische schwarze Pumps. »Haben Sie keine anderen Schüler?«

»Doch, aber deren Termine kann ich umlegen.«
Sie winkt ab. »Blödsinn. Jetzt bin ich ja da. Kommen Sie einfach später noch mal vorbei, wenn's geht.«
Jean will in ihrem Büro verschwinden, bleibt aber mit dem Rücken zu mir stehen. »Sanquita hat gestern Abend von Ihnen gesprochen. Sie hat erzählt, dass Sie mit ihr bei einem Spezialisten waren.«
Ich schüttele den Kopf. »Dafür entschuldige ich mich. Mir war nicht klar, dass Dr. Chan empfehlen würde ...«
»Und sie meinte, Sie wären jeden Tag zum Üben zu ihr gekommen, nicht nur an den zwei Terminen pro Woche, die vorgesehen sind.«
Ich gehe in Verteidigungsstellung. Worauf spielt sie an? »Ist für mich kein Problem, auf meine Mittagspause zu verzichten. Hören Sie, wenn das hier ein Problem ist ...«
»Sanquita hat gesagt, dass sich noch nie jemand so um sie gekümmert hat.« Jean entfernt sich Richtung Büro. »Das Kind meint, Sie wären was ganz Besonderes. Ich dachte, das sollten Sie wissen.«
Ich spüre einen Kloß im Hals. »Ich finde, sie ist auch was ganz Besonderes«, flüstere ich, aber Ms Jean hört mich schon nicht mehr.

Auf dem Weg zu Amina rufe ich bei Dr. Taylor in der Praxis an. Wie schon zuvor springt der Anrufbeantworter an. Ich lege auf, will nicht noch eine Nachricht hinterlassen. Mist.
Mechanisch verrichte ich meine Arbeit, in Gedanken immerzu bei Sanquita und ihrem Baby. Nach Feierabend hetze ich voller Sorge zurück zum Joshua House. Ich haste die Treppe empor und erwarte, eine geschwächte Patientin zu sehen, doch stattdessen sitzt Sanquita in einem hell erleuchteten Zimmer auf dem Bett, das Kopfkissen im Rücken, und trinkt ein Glas Saft. Tanya und Mercedes stehen neben ihr, erzählen davon, wie sie selbst in den Wehen lagen. Sanquitas Augen werden groß, als sie mich in der Tür entdeckt.

»Hey, Ms Brett. Kommen Sie rein!«

»Hallo, die Damen.« Ich bücke mich und umarme Sanquita. Sonst lässt sie es immer steif und voller Unbehagen über sich ergehen, doch heute erwidert sie die Geste. »Du siehst schon wieder viel besser aus, Kleine.«

»Mir geht's auch besser. Ich muss einfach nur liegen bleiben, haben die Ärzte gesagt. Wenn das Baby noch bis Ende April warten kann, bis zur sechsunddreißigsten Woche, dann wird alles gut.«

»Super«, sage ich und möchte es gerne glauben.

»Haben Sie meine Prüfungen dabei?«

Ich lache. »Darüber mach dir mal keine Sorgen. Ich habe mit deinen Lehrern gesprochen. Wir sind uns einig, dass deine Gesundheit jetzt erst mal vorgeht.«

»Ich gebe jetzt ganz bestimmt nicht auf. Ich stehe kurz vor meinem Abschluss. Sie haben gesagt, dass Sie mir helfen.«

»Schon gut«, sage ich lächelnd. »Wenn du meinst, dass du es schaffst, können wir morgen mit den Prüfungen anfangen.«

Sanquita grinst. »Das schaffe ich, Sie werden schon sehen.«

Ich nehme sie noch mal in die Arme. »Du bist was ganz Besonderes, weißt du das?«

Sie sagt nichts darauf. Erwarte ich auch nicht von ihr. Es reicht schon, dass ich sie umarmen darf.

Bevor ich gehe, klopfe ich kurz bei Julonia.

»Julonia?«, frage ich und drückte die angelehnte Tür auf. Ich betrete das makellose Zimmer und gehe zu den Betten. Auf die grüne Decke lege ich einen robusten kleinen Safe. Und auf den Überwurf mit dem Schneewittchenmotiv lege ich Myannas neue pinkfarbene Büchertasche.

Ich treffe mich mit Brad zum Essen im Bistro Zinc, einem gemütlichen Franzosen an der State Street. Seit unserem Fiasko an Silvester haben wir zwar telefoniert, doch abgesehen von seiner Mitteilung, dass Jenna und er »sich zusammenraufen« wollten, haben sich unsere Gespräche auf meine Wunschliste beschränkt.

An diesem Abend sehen wir uns zum ersten Mal wieder, was mir ein wenig weiche Knie macht. O Gott! Ich könnte mich noch jetzt schütteln, wenn ich daran denke, wie einsam und verwegen ich drauf war, als ich mit so großen Hoffnungen quer durch die Stadt zu ihm gefahren bin.

Auf dem Weg zum Restaurant versuche ich es wieder in Garretts Praxis. *Los, komm, geh ran, Garrett!*

»Garrett Taylor«, meldet er sich.

»Garrett, hier ist Brett! Bitte nicht auflegen!«

Er schmunzelt. »Keine Sorge. Bei Ihnen doch nicht. Ich habe Ihre Nachricht heute Morgen bekommen und gesehen, dass Sie heute ungefähr sieben Mal angerufen haben.«

Na, super. Jetzt habe ich in seinen Augen auch noch eine Zwangsneurose. »Tja, das tut mir leid. Ich wollte nur erklären, was gestern passiert ist.«

»Haben Sie ja. Und ich verstehe das voll und ganz. Wie geht es der jungen Dame – Sanquita?«

Ich seufze erleichtert auf. »Viel besser, danke. Ich komme gerade von ihr. Haben Sie was über die Unterbringung von Peter gehört?«

»Ja. Ich habe heute Nachmittag mit dem Leiter der Sonderpädagogik gesprochen. Das Mindestalter von ›Neue Wege‹ ist das Problem. Es kann leider noch ein bisschen dauern.«

»Schon gut. Ich kann durchaus ein bisschen Zeit mit ihm gebrauchen.«

Ich halte am Straßenrand, und wir plaudern noch fünf Minuten. Schließlich fragt Garrett: »Hey, Sie sitzen im Auto, oder?«

»Ja.«

»Und Sie haben Feierabend?«

»Yep.«

»Was sagen Sie dazu, wenn wir das mit dem Drink jetzt nachholen?«

Ich grinse, und mir wird klar: Ich bin in Garrett Taylor verknallt. Und er, zumindest glaube ich das, auch in mich.

»Das tut mir leid«, sage ich und kann das dämliche Grinsen in meiner Stimme hören. »Aber ich bin heute Abend schon mit einem Freund zum Essen verabredet.«

»Ach so. Na gut. Dann sprechen wir uns nach Ihrer nächsten Stunde.«

Mich verblüfft, wie schnell er unser Gespräch beendet. Wahrscheinlich ist er doch nicht in mich verknallt. Meine Brust zieht sich zusammen. Ob ich jemals einen Mann finden werde?

Ich lasse unser Gespräch Revue passieren ... *Ich bin mit einem Freund verabredet.* Oh nein! Garrett glaubt, dass ich ein Date habe. Und das Grinsen in meiner Stimme klang für ihn wohl höhnisch. Ich muss das sofort richtigstellen!

Ich greife zum Handy, zu ungeduldig und nervös, um bis zu unserem nächsten offiziellen Telefonat zu warten. Vielleicht könnten wir uns morgen Abend treffen. Was soll ich anziehen? Ich wähle seine Nummer und betrachte mich im Rückspiegel. Mein Blick ist wild, mein Gesicht sieht verzweifelt aus.

Ich lege den Apparat beiseite und reibe mir über die Stirn. Mein Gott, bin ich so tief gesunken, dass ich schon einen Sechzigjährigen angrabe? Diese verdammte Liste macht mich noch ganz verrückt. Jeden Mann, mit dem ich zu tun habe, schätze ich ab, wie eine Regisseurin, die die perfekte Besetzung für die Rolle des Ehemanns und Vaters im Stück ihres Lebens sucht. Das hat meine Mutter bestimmt nicht gewollt.

Ich lege schnell auf, bevor die Verbindung hergestellt werden kann, und stopfe das Handy in meine Tasche.

Brad sitzt mit einem Martini an der Bar. Heute ist er besonders schick in einem hellblauen Hemd und einem schwarzen Kaschmirsakko. Wie immer ist sein Haar leicht zerzaust, und er hat einen senffarbenen Fleck auf der Krawatte. Es zerreißt mir das Herz. Er hat mir so gefehlt! Als er mich kommen sieht, steht er auf und breitet die Arme aus. Ohne zu zögern, lasse ich mich hineinfallen.

Unsere Umarmung gerät außergewöhnlich innig, als versuchten wir beide, die Liebe und Freundschaft zurückzugewinnen. »Es tut mir so leid«, flüstert er mir ins Ohr.

»Mir auch.«

Ich schlüpfe aus dem Mantel und taste unter der Theke nach dem Haken für meine Handtasche. Als ich sitze, breitet sich ein unbehagliches Schweigen aus, eine verstörende Pause, die es früher nicht gegeben hat.

»Willst du was trinken?«, fragt Brad.

»Erst mal nur Wasser. Zum Essen trinke ich ein Glas Wein.«

Er nickt und nippt an seinem Martini. Der Fernseher über der Theke zeigt CNN, jedoch ohne Ton. Trotzdem schaue ich zu. Habe ich alles kaputt gemacht? Wird unsere Freundschaft nun für alle Zeit im Schatten dieser peinlichen Knutscherei stehen?

»Wie geht es Jenna?«, frage ich, um das Eis zu brechen.

Brad nimmt den Zahnstocher mit den Oliven aus seinem Martini und betrachtet ihn. »Gut. Sieht so aus, als ob wir wieder auf Kurs sind.«

Ein Brandeisen versengt mein Herz. »Schön.«

Sein Blick ist zärtlich. »Unter anderen Umständen hätte aus dir und mir was Tolles werden können.«

Ich zwinge mich zu lächeln. »Aber wie sagt man doch: Auf den Zeitpunkt kommt es an.«

Wieder Schweigen. Brad spürt ebenfalls die Veränderung zwischen uns, das merke ich ihm an. Er spielt mit seinem Zahnstocher, taucht die Oliven in den Martini und holt sie wieder heraus. Rein, raus, rein, raus. So kann das nicht weitergehen. Das werde ich nicht zulassen! Mir ist unsere Freundschaft zu lieb und teuer, als dass ich sie wegen eines zwanzigminütigen Fehltritts aufgeben würde.

»Hör mal, Midar. Ich muss dir gestehen, dass ich an dem Abend ganz schön verzweifelt drauf war.«

Er sieht mich an. »Verzweifelt, und wie!«

Ich knuffe ihm in den Arm. »Es war schließlich Silvester. Jetzt zeig mal ein bisschen Verständnis!«

Lachfältchen bilden sich um seine Augen. »Aha. Ich war also nur ein Lustobjekt?«

»Richtig erkannt.«

Er grinst. »Na super, B. B. Das hätte ich wissen müssen.«

Ich werde ernst, fahre mit dem Finger über den Rand meines Wasserglases. »Ganz im Ernst, Brad? Ich dachte, das sei vielleicht ein Plan meiner Mutter. Verstehst du, so eine Art Postmortem-Verkuppelung, so wie sie auch den Rest meines Lebens manipuliert.«

Er dreht sich auf dem Barhocker zu mir um. »Deine Mutter wusste, dass ich vergeben bin, Brett. Sie hat Jenna und mich gemeinsam kennengelernt. Das hätte sie weder dir noch mir angetan.«

Ich habe das Gefühl, einen Schlag in die Magengrube zu bekommen. »Warum denn dann, Brad? Warum hat meine Mutter dich engagiert? Warum hat sie vorgeschrieben, dass du jeden Brief öffnen musst? Warum hat sie dafür gesorgt, dass wir ständig miteinander zu tun haben, wenn sie doch wusste, dass du vergeben bist?«

Er zuckt mit den Achseln. »Kann ich dir auch nicht sagen. Es sei denn, dass sie mich wirklich gern hatte und dachte, du würdest mich auch mögen.« Er reibt sich nachdenklich das Kinn. »Nee, das ist zu weit hergeholt.«

»Viel zu weit!«, necke ich ihn. »Aber im Ernst. Ich war mir ganz sicher, dass meine Mutter etwas zwischen uns anbahnen wollte. Sonst hätte ich niemals den Mut gehabt …« Ich merke, dass meine Wangen rot werden, und verdrehe die Augen. »… das zu tun, was ich getan habe.«

»Mich zu verführen?«

Ich grinse ihn an. »Also, wenn ich mich richtig erinnere, hast du nur eine Woche zuvor versucht, mich rumzukriegen.«

Brad schmunzelt. »Hören wir auf mit der Erbsenzählerei. Außerdem waren Weihnachtsferien. Zeig mal ein bisschen Verständnis!«

Und zack, sind wir wieder der alte Brad und B. B.

»Jenna kommt in zwei Wochen zu Besuch. Ich würde mich freuen, wenn du sie kennenlernst – falls das für dich okay ist.«

Ich lächele und meine es wirklich ernst. »Gerne!«

Er schaut über meine Schulter und weist mit dem Kinn hinter mich. »Sieht so aus, als ob unser Tisch fertig ist.«

Wir ziehen um zum Tisch am Fenster, und ich erzähle von Peter, Sanquita und meinen anderen Schülern. »Sie bekommt jetzt einen Wehenhemmer, aber ich mache mir trotzdem Sorgen.«

Brad beobachtet mich mit einem Grinsen.

»Was ist?«

»Nichts. Doch.« Er schüttelt den Kopf. »Du bist nur so anders als die Frau, die im September in meinem Büro saß. Dir macht dein Job richtig Spaß, oder?«

»Ja. Ich liebe ihn. Unglaublich, oder?«

»Trotz deines ganzen Gejammers und Gemeckers hatte Elizabeth also doch recht.«

Ich sehe ihn mit zusammengekniffenen Augen an, und er lacht.

»Hey, die Wahrheit kann wehtun.«

»Vielleicht. Aber was wäre, wenn ich diesen Hauslehrerjob nicht bekommen hätte? Wenn ich gezwungen gewesen wäre, in der Klasse zu unterrichten? Dann hätte ich einen Nervenzusammenbruch gekriegt, mit Sicherheit. Meine Mutter hatte bloß Glück.«

Brad holt einen rosa Umschlag aus seiner Jacke. Ziel Nr. 20.

»Du unterrichtest jetzt fast schon seit drei Monaten. Du hast dir deinen Umschlag verdient.« Er bricht das Siegel.

»Herzlichen Glückwunsch, liebes Töchterchen! Oh, wie gerne ich von Deiner neuen Lehrerstelle hören würde! Ich frage mich, wo Du wohl unterrichtest. Ich vermute mal, dass es keine normale

Stelle an der Schule ist, denn Du warst noch nie ein strenger Zucht-
meister.«
Ich halte die Luft an.
»Sei nicht beleidigt, Schätzchen. Maria ließ den Kindern von
Kapitän von Trapp auch völlig freie Hand, und wir liebten sie
dafür.«
Mit einem Lächeln sehe ich mich mit meiner Mutter auf dem
Sofa sitzen, zwischen uns eine Schüssel Popcorn, im Fernsehen
unser Lieblingsfilm: *Meine Lieder, meine Träume.*
»Wie auch Maria bist Du eine Idealistin, und das finde ich
wunderbar. Du bist überzeugt, wenn Du nett bist, sind auch die an-
deren nett zu Dir. Kinder fordern allerdings manchmal gerade die
Erwachsenen heraus, die einen sensiblen Eindruck machen, insbe-
sondere wenn sie ihre Freunde hinter sich wissen.«
Ich denke an die Kinder von Meadowdale, in der Gesamtschule und an Peter. »Tja, das stimmt.«
»Ich kann mir vorstellen, dass Du eine kleine Gruppe unterrich-
test oder vielleicht Nachhilfe gibst. Liege ich richtig? Wie gerne ich
das wissen würde! Egal was, ich weiß, dass Du es ganz toll machst.
Und dass Deine Schüler von Deiner Geduld und Deinem Zuspruch
profitieren. Mein Schatz, ich bin unheimlich stolz auf Dich! Du
warst eine sehr gute Werbefachfrau, aber Du bist eine hervor-
ragende Lehrerin.
Darauf wette ich Dein Leben!«
Ich lese die letzte Zeile, sie verschwimmt vor meinen Augen.
Ja, das hat sie getan. Meine Mutter hat mit hohem Einsatz gespielt, um ein Leben wieder geradezurücken, das sie für geschei-
tert hielt. Sie wollte mir mein Glück sichern, mehr nicht. Ich
hoffe nur, dass sie diese Wette nicht verliert.

Eine Woche später klingelt mein Handy auf dem Weg zur Arbeit. Im Display sehe ich, dass es Johnny ist. Was ist los? Hat
seine Prinzessin immer noch eine Triefnase? Ich halte am Straßenrand und rechne nach, dass es an der Westküste noch nicht

mal dämmert. Ein erster Schauer der Angst läuft mir über den Rücken.

»Hallo, Brett.« Seine Stimme klingt rau, als sei er erschöpft.

»Ich wollte dir nur Bescheid geben, dass Zoë im Krankenhaus ist.« Ich halte den Atem an. *Nein! Zoë ist doch nur erkältet. Wegen einer Erkältung muss man doch nicht ins Krankenhaus!* Ich umklammere das Handy. »Warum? Was ist passiert?«

»Sie hat eine Lungenentzündung – genau das, was ich befürchtet habe. Die Kleine hat schon seit der Geburt Probleme mit den Atemwegen.«

Beschämt senke ich den Kopf. Meine kleine Schwester ist krank – sehr krank. Und ich konnte an nichts anderes denken als an mich. Ich schlage die Hand vor den Mund. »Ach, John, das tut mir so leid. Wird sie sich denn wieder erholen?«

»Sie hat ein Kämpferherz. Sie wird es überstehen. Tut sie immer.«

»Was kann ich tun? Wie kann ich helfen?«

»Im Moment kann man nichts anderes tun als warten. Aber denk bitte an sie, ja?«

»Immer«, sage ich. »Nimm sie bitte für mich in die Arme. Sag ihr, sie soll stark sein, ich würde für sie beten.«

»Ach, Brett, wenn du kannst, schick doch noch ein paar Postkarten. Sie wollte sie unbedingt mit ins Krankenhaus nehmen. Alle Karten, die du geschickt hast, stehen auf ihrem Nachtschränkchen.«

Ich schließe die Augen. Und ich hatte schon daran gezweifelt, dass er Zoë die Karten überhaupt gibt. Tränen der Scham und des Kummers laufen mir über die Wangen. Meine Schwester ist ernsthaft krank, aber bis zu diesem Moment habe ich weder ihr noch meinem Vater vertraut.

22

Obwohl der Februar eigentlich der kürzeste Monat ist, kommt er mir mit seinen stürmischen grauen Tagen unendlich vor. Ich schicke Zoë Postkarten, Luftballons und Blumen und rufe jeden Tag an, um mich nach ihrem Zustand zu erkundigen. Am vergangenen Freitag wurde sie entlassen, doch am Montag schon wieder eingeliefert. Das arme Kind scheint einfach nicht kräftiger zu werden, und ich fühle mich hilflos, zweitausend Meilen entfernt.

Ich schlafe am dreizehnten Tag in Folge im Haus meiner Mutter, da die Zählung meiner Ansicht nach immer von vorn beginnt, wenn ich im Joshua House übernachtet habe. Dennoch bekomme ich jedes Mal Magendrücken, wenn ich an Joads Worte denke: *Ich dachte, dass gerade du dich an Mutters Vorgaben würdest halten wollen.* Kann es sein, dass er recht hat? Würde Mama wollen, dass ich ausziehe? Es erscheint mir so grausam nach allem, was ich verloren habe. Dabei ist meine Mutter niemals grausam gewesen.

Mit Joads Worten im Ohr fahre ich am Samstagmorgen nach Pilsen. Ich will ein bisschen durch das kleine Viertel kurven, und wenn ich wieder zu Hause bin, werde ich Joad und Brad eine E-Mail schicken, in der ich ihnen von meiner erfolglosen Suche berichte. Dann geht es uns allen besser.

Es ist viel los in dem Stadtteil. Ich habe gehört, Pilsen hätte die authentischsten mexikanischen Restaurants in der Stadt, und bei meiner Spazierfahrt durch die Einkaufsstraßen bemerke ich deutlich den hispanischen Einfluss. An einer Ecke ist eine mexikanische Bäckerei, an der nächsten ein mexikanisches Lebensmittelgeschäft. Die Gegend wirkt urtümlich, freundlich, voller Menschen, die auf der Suche nach einem besseren Leben sind … Menschen wie ich.

Am West 17th Place biege ich rechts ab und schleiche über eine Straße voller Schlaglöcher. Wie fast überall in Pilsen sind die Häuser hier hauptsächlich aus Holz gebaut und stammen aus der Vorkriegszeit. Sie befinden sich in verschiedenen Stadien des Verfalls. Ich komme an einem leeren Grundstück voller Getränkedosen und Flaschen vorbei und beschließe, dass ich genug gesehen habe.

Ich stoße einen Seufzer aus. Gut. Jetzt kann ich aufrichtig behaupten, dass ich es versucht habe. Doch bevor ich meine Entscheidung feiern und das Weite suchen kann, fällt mir ein Schild mit der Aufschrift *ZU VERMIETEN* ins Auge. Ich rolle näher und entdecke ein hübsches rotes Backsteinhaus … genau das Haus, das ich vor sechs Wochen im Internet gesehen hatte! Kaum zu glauben, dass es immer noch frei ist. Das kann nur eines bedeuten: Von innen muss es eine Katastrophe sein. Aber von außen sieht es hübsch aus.

Ich bleibe stehen. Jedes der fünf Fenster wird von einem buttergelb gestrichenen Gesims verziert, ein schmiedeeiserner Zaun umgibt das Grundstück. Ein Dutzend Betonstufen führen zu zwei Haustüren, die von Töpfen mit Weihnachtssternen aus Plastik flankiert werden. Ich lächele. Plastikblumen! Aber die Botschaft ist klar: Der Besitzer ist sehr stolz auf sein Häuschen.

Ich trommele mit den Fingern aufs Lenkrad. Sicher sieht das süß aus, aber möchte ich wirklich Mamas wunderschönes Brownstone gegen dieses Haus tauschen? Ich fühle mich so wohl auf der Astor Street, so sicher und sesshaft. Das hat sich meine Mutter doch bestimmt für mich gewünscht.

Als ich wieder losfahren will, kommt eine junge Frau aus der linken Haustür und schließt hinter sich ab. Ich trete auf die Bremse und beobachte sie. Ihre roten Schuhe haben mindestens zehn Zentimeter hohe Absätze. Ich zucke zusammen, als sie die

Treppenstufen hinunter hüpft, und bete, dass sie nicht umknickt und hinfällt. Sie hat sich trotz ihrer Pfunde in eine hautenge schwarze Jeans gequetscht, dazu trägt sie eine glänzend goldene Jacke, die für einen solch eisigen Tag zu dünn aussieht.

Sie schafft es ohne Zwischenfall die Treppe hinunter und macht ein paar Schritte, bis sie mich im Auto entdeckt. Bevor ich den Blick abwenden kann, lacht sie und winkt mir zu, eine so offene und vertrauensselige Geste, dass ich intuitiv reagiere und die Fensterscheibe herunterlasse.

Aus der Nähe sehe ich den Aufdruck *BJHS MARCHING BAND* auf der linken Seite ihrer Jacke: *Benito-Juarez-Highschool.*

»Hallo«, sage ich. »Entschuldigen Sie die Störung, aber ist die Wohnung immer noch zu vermieten?«

Sie nimmt einen Klumpen Kaugummi aus dem Mund und wirft ihn in eine Schneewehe, dann stützt sie sich mit den Armen im Fenster ab. Sie hat schwere goldene Ringe in den Ohren, daneben noch mindestens sechs weitere Stecker in verschiedenen Größen und Formen. »Ja, sie ist zu vermieten, aber warum sagen Sie *immer noch*?«

»Ich habe sie schon vor ein paar Wochen im Internet gesehen.«

Sie schüttelt den Kopf. »Nicht unser Haus. Wir haben das Schild erst vor zwei Stunden aufgestellt. Und Sie können mir glauben, meine Mutter hat keine Ahnung, wie man was ins Internet setzt.«

Ich bin überzeugt, dass sie sich irrt, dennoch stellen sich die Härchen auf meinen Armen auf. »Ihre Mutter ist die Vermieterin?«

»Ja, und zwar die beste der Welt!« Sie grinst breit. »Zumindest sage ich ihr das immer. Wir sind letzte Woche erst mit den Renovierungen oben fertig geworden, wir haben noch nie an jemanden vermietet.«

Ich lächele, lasse mich von ihrer Energie anstecken. »Ein schönes Häuschen. Sie werden keine Probleme haben, einen Mieter zu finden.«

»Suchen Sie was?«

»Hm, ja, schon. Aber ich habe einen Hund«, füge ich schnell hinzu.

Das Mädchen faltet die Hände so inbrünstig, dass ich Angst habe, ihre orange lackierten Fingernägel könnten abbrechen. »Wir lieben Hunde! Solange sie nicht aggressiv sind. Wir haben einen Yorkie. Er ist so süß! Passt in meine Handtasche, wie der Chihuahua von Paris Hilton. Kommen Sie doch herein! Meine Mutter ist zu Hause, dann können Sie sie gleich kennenlernen. Das Apartment ist wirklich super! Das müssen Sie sich angucken!«

Sie redet so schnell, dass ich einen Moment brauche, um alles zu verarbeiten. Ich werfe einen kurzen Blick auf die Uhr. Es ist noch nicht mal zwölf. Was habe ich sonst zu tun?

»Na, gut. Gerne. Wenn es Ihre Mutter wirklich nicht stört.«

»Stört? Die wird total hin und weg sein. Aber sie spricht leider nicht viel Englisch.«

Blanca und Selina Ruiz sehen eher wie Schwestern als wie Mutter und Tochter aus. Ich nehme Blancas weiche braune Hand, und sie führt mich die Treppe aus Walnussholz hinauf. Am Treppenabsatz oben schließt sie die Wohnung auf, tritt beiseite und macht eine einladende Handbewegung.

Das kleine Apartment erinnert mich an ein Puppenhäuschen, das an diesem kalten grauen Tag eher gemütlich als überfrachtet wirkt. In dem großen Zimmer steht ein alter Kamin aus Marmor, an der hinteren Wand erstreckt sich eine nagelneue Küchenzeile. Dahinter ist das Schlafzimmer, kaum größer als der begehbare Kleiderschrank meiner Mutter. Vom Schlafzimmer führte eine Tür in ein rosa und schwarz gefliestes Badezimmer mit einem Säulenwaschtisch und einer Wanne mit Löwenfüßen. Das gesamte Apartment würde ins Wohnzimmer meiner Mutter passen. Wie bei ihr sind die Böden aus Hartholz und die Wände mit Stuck verziert. Blanca beobachtet mich, nickt und lächelt, während Selina mir jedes Detail erklärt.

»Ich habe den Badezimmerschrank ausgesucht. Er ist von Ikea. Die haben richtig gute Sachen.«

Ich öffne den Schrank und spähe hinein, als würde seine Qualität meine Entscheidung beeinflussen. In Wirklichkeit ist es völlig egal, wie der Schrank aussieht. Ich habe mich längst entschieden.

»Gefällt Ihnen dieser Lichtschalter? Ich habe zu meiner Mutter gesagt: bloß kein Messing.«

»Wunderschön«, sage ich übertrieben begeistert.

Blanca klatscht in die Hände, als hätte sie mich verstanden, und sagt etwas auf Spanisch zu ihrer Tochter. Selina schaut mich an.

»Sie mag Sie. Sie möchte wissen, ob Sie hier gerne wohnen würden.«

Ich lache. »Ja. Gerne. *Sí! Sí!*«

Während ich den Mietvertrag unterschreibe, erzählt mir Selina, dass sie die erste in ihrer Familie ist, die in Amerika geboren wurde. Ihre Mutter wuchs in einem Dorf außerhalb von Mexico City auf und kam mit ihren Eltern und drei jüngeren Geschwistern in die Vereinigten Staaten, als sie siebzehn war.

»Bevor sie sich bei einer Highschool anmelden konnte, stellte sie fest, dass sie mit mir schwanger war. Wir wohnten mit meinen Tanten, Onkeln und Großeltern in einem winzigen Haus direkt um die Ecke. *Mis abuelos* – meine Großeltern – leben immer noch dort.«

»Wann sind Sie hierher umgezogen?«

»Vor gut einem Jahr. Meine Mutter arbeitet als Köchin eine Straße weiter im El Tapatio. Sie hat mir immer gesagt, dass wir eines Tages unser eigenes Haus bekommen würden. Als das hier vor einem Jahr zwangsversteigert wurde, war sie platt, dass sie genug Geld für die Anzahlung gespart hatte. Wir haben sieben Monate gebraucht, um das Apartment zu renovieren, aber wir haben es geschafft, nicht, Mama?«

Sie legt ihrer Mutter einen Arm um die Schulter, und Blanca strahlt vor Stolz, als hätte sie die gesamte Unterhaltung verstanden.

Ihre Geschichte hat so viel Ähnlichkeit mit der meiner Mutter, dass ich ihnen davon erzählen will. Dann überlege ich es mir doch anders. In Wirklichkeit ist es eine völlig andere Geschichte, und wieder einmal erkenne ich demütig, wie viel Glück ich gehabt habe.

Den Rest des Wochenendes packe ich meine Kleidung zusammen und fahre Umzugskartons nach Pilsen. Am Montagnachmittag laden dieselben Möbelpacker, die im vergangenen November Andrews Loft ausgeräumt haben, ein paar kümmerliche Möbel aus meinem alten Kinderzimmer ein und transportieren sie zu meiner neuen Wohnung. Ich war versucht, Mamas schmiedeeisernes Bett mitzunehmen, aber es ist viel zu groß für mein kleines Apartment. Außerdem gehört es in das Haus. So wird es auf mich warten, wenn ich zu Besuch bin, genau wie Mama früher.

Stattdessen tragen die Möbelpacker mein altes Kinderbett die Treppe hoch, ebenso meine Kommode aus Kirschholz. Ich weise sie an, den alten Zweisitzer vor dem Kamin abzustellen, eingerahmt von zwei nicht zueinander passenden Beistelltischchen. Ein zerkratzter Couchtisch vom Dachboden passt perfekt vors Sofa, und die Terracottalampe aus den Siebzigern, die ich in einem Secondhandladen gefunden habe, sieht schon fast wieder hip aus.

Aus einem Pappkarton hole ich vier Schüsseln und Teller, die ich mir von meiner Mutter geborgt habe. Ich stelle sie in meinen neuen Schrank, dazu ein paar Küchenutensilien, die übrig waren, und mehrere Töpfe und Pfannen. Im Badezimmer reihe ich meine Kosmetiksachen auf und lege drei Sets Handtücher in den hübschen Ikea-Schrank.

Als die Möbelpacker fort sind und auch die letzte Kiste geleert ist, zünde ich ein halbes Dutzend Kerzen an und entkorke eine Weinflasche. Goldgelb glüht das Zimmer im Licht der Kerzen und der Terracottalampe. Mit Rudy zu meinen Füßen mache ich es mir mit einem Buch auf der Couch gemütlich. Musik aus meinem Laptop erfüllt den Raum. Es dauert nicht lange, da schlafe ich tief und fest in meiner schnuckeligen kleinen Wohnung in Pilsen.

Der März steht vor der Tür, und langsam kommt Panik auf. Die Hälfte der Zeit bis zur Frist im September ist abgelaufen, und ich habe erst fünf meiner zehn Ziele erreicht. Ich hoffe natürlich, dass ich eine Beziehung zu meinem Vater aufbauen kann, aber die anderen vier Ziele erscheinen mir unmöglich. In den nächsten sechseinhalb Monaten muss ich mich verlieben, ein Baby bekommen, ein Pferd kaufen und ein schönes Haus erwerben. Abgesehen von der albernen Mähre liegt keines dieser Ziele in meiner Hand.

Um mich ablenken zu lassen, fahre ich nach Evanston. Obwohl es immer noch unter null Grad ist, kündet der helle Sonnenschein bereits vom Frühling. Das Autofenster einen Spaltbreit geöffnet, atme ich die frische Luft ein und sehne mich plötzlich nach meiner Mutter. Ihre Lieblingsjahreszeit findet dieses Jahr ohne sie statt. Die Jahreszeit der Hoffnung und Liebe, sagte sie immer.

In weißer Bluse und Leggings öffnet Shelley mir die Tür. Sie hat ein wenig Lipgloss aufgelegt, die Locken fallen ihr weich bis zum Kinn.

»Du siehst süß aus«, sage ich und nehme ihr meine schlafende Nichte aus den Armen.

»Ich zeig dir mal niedlich«, erwidert sie und führt mich in ihre sonnendurchflutete Küche. »Wenn Trevor aufwacht, muss er dir dieses Lied vorsingen, das wir gelernt haben: ›Fünf kleine Raupen‹. Das ist so niedlich!« Sie schmunzelt. »Bei ihm heißen sie natürlich Waupen.«

Ich wundere mich, dass Shelley sich über das bisher immer heikle Problem lustig macht, und verstehe es als einen Schritt nach vorn. »Aber kann er es auch auf Chinesisch singen?« Sie grinst. »Schluss mit Chinesisch und Müttertreffen.« Sie gießt die Teekanne voll. »Ich habe gestern meine ehemalige Vorgesetzte angerufen. Im Mai kann ich wieder arbeiten gehen.«

»Oh, Shelley, das ist ja super! Was hat denn das Fass zum Überlaufen gebracht?«

Sie holt zwei Tassen aus dem Schrank. »Ich glaube, es lag an dem Wochenende in New Orleans, das du uns vorgeschlagen hast. Jay und ich waren endlich mal wieder ein Paar, nicht nur Mami und Papi. Als wir schließlich packen mussten, fing ich an zu weinen.« Shelley sieht mich an. »Das würde ich vor niemandem sonst zugeben, nur vor dir und Jay. Ich liebe meine Kinder von ganzem Herzen, aber die Vorstellung, den lieben langen Tag nichts anderes machen zu können, als *Die Raupe Nimmersatt* und *Der Regenbogenfisch* vorzulesen, hat mich fertig gemacht. Ich habe Jay gebeichtet, dass ich mit meiner neuen Rolle nicht glücklich bin. Und dein Bruder sagte einfach: ›Dann geh doch wieder arbeiten.‹ Keine Verurteilung, keine Schuldgefühle. Letzte Woche hat er mit seinem Vorgesetzten gesprochen. Er wird beurlaubt. Er macht das Semester noch zu Ende, danach nimmt er sich ein Jahr frei. Dann sehen wir, wie es weitergeht.«

»Das heißt, Jay wird Hausmann?«

Shelley zuckt mit den Schultern. »Er will es versuchen. Und weißt du was? Ich glaube, er wird das super machen. Auf jeden Fall hat er mehr Geduld als ich.«

Wir sitzen am Küchentisch, trinken Tee und lachen wie früher, als Jay in Jogginghose und Sweatshirt hereinkommt. Er hat ein rotes Gesicht vom Laufen und grinst, als er mich erblickt.

»Hey! Wie geht's meiner Lieblingsschwester?« Er legt seinen iPod auf die Küchentheke und geht zum Waschbecken. »Schatz, hast du Brett wegen nächstem Samstag gefragt?«

»Wollte ich gerade.« Shelley sieht mich an. »Wir wollten dir einen Vorschlag machen. In Jays Abteilung gibt es einen neuen Mitarbeiter, Dr. Herbert Moyer. Ein Spitzenprof, den sie von der Penn geholt haben.«

Jay trinkt ein Glas Wasser und wischt sich den Mund ab. »Ein weltweit anerkannter Experte für die byzantinische Eroberung Bulgariens.«

Ich werfe Shelley einen fragenden Blick zu: *Was?!?* Sie grinst und zuckt mit den Achseln. »Er hat noch nicht viele Freunde in Chicago.«

»Ein Skandal«, sage ich gespielt entsetzt.

Jay scheint meine Ironie nicht zu bemerken. »Wir dachten, es wäre nett, ihn dir vorzustellen. Zum Beispiel, wenn ihr beide zum Abendessen kommt.«

Ein Blind Date mit einem byzantinischen Langeweiler finde ich ungefähr so attraktiv wie Shelley die Mütterclique. »Danke, aber ich verzichte lieber.«

Shelley wirft mir einen Seitenblick zu. »Wie, triffst du dich mit jemandem?«

Ich streiche Emma übers Haar und überdenke mein Liebesleben seit der Trennung von Andrew. Ein armseliger falscher Alarm mit Brad ... das war's. Keine einzige Verabredung. Trauriger könnte es nicht sein! Ich richte mich auf dem Stuhl auf, um ein klein wenig Stolz zu vermitteln. Gerade noch rechtzeitig fällt mir Dr. Taylor ein.

»Es gibt jemanden, mit dem ich viel telefoniert habe. Der Arzt von einem meiner Schüler. Wir haben schon mehrmals versucht, uns zu treffen, aber bisher kam immer etwas dazwischen.«

Shelley macht ein finsteres Gesicht. »Dieser Witwer, von dem du mir erzählt hast? Das ist doch nicht dein Ernst!«

Ich recke das Kinn empor. »Zufällig ist er wirklich nett.«

Jay wuschelt mir durchs Haar. »Das ist Professor Hastig auch.« Grinsend lässt er sich auf den Stuhl neben mir fallen. »Lern Herbert doch einfach mal kennen. Das bringt dich doch nicht um. Außerdem drängt doch die Zeit, oder?«

»Erinnere mich bloß nicht daran!« Ich schnaube. »Diese letzten fünf Ziele machen mich fertig. Mich in den Richtigen zu verlieben und ein Kind zu bekommen, sind zwei der größten Ereignisse im Leben eines Menschen. Man geht nicht einfach los und beschließt es, und *wumm!* passiert es auch schon. Das sind Herzensangelegenheiten. Die kann man nicht abhaken wie Eier und Käse auf einem Einkaufszettel.«

»Genau«, sagt Shelley. »Und deshalb ist es wichtig, wieder auf dem Markt zu sein. Das steigert doch nur deine Chancen! Je mehr Männer du kennenlernst, desto größer wird die Wahrscheinlichkeit, den Richtigen zu finden, jemanden, den du wirklich liebst.«

»Oh, das ist aber romantisch.« Ich drücke Emma einen Kuss auf den Kopf. »Was ist das denn überhaupt für ein Typ, dieser Herbert? Wer nennt seinen Sohn eigentlich Herbert?«

»Offensichtlich sehr reiche Menschen«, sagt Jay. »Sein Vater besitzt über dreißig Patente. Sie haben Häuser an jeder Küste, dazu eine eigene Insel in der Karibik. Herbert ist ein Einzelkind.«

»Für jemanden wie mich wird der sich nicht interessieren. Ich bin Lehrerin. Ich wohne in Pilsen, Herrgott nochmal!«

Shelley winkt ab. »Das ist nur vorübergehend. Jay hat ihm von dem aufgeschobenen Erbe erzählt.«

Mir fällt die Kinnlade herunter. »Was?« Ich sehe Jay an. »Warum hast du das getan?«

»Du willst doch, dass er weiß, in welcher Liga du spielst, oder?«

Ein unbehagliches Gefühl macht sich in mir breit. Bin ich früher genauso gewesen? Habe ich Menschen danach bewertet, wo sie wohnen oder wie viel Geld sie verdienen? So ungern ich es auch zugebe – wahrscheinlich ja. War nicht immer eine der ersten Fragen, wenn ich jemanden kennenlernte: *Was machen Sie so beruflich?* War es nur ein Zufall, dass alle Freunde, mit denen Andrew und ich uns trafen, wohlhabend, gesund und attraktiv waren? Ich erschaudere. Kein Wunder, dass meine Mutter mich zwingen wollte, andere Wege einzuschlagen, runter von der ober-flächlichen, schnelllebigen Autobahn, über die ich raste. Der Weg, den ich jetzt nehme, ist vielleicht langsamer und die Land-schaft nicht annähernd so spektakulär, aber zum ersten Mal seit Jahren macht mir das Fahren Spaß.

»Wenn er etwas dagegen hätte, mit der Frau auszugehen, die ich heute bin, will ich ihn gar nicht kennenlernen.«

Shelley schüttelt den Kopf. »Jetzt hast *du* aber große Vorur-teile. Nimm's locker. Ist doch nur ein Abend. Ich dachte an nächsten Samstag ...«

Zu meinem Glück unterbricht mein Handy das weitere Pläne-schmieden. Ich schiele aufs Display.

»Ich muss mal kurz drangehen. Das ist Johnny.« Ich kann mich noch nicht so richtig daran gewöhnen, ihn John zu nennen.

Jay nimmt mir Emma ab und Shelley geht zur Spüle, um den Teekessel nachzufüllen.

»Hallo, John«, begrüße ich meinen Vater. »Wie geht es Zoë?«

»Hallo, Brett, ich habe gute Nachrichten. Ich glaube, wir konnten den Teufelskreis jetzt endlich durchbrechen. Zoë kommt nach Hause, und zwar endgültig.«

»Super!«, freue ich mich und halte Shelley den ausgestreckten Daumen hin. »Du musst ja so erleichtert sein.«

»Allerdings. Und wir würden uns sehr freuen, wenn du uns besuchen würdest.«

Ich bin überrascht. »Wirklich?«

»Es wäre im Moment einfacher, wenn du zu uns kommen wür-dest, falls das bei dir geht. Ich schicke dir das Flugticket.«

»Nein, nein, das ist kein Problem.«

»Hör zu, ich bestehe darauf. Was meinst du? Kannst du ein paar Tage erübrigen?«

Ich beiße mir auf die Lippe, damit mein Grinsen nicht mein ganzes Gesicht verzerrt. »Ich habe ein paar Tage Sonderurlaub, die ich dafür nutzen könnte. Vielleicht im März, wenn Zoë sich wieder eingelebt hat?«

»Hört sich gut an. Wir können es nicht erwarten, dich kennenzulernen. So, jetzt muss ich zurück zu Zoë. Ihr Arzt müsste jede Minute mit den Entlassungspapieren kommen. Guck mal nach den Flügen und sag mir Bescheid.«

Ich lege auf. Mir ist ganz schwindelig, ich habe Angst, jeden Moment umzukippen.

»Alles klar?«, fragt Jay.

Ich nicke. »Ich treffe endlich meinen Vater! Und meine Schwester!«

Shelley kommt zu mir. »O Brett! Das ist ja wunderbar!«

»Du hast einen Lauf«, sagt Jay. »Lern Herbert kennen, dann hast du einen Dreier.«

23

Am nächsten Samstag nehme ich die vierzigminütige Fahrt mit Bus und Bahn ins Zentrum auf mich, um eine gute Flasche Wein für das Abendessen bei Jay und Shelley zu besorgen ... mit Herbert. Jedes Mal, wenn ich an die verfluchte Verabredung denke, sackt mir das Herz in die Hose. Ich bin zu alt für solche Aktionen. Schon wenn ich mich früher mit Männern getroffen habe, waren die Blind Dates immer unerträglich. Sie sind die unterste Sprosse auf der Kennenlernleiter. Blind Dates sind lediglich eine Lektion in Demütigung, eine Möglichkeit zu sehen, was man nach der Meinung anderer Leute verdient hat.

Meine mühsame Fahrt in die Stadt ist erfolgreich, und um ein Uhr verlasse ich Fox & Obel mit einer Flasche argentinischem Malbec von 2007. Die verräterische braune Papiertüte unter den Arm geklemmt, trotte ich zurück zum Bahnhof.

Es herrscht Hochbetrieb. Die Menschenmasse schiebt mich bis zum Engpass an den Drehkreuzen. Da entdecke ich ihn: den Burberry-Mann! Der Typ, der mich mit Kaffee bekleckert hat. Seit er Thanksgiving mit seinem schwarzen Labrador am Lake Michigan entlang lief, hab ich ihn nicht mehr gesehen. Er ist schon durch das Drehkreuz und geht bereits die Treppe zum Bahnsteig hinunter.

Ich schlängele mich an den Menschen vorbei, passiere das Drehkreuz. Die Zeit läuft mir weg! Ich drängele in Richtung Treppe, weiche einer Gruppe Touristen aus, recke den Hals, um einen Blick auf den Mantel zu erhaschen. Das Herz pocht mir bis zum Hals. Wo ist er nur? Ich fahre die Rolltreppe hinunter, überhole die Stehenden links, halte weiter Ausschau nach dem Mantel. Als ich auf halber Höhe bin, höre ich einen Zug rattern. Auf der linken Seite des Bahnsteigs unter mir setzen sich die Menschen in Bewegung. Sie greifen zu ihren Taschen, klappen ihre Handys zu, gehen dem sich nähernden Zug entgegen. Da ist er! Er steht am Gleis und will in den Zug nach Norden einsteigen. Er hat sein Telefon am Ohr und lächelt. Mein Herz tut einen kleinen Hüpfer. Vielleicht kann ich den Zug noch erreichen? Ist doch egal, wenn er in die falsche Richtung fährt! Ich könnte den Burberry-Mann endlich kennenlernen!

»Entschuldigung«, sage ich zu dem Mädchen vor mir. Sie hört laute Musik auf dem iPod, so dass sie mich nicht verstehen kann. Ich klopfe ihr auf die Schulter und schiebe mich an ihr vorbei. Sie schimpft. Ich quetsche mich an anderen Bummelanten vorbei, bis ich fast das Ende der Rolltreppe erreicht habe. Da gehen die Türen des Waggons auf. Zuginsassen steigen aus, und einen Augenblick lang habe ich Burberry verloren. Leichte Panik überfällt mich. Dann entdecke ich ihn wieder. Er ist größer als die meisten, sein gewelltes Haar ist dunkelbraun. Er macht einer älteren Frau Platz. Ich springe die letzten Stufen der Rolltreppe hinunter. Fast alle Passagiere sind eingestiegen. Ich erreiche den Bahnsteig und hetze über den schmalen Betonstreifen zum Abteil des Burberry-Mannes.

In dem Moment ertönen der doppelte Glockenton und die Stimme vom Band: »Türen schließen.« Ich laufe noch schneller, schneller geht es fast nicht mehr.

In dem Moment, als ich die Tür erreiche, schließt sie sich. Ich schlage gegen die Plexiglasscheibe.

»Aufmachen!«, rufe ich.

Der Zug fährt los, durch das Glas kann ich den Burberry-Mann sehen. Ich glaube, er beobachtet mich. Ja, das stimmt! Er winkt mir zu.

Ich winke zurück und frage mich, ob es ein Willkommen oder ein Abschied ist.

Die Gedanken an den geheimnisvollen Mann lassen mich auch auf der späteren Autofahrt zu Shelley und Jay nicht los. Was wäre, wenn sich herausstellt, dass der schöne Mann im Burberry-Mantel niemand anders als Herbert Moyer ist? In wenigen Wochen werde ich meinen Vater und meine Schwester treffen – das heißt, alles ist möglich! Ich lache über meine Dummheit, aber mein Magen zieht sich zusammen, als ich in die Auffahrt von Jay und Shelley einbiege. Es ist so lange her, dass ich mit einem fremden Mann zu tun hatte. Worüber sollen wir sprechen? Was, wenn er enttäuscht ist?

Mit klopfendem Herzen gehe ich hoch zum Haus. Warum habe ich mich bloß darauf eingelassen? Doch ich kenne die Antwort. Ich habe mich einverstanden erklärt, Herbert kennenzulernen, weil ich mich in den nächsten sechs Monaten in den Richtigen verlieben und Kinder bekommen muss. Frustriert stoße ich den Atem aus und drücke auf die Klingel.

»Ist da jemand?«, rufe ich und öffne die Tür.

»Hereinspaziert!« Jay kommt mir entgegen und mustert mich vom Scheitel bis zur Sohle. »Wow! Wenn du nicht meine Schwester wärst, würde ich sagen, du siehst heiß aus.«

Ich habe einen schwarzen Rock mit Strumpfhose angezogen, dazu einen engen Pulli und die hohen schwarzen Pumps. Ich drücke meinem Bruder ein Bussi auf die Wange und flüstere: »So viel Mühe für einen Typ namens Herbert. Hoffentlich ist das Essen wenigstens gut.«

Ich höre Schritte hinter mir. Als ich mich umdrehe, erscheint ein Mann im Eingang, der wie ein griechischer Gott aussieht.

»Dr. Moyer«, sagt Jay. »Das ist meine Schwester Brett.«

Mit ausgestreckter Hand kommt er auf mich zu. Er ist groß, männlich und sanft, alles zugleich. Seine klaren blauen Augen versinken in meinen, als wir uns begrüßen. Alle Gedanken an den Burberry-Mann sind verschwunden.

»Hallo, Brett!« Beim Lächeln werden seine gemeißelten Gesichtszüge warmherzig und freundlich.

262

»Hi, Herbert.« Ich starre ihn tumb an. Das ist also der Typ Mann, den ich nach Ansicht meines Bruders verdient habe? Ich fühle mich außerordentlich geschmeichelt.

Dr. Moyers Manieren sind so tadellos wie sein Armani-Sakko. Ich beobachte, wie er seinen Brandy nach dem Essen im Glas schwenkt, den Kristallstiel lässig zwischen Zeige- und Mittelfinger. Edelstes Material. Null Verunreinigung. Meilenweit entfernt vom Gespräch der Männer über das antike Griechenland, nippe ich an meinem Brandy und denke, wie wenig sein Name zu seinem wunderschönen Äußeren passt.

»Herbert«, murmele ich vor mich hin.

Drei Augenpaare schauen mich fragend an.

Ermutigt durch die zwei Gläser Wein und den Brandy frage ich ganz stumpf: »Woher haben Sie den Namen? Herbert?«

Auf der anderen Seite des Tisches reißt mein Bruder ungläubig die Augen auf. Shelley tut so, als studiere sie das Etikett auf der Brandyflasche. Herbert lacht nur.

»Das ist eine Familiensache«, erklärt er. »Ich wurde nach meinem Großvater Moyer benannt. Immer mal wieder habe ich es mit Spitznamen versucht, aber Herbie klang mir einfach zu sehr nach Käfer, und Bert, nun ja, das kam gar nicht in Frage. Wissen Sie, mein bester Freund in der Schule war ein Junge namens Ernest Walker, und wir waren nicht gerade die coolsten Flaschen im Schrank. Man kann sich die ganzen Witze über Ernie und Bert vorstellen, die wir uns hätten anhören müssen, wenn ich mich Bert hätte nennen lassen.«

Ich lache. Was soll ich sagen? Gutaussehend *und* lustig.

»Und bei euren richtigen Namen kamen diese Idioten nie auf die *Sesamstraße?*«, fragt Jay.

»Nee.« Er beugt sich vor und hebt den Zeigefinger, als stände er an einem Rednerpult. »Obwohl sie, genau genommen, keine Idioten, sondern Schwachköpfe waren. Ein Idiot ist nämlich ein dummer Mensch, dessen geistiges Alter unter drei Jahren liegt, während ein Schwachkopf ein dummer Mensch ist, dessen geistiges Alter zwischen sieben und zwölf Jahren angesiedelt ist.«

Sprachlos sehen wir drei ihn an. Schließlich lacht Jay und klopft Herbert auf den Rücken. »Jetzt mal halblang, Sie Besserwisser!« Kopfschüttelnd greift er zur Brandyflasche. »Noch was zu trinken?«

Es ist schon nach zwölf, als wir uns von Jay und Shelley verabschieden. Herbert bringt mich zum Auto. Wir stehen unter einem sternenübersäten Himmel, ich stopfe die Hände in die Manteltaschen.

»Das war nett«, sage ich.

»Und wie! Ich würde Sie gerne wiedersehen. Haben Sie nächste Woche vielleicht Zeit?«

Ich warte darauf, dass mein Herz einen Hüpfer macht, aber es schlägt einfach so gleichmäßig weiter wie zuvor. »Ich hätte am Mittwochabend frei.«

»Könnte ich Sie zum Essen einladen, so um sieben vielleicht?«

»Ja, gerne!«

Er beugt sich vor, gibt mir einen Kuss auf die Wange und öffnet mir die Autotür. »Ich rufe am Montag an, ob es dabei bleibt. Gute Fahrt!«

Ich fahre los und frage mich, was meine Mutter von Herbert halten würde. Wäre er die Sorte Mann, die sie als meinen zukünftigen Ehemann und Vater meiner Kinder auswählen würde? Ich glaube schon. Hat sie ihre Finger im Spiel? Ich könnte es mir vorstellen.

An einer Kreuzung bleibe ich stehen und schaue nach links und rechts. Da entdecke ich sie auf dem Beifahrersitz: die Flasche Malbec, für die ich quer die Stadt gefahren bin. Ich habe sie vergessen. Was für ein sinnloser Ausflug – abgesehen von der Begegnung mit meinem Burberry-Mann.

Die nächsten drei Wochen schmelzen so schnell dahin wie die letzten Schneehaufen. Wie verabredet, gehen Herbert und ich am Mittwochabend zusammen essen, worauf Dutzende von Telefongesprächen und sechs weitere Treffen folgen, jedes etwas interessanter als das vorige. Er besitzt sehr viele Eigenschaften, die ich herrlich finde, zum Beispiel verzieht er, wenn ich ihm eine lustige Geschichte erzähle, die Mundwinkel zu einem Lächeln, noch bevor ich zur Pointe komme. Auch legt er Wert darauf, mich spätabends anzurufen, weil er möchte, dass ich der letzte Mensch bin, mit dem er spricht, bevor er einschläft.

Aber andere Sachen – Kleinigkeiten, unbedeutende Spleens – treiben mich fast in den Wahnsinn. Beispielsweise bezeichnet er sich selbst immer als *Doktor* Moyer, wenn er sich jemandem vorstellt, als ob die Bedienung oder der Kellner seinen Titel wissen müsste. Und wenn die Leute davon ausgehen, dass er Mediziner ist, kein Doktor in Geschichte, klärt er sie nicht auf.

Aber war ich nicht diejenige, die Megan und Shelley erzählte, das Leben sei kein Wunschkonzert? Dass wir alle versuchen müssen, es so gut wie möglich zu leben und Kompromisse zu machen? Und es ist ziemlich ungerecht, Herbert als Kompromiss zu bezeichnen. Objektiv betrachtet, ist er in jeder Hinsicht der große Wurf.

Gestern feierten wir den größten und wildesten Feiertag in Chicago, den Saint Patrick's Day. Anders als Andrew, der mit mir und einer Horde von Freunden grünes Bier am smaragdgrün gefärbten Fluss trank, servierte Herbert mir ein irisches Fondue bei Kerzenlicht. Es fühlte sich sehr erwachsen und etepetete an. Für danach hatte er den Film *Once* ausgeliehen, eine romantische Geschichte, die in Dublin spielt. Ich lag in seinem Arm auf dem Sofa und staunte über seine Zuvorkommenheit. Später standen wir auf der Dachterrasse und blickten auf den mondbeschienenen Lake Michigan. Eine Brise kam auf, und Herbert schlang seinen Mantel um mich. Mich eng an seine Brust gedrückt, zeigte er mir die Sternbilder.

»Die meisten Menschen nennen den Großen Wagen ein Sternbild, aber tatsächlich ist er nur eine Sternengruppe. Die Sterne des Wagens gehören zum größeren Sternbild des Großen Bären.« »Aha«, machte ich und bestaunte den sternenübersäten Himmel. »Stell dir vor, nächsten Donnerstag bin ich oben in der Luft und fliege nach Seattle.«

»Du wirst mir fehlen«, sagte er und streifte mein Haar mit der Wange. »So langsam gewinne ich dich wirklich lieb, weißt du das?«

Ich musste kichern, bevor ich mich zusammenreißen konnte. »Also echt, Herbert: du gewinnst mich lieb? Wer spricht denn heute noch so?«

Er sah mich an, und ich dachte, ich sei zu weit gegangen. Doch dann verzog er die Lippen zu einem Lachen und zeigte mir seine strahlend weißen Zähne. »Schon gut, Klugscheißerchen, ich bin also nicht so richtig hip. Willkommen in der Welt der Streber!«

Ich lächelte. »In der Welt der Streber?«

»Ja. Falls du es noch nicht gehört hast: Wir Streber sind zufällig das bestgehütete Geheimnis in der Welt der Partnervermittlung. Wir sind klug und erfolgreich, wir betrügen nicht. Verdammt, wir sind einfach nur froh, wenn uns überhaupt jemand mag.« Er schaute hinab auf den See. »Und wir eignen uns hervorragend zum Heiraten.«

Vier Jahre lang konnte ich Andrew nicht dazu bringen, das Wort mit H auszusprechen. Und da stand Herbert und machte nach nur sechs Treffen so eine Anspielung.

Ich drückte mich enger an ihn. »Ich glaube, mir gefällt die Welt der Streber«, sagte ich. Und meinte es ernst.

Die hellen Strahlen der Morgensonne fallen durch mein Bürofenster. Summend packe ich meine Tasche für den vor mir liegenden Tag. Ich suche nach einem Malkasten mit Wasserfarbe für mein neues Vorschulkind, da klingelt das Telefon. Es ist Garrett.

»Ich bin froh, dass ich Sie noch erwischt habe, bevor Sie das Büro verlassen. Peter hatte gestern Abend wieder einen Wutanfall. Autumn konnte ihn nicht beruhigen. Zum Glück hörten die Nachbarn den Tumult und eilten zu Hilfe. Ich möchte mir gar nicht vorstellen, was hätte passieren können.«

»O nein! Die arme Autumn.« Ich reibe mir über die Arme, stelle mir die furchtbare Szene vor.

»Ich habe eben gerade mit den Leuten von ›Neue Wege‹ gesprochen. Sie haben sich einverstanden erklärt, kurzfristig einen Platz für Peter freizumachen. Er kommt noch diese Woche dorthin, aber schon von heute an gibt es keinen Unterricht mehr zu Hause.«

Eine überraschende Melancholie überfällt mich. Trotz allem hatte ich noch auf einen glücklichen Ausgang gehofft – auf Fortschritte von Peter, so dass er zu seiner alten Schule zurückkehren könnte, die Schule mit den normalen Kindern, die nicht zweimal am Tag zur Therapie müssen.

»Aber ich konnte mich nicht mal von ihm verabschieden.«

»Ich richte es ihm aus.«

»Erinnern Sie ihn bitte daran, wie klug er ist, und sagen Sie ihm, dass ich ihm alles Gute wünsche.«

»Auf jeden Fall.« Garrett hält inne, und als er weiterspricht, ist seine Stimme sanft. »Man lernt bei solchen Fällen, dass man nicht alle retten kann. Es ist eine harte Lektion, besonders für jemanden wie Sie, der jung und idealistisch ist. Ich war genauso, als ich meine Praxis damals eröffnete.«

»Ich habe das Gefühl, Peter im Stich zu lassen«, sage ich. »Wenn ich vielleicht mehr Zeit gehabt hätte ...«

»Nein«, sagt Garrett bestimmt. »Es tut mir leid, Brett, aber ich lasse nicht zu, dass Sie an sich zweifeln. Sie haben alles in Ihrer Macht Stehende für Peter getan, sogar mehr als das. Und Sie sind auch mir eine sehr große Hilfe gewesen. Ich habe wirklich gerne mit Ihnen zusammengearbeitet.«

»Ich auch mit Ihnen.« Meine Stimme bricht. Erschüttert bekomme ich kein Wort mehr heraus, weil ich weiß, dass ich jetzt nichts mehr mit diesem Mann zu tun haben werde, dem ich vertraue und der mir ans Herz gewachsen ist. Ich räuspere mich. »Ich möchte mich bei Ihnen bedanken. Sie waren wirklich für mich da, nicht nur im Hinblick auf Peter, sondern auch bei allem anderen, was ich durchgemacht habe.«

»War mir ein Vergnügen. Wirklich.« Er zögert kurz und spricht dann weniger ernst weiter. »Ihnen ist doch klar, dass Sie mir immer noch einen Drink schuldig sind, oder?«

Die Bemerkung überrascht mich. Es ist Wochen her, dass wir über das Treffen gesprochen haben. Seit jenen trüben Tagen im Januar, als ich unbedingt einen Mann kennenlernen und mich verlieben wollte, ist viel passiert. Jetzt treffe ich mich regelmäßig mit dem wohl begehrtesten Mann in Chicago. Dennoch ist ein Teil von mir neugierig auf Dr. Taylor. Ich reibe mir die Schläfen.

»Ähm, ja, sicher.«

»Ist alles in Ordnung?«, fragt Garrett. »Sie wirken so unentschlossen.«

Ich schnaube. Verdammt, ich habe dem Mann alles andere erzählt, da kann ich jetzt auch ehrlich sein. »Ich würde wirklich gerne mit Ihnen was trinken gehen. Ich treffe mich bloß seit einiger Zeit mit jemandem …«

»Kein Problem«, sagt er. Er ist so liebenswürdig, dass ich mir dumm vorkomme. Wahrscheinlich hat er keinerlei romantische Absichten und glaubt nun, ich sei total eingebildet, so was anzunehmen. »Ich hoffe, es wird was draus, Brett.«

»Ja, danke.«

»Hören Sie, ich muss auflegen. Wir sprechen uns.«

»Ja, genau«, sage ich, obwohl ich weiß, dass wir das nicht tun werden.

Es war das letzte Telefonat, das ich mit Dr. Taylor haben werde. Wie das letzte Kapitel eines Buchs war es bittersüß. Garrett wird mir nicht mehr helfen, und es wird auch keine Liebesgeschichte geben. Tief in mir erkenne ich, dass es so wohl am

Besten ist. Ich habe jetzt Herbert und eine neue Familie, die ich bald kennenlernen werde. Vielleicht war Dr. Taylor wirklich eine Figur im Spiel meiner Mutter. Er erschien in einer kritischen Phase auf der Bildfläche, gerade als ich ihn brauchte, und verließ die Bühne genau in dem Moment, der im Drehbuch stand. Dann finde ich endlich den Malkasten. Ich nehme meinen Mantel, schalte das Licht aus und verschließe die Bürotür hinter mir.

24

Durch das Fenster des Flugzeugs beobachte ich, wie die Stadt Seattle unter mir Gestalt annimmt. Es ist ein wolkenverhangener Tag, doch sobald es in den Landeanflug geht, kann ich die Nebenarme des Lake Washington erkennen. Es ist wunderschön, dieses puzzleförmige Stück Land inmitten von blauen Wassern. Ich betrachte die Stadtansicht und stoße einen leisen Schrei aus, als ich die Space Needle entdecke. Das Flugzeug geht weiter runter, winzige Häuserblocks nehmen Gestalt an. Gebannt schaue ich nach unten, und mir wird bewusst, dass irgendwo in einem der kleinen Blocks aus Beton und Holz ein Mann mit seiner Tochter lebt, mein Vater und meine Halbschwester.

Zusammen mit den anderen Passagieren gehe ich zum Gepäckband, wo bereits Massen von Menschen warten. Ich suche die Gesichter ab. Einige wirken ungeduldig, manche Wartende halten handgeschriebene Schilder mit Namen hoch. Andere sind aufgeregt, balancieren auf den Fußballen, recken die Hälse. Nacheinander scheinen alle um mich herum ihre Freunde oder Verwandten zu finden. Nur ich stehe allein da, schwitzend und mit Übelkeit im Bauch.

Ich suche nach einem dunkelhaarigen Mann mit einem zwölfjährigen Mädchen. *Wo seid ihr, Johnny und Zoë?* Haben sie vergessen, dass ich heute komme? Ist Zoë wieder krank geworden? Ich hole mein Handy aus der Handtasche und sehe nach, ob ich Nachrichten bekomme habe. Plötzlich ruft jemand meinen Namen.

»Brett?«

Ich wirbele herum. Vor mir steht ein großer Mann mit silbergrauem Haar. Er ist glatt rasiert und sieht fast schon geschniegelt aus. Seine Augen finden meine, und als er lächelt, erkenne ich den Mann vom Video, den Mann, der er vor vierunddreißig Jahren war. Ich reiße mich zusammen, um nicht in Tränen auszubrechen. Als würde auch er seiner Stimme nicht trauen, streckt er die Arme aus. Ich gehe auf ihn zu, schließe die Augen und atme den Geruch seiner Lederjacke ein. Ich lasse den Kopf auf das kühle Leder sinken, und er wiegt mich hin und her. Zum ersten Mal spüre ich, wie es ist, von meinem Vater umarmt zu werden.

»Du bist wunderschön«, sagt er, als er sich schließlich löst und mich auf Armeslänge Abstand hält. »Deiner Mutter wie aus dem Gesicht geschnitten.«

»Aber die Größe habe ich offenbar von dir.«

»Und die Augen.« Er nimmt mein Gesicht in die Hände und schaut mich an. »Mein Gott, bin ich froh, dass du mich gefunden hast.«

Ich werde von Glück erfüllt. »Ich auch.«

Er wirft sich meine Reisetasche über und legt mir den anderen Arm um die Schulter. »Suchen wir deinen Koffer, und anschließend holen wir Zoë von der Schule ab. Sie ist völlig aus dem Häuschen vor Aufregung.«

Auf dem Weg zum Franklin L. Nelson Center, der Privatschule, die Zoë besucht, unterhalten wir uns ununterbrochen. Jetzt stellt Johnny all die Fragen, die er bei unseren Telefonaten nicht an mich richtete. Ich kann nicht aufhören zu grinsen. Mein Vater interessiert sich wirklich für mich, und was noch schöner ist: Zwischen uns herrscht eine Vertrautheit und Ungezwungenheit, die zu erhoffen ich nicht gewagt hatte. Doch als er in die von Bäumen gesäumte Auffahrt zur Schule einbiegt, erhebt das hässliche Monster der Eifersucht in mir erneut sein Haupt. So sehr ich mich auch freue, Zoë kennenzulernen, möchte ich doch mehr Zeit mit Johnny haben. Allein. Wenn sie zu uns ins Auto steigen

271

wird, werde ich wieder die Außenseiterin sein, eine Rolle, die ich wirklich leid bin.

Das Nelson Center ist ein ebenerdiger Gebäudekomplex in einer wunderschön gepflegten Landschaft. Der Unterricht hier muss ein Vermögen kosten.

»Es sind noch zehn Minuten bis Schulschluss, aber Zoë möchte gerne, dass ihre Klassenkameraden ihre neue Schwester kennenlernen. Das stört dich doch nicht, oder?«

»Nein, natürlich nicht.«

Johnny hält mir eine Schwingtür auf, und ich betrete einen großen Vorraum. Auf einer Holzbank sitzt ein kleines Mädchen in einer dunkelblauen Schuluniform und baumelt mit den Beinen. Als sie mich sieht, springt sie auf, zögert dann aber. Erst als John durch die Tür kommt, stößt sie einen Jubelschrei aus.

»Papi!« Ihr rundes Gesicht strahlt vor Freude. Ohne abzubremsen, kommt sie auf uns zugestürzt und schlingt ihre pummeligen Arme um meine Hüften. Ich drücke sie an mich, auch wenn sie mir nur bis zum Rippenbogen reicht. John beobachtet uns grinsend.

»So, Zoë«, sagt er und tätschelt ihr den Kopf. »Jetzt lass deine Schwester mal Luft holen.«

Irgendwann lockert sie ihren Griff. »Meine Schwester«, wiederholt sie.

Ich hocke mich neben sie und betrachte ihr glattes, alabasterzartes Gesicht. Wie konnte ich mich je über diesen Engel ärgern? Ihr Haar glänzt schwarz, wie das von ihrem Vater und von mir. Doch während wir braune Augen haben, hat sie grüne, die unter einer dicken Lidfalte liegen.

»Ja, das bin ich. Wir sind Schwestern, du und ich.«

Sie lächelt mich an, und die leuchtend meergrünen Perlen ihrer Augen werden zu halbmondförmigen Schlitzen. Schwer lugt ihre rosa Zunge unter dem Überbiss hervor. Auf der Stelle liebe ich dieses Mädchen, das meine Schwester ist, meine Schwester mit Down-Syndrom.

272

Mit ihrem Vater an einer Hand und mich an der anderen zieht sie uns den Korridor hinunter zu ihrem Klassenzimmer. Unterwegs erklärt mir John einige der zusätzlichen Einrichtungen an dieser Schule. Ein Korridor ist wie eine Einkaufsstraße gestaltet. Das Backsteinpflaster wird auf beiden Seiten von Ladenfronten gesäumt, an jeder Kreuzung befinden sich Ampeln und Fußgängerüberwege.

»Hier können die Kinder lernen, wie man sicher eine Straße überquert, wie man mit Verkäufern umgeht, wie man bezahlt, wenn man etwas kauft, und so weiter.«

Als wir schließlich Zoës Klassenzimmer erreichen, geraten wir in ein wildes Gewusel. Ms Cindy, Zoës strahlende Lehrerin, und ihr Assistent Mr Kopec haben alle Mühe, ihre acht Schüler auf den Schulschluss vorzubereiten. Mr Kopec zieht den Reißverschluss der Jacke eines Jungen in einem Gehgestell zu. »Harvey, du musst den Reißverschluss deiner Jacke schließen, hörst du? Heute ist es kalt draußen.«

»Wem gehört dieser Schal?«, ruft Ms Cindy an der Garderobe und hält einen roten Wollschal in die Luft.

»Guck mal!«, ruft Zoë mit ihrer rauen Stimme. »Das ist meine Schwester.« Wieder strahlt sie über das ganze Gesicht und reibt die Handflächen aneinander, als würde sie Feuer machen. Sie nimmt mich an der Hand und führt mich durch den Raum, zeigt mir die Bilder an den Wänden, das Aquarium, nennt mir die Namen ihrer Freunde. In meinem ganzen Leben wurde ich noch nicht so bewundert.

Bevor wir nach Hause fahren, kutschiert John uns über das fünfzehn Hektar große Gelände. Zoë weist auf den Spielplatz.

»Ihre Lieblingsecke«, sagt John und drückt Zoës Bein hinter sich. »Und da drüben ist das Gewächshaus, da lernen die Kinder, sich um Pflanzen zu kümmern.«

Wir fahren an Tennisplätzen und einem frisch geteerten Asphaltkurs vorbei. An einer roten Scheune entdecke ich ein Holzschild: *Therapeutisches Reiten.*

»Was ist das?«

»Das war der Reitstall. Da haben die Kinder reiten gelernt. Es sollte ihren Gleichgewichtssinn und ihre motorische Koordination unterstützen, aber es war erstaunlich, wie viel Selbstvertrauen sie auch dadurch gewannen.«

»Pluto!«, ruft Zoë auf dem Rücksitz.

John lächelt in den Rückspiegel. »Ja, das alte Pferd hast du geliebt, den Pluto.« Er wirft mir einen Seitenblick zu. »Das war eine teure Angelegenheit. Nach den Sparmaßnahmen mussten sie das Reitzentrum letzten Herbst schließen.«

In meinem Kopf beginnt eine Glühbirne zu leuchten.

Wie im Wetterbericht angekündigt, hört der Nieselregen nicht auf. Aber das stört mich nicht. Ich bin ganz selig, den Freitag in Johns und Zoës gemütlichem Ranchhaus verbringen zu können. Auf dem Eichenholzboden liegen bunte Teppiche, Bücherregale säumen die Wände. In jeder Ecke und Nische entdecke ich interessante Gemälde und Kunstwerke von Orten, an die John reiste, als er noch als Musiker unterwegs war. Zoë durfte heute die Schule früher verlassen; wir drei sitzen auf einem Navajo-Teppich und spielen Karten, während im Hintergrund unbekannte Indie-Musik läuft.

Um sechs Uhr abends findet John, es sei Zeit, seinen berühmten Auberginen-Parmesan-Auflauf zuzubereiten. Zoë und ich folgen ihm in die Küche und machen einen Salat.

»So, Zoë, und jetzt schütteln wir das Dressing, so!« Ich wackele mit dem Behälter und reiche ihn ihr. »Jetzt du!«

»Ich mache Dressing«, sagt sie und schüttelt das Glas mit beiden Händen. Plötzlich öffnet sich der Plastikdeckel und der gesamte Inhalt fliegt durch die Luft, läuft an den Schränken hinunter und sammelt sich auf der Arbeitsfläche.

»Oh, das tut mir leid!«, rufe ich. »Ich habe nicht nach dem Deckel geguckt.« Ich greife zu einem Geschirrtuch, um den Dreck schnell wegzuwischen. Hinter mir höre ich Gelächter.

»Zoë, guck dich mal an!«

Ich drehe mich um. John führt Zoë zur Ofentür, wo sie ihr Spiegelbild sehen kann. Sie hat Tropfen weißen Dressings im Haar und im Gesicht. Das findet die Kleine zum Schieflachen. Sie tupft sich einen Klecks von der Wange und leckt ihn vom Finger.

»Hm, lecker, lecker!«

John lacht und tut, als würde er eine Haarsträhne seiner Tochter essen. Zoë kreischt vor Vergnügen. Ich beobachte diese Szene zwischen Vater und Tochter, die keinerlei Ähnlichkeit mit denen hat, an die ich mich erinnere, und möchte sie für alle Zeit in Gedanken bewahren.

Als wir uns schließlich zum Essen an den Tisch setzen, hebt John sein Weinglas. »Auf meine schönen Töchter«, sagt er. »Ich bin ein glücklicher Mann.«

Zoë hält uns ihr Milchglas entgegen, und wir drei stoßen an.

Nach der fröhlichen Unterhaltung beim Essen bleiben wir noch am Eichentisch sitzen und lauschen Johns Geschichten über seine Erlebnisse, nachdem er Chicago verließ. Als er merkt, dass sich Zoë die Augen reibt, steht er auf.

»Jetzt heißt es Schlafanzug anziehen, du Schlafmütze. Es ist Zeit, ins Bett zu gehen.«

»Nein. Ich bleibe bei meiner Schwester.«

»Zoë?«, sage ich. »Darf ich dich heute Abend ins Bett bringen?«

Sie macht große Augen, rutscht von ihrem Stuhl und nimmt meine Hand. Kurz bevor wir die Küche verlassen, schaut sie sich zu ihrem Vater um. »Bleib hier. Meine Schwester hilft mir.«

John grinst. »In Ordnung, Chefin.«

Sie führt mich in ihr Paradies in Lavendel- und Rosatönen. Das Fenster wird von zurückgebundenen Spitzenvorhängen gerahmt, ihr kleines Bett ist ein Dschungel voller Stofftiere.

»So ein schönes Zimmer!«, sage ich und schalte die Nachttischlampe ein.

Zoë zieht einen violetten Schlafanzug von Tinker Bell über, ich helfe ihr beim Zähneputzen. Dann steigt sie ins Bett und klopft neben sich. »Du musst auch schlafen.«

»Soll ich dir eine Geschichte vorlesen?«

»Fancisco!«, ruft sie. »Fancisco!«

Ich hocke mich vor ihre Bücher und suche die Rücken nach einer Geschichte über San Francisco ab, jedoch vergebens. Schließlich entdecke ich ein Buch über ein Schwein namens Franziskus.

»Das hier?«, frage ich und halte es hoch.

Zoë grinst. »Fancisco!« Ich kuschele mich neben sie und lege den Kopf neben ihren aufs Kissen. Sie riecht nach Minzzahnpasta und Vanilleshampoo. Zoë dreht sich zu mir und gibt mir einen Kuss auf die Wange. »Lesen!«, befiehlt sie und zeigt auf das Buch.

Mitten in der Geschichte wird ihr Atem langsamer, ihr fallen die Augen zu. Mit großer Vorsicht ziehe ich meinen Arm unter ihrem Nacken hervor und lösche die Nachttischlampe. Das Zimmer ist in das rosafarbene Licht ihrer Nachtlampe von der kleinen Meerjungfrau getaucht.

»Hab dich lieb, Zoë«, flüstere ich und küsse sie auf die Wange. »Was ich alles von dir lerne …«

Als ich wieder in die Küche komme, ist der Tisch abgeräumt, die Geschirrspülmaschine summt. Ich schenke mir Wein nach und gehe ins Wohnzimmer, wo John mit der Gitarre auf dem Knie wartet. Er lächelt mich an.

»Setz dich! Möchtest du noch was? Wein? Kaffee?«

Ich zeige ihm mein Glas. »Schon erledigt.« Ich hocke mich neben ihn und bewundere die dunkel glänzende Einlegearbeit aus Holz und Elfenbein in seiner Gitarre. »Die sieht sehr schön aus.«

»Danke. Ich liebe die alte Gibson.« Er spielt ein paar Akkorde, dann zieht er sich den Lederriemen über den Kopf. »Die hat mich vor dem Verrücktwerden bewahrt, wann immer ich gedacht habe, am Ende zu sein.« Mit der Zärtlichkeit eines Liebenden legt er das Instrument in seinem Gestell ab. »Kannst du spielen?«

»Dieses Gen ist leider an mir vorübergegangen.«

Johnny schmunzelt. »Wie warst du so als Kind, Brett?«

Wir lehnen uns auf den Stühlen zurück und tauschen in den folgenden zwei Stunden Fragen und Erlebnisse aus, Geschichten und Anekdoten, um die fehlenden Puzzleteile von vierunddreißig Jahren zusammenzusetzen.

»Du erinnerst mich so sehr an deine Mutter«, sagt er.

»Das ist ein großes Kompliment für mich. Sie fehlt mir unglaublich.«

Seine Augenlider werden schwer, er schaut auf seine Hände.

»Ja, mir auch.«

»Hast du jemals versucht, Kontakt zu ihr aufzunehmen?«

Ganz leicht zuckt sein Kinn. Als sei die Gitarre sein Glücksbringer, nimmt er sie wieder aus dem Gestell und legt sie sich aufs Knie. Mit gesenktem Blick zupft er an den Saiten, lässt melancholische Töne erklingen. Schließlich sieht er mich an.

»Charles Bohlinger war ein mieser Kerl.« Er stößt die Luft aus, als hätte er sie dreißig Jahre lang angehalten. »Ich wollte deine Mutter heiraten. Sie zu verlassen, war das Schlimmste, was ich je getan habe. Ich habe sie so geliebt wie keine andere Frau vorher oder nachher.«

Ich schüttele den Kopf. »Aber du hast ihr das Herz gebrochen, John. In ihrem Tagebuch steht ganz klar, dass sie Charles verlassen hätte und dir gefolgt wäre, aber dass du dich nicht binden wolltest.«

Er zuckt zusammen. »So stimmt das nicht. Weißt du, als dein Vater herausfand …«

»Charles«, unterbreche ich, »war nie ein Vater für mich.«

John sieht mich an und nickt. »Als *Charles* herausfand, dass deine Mutter und ich uns verliebt hatten, wurde er fuchsteufelswild. Er zwang sie, sich zu entscheiden, entweder für ihn oder für mich. Sie sah ihm in die Augen und sagte ihm, dass sie mich liebe.« Er lächelt – die Erinnerung daran muss immer noch wunderschön sein. »Dann verließ sie die Küche. Bevor ich ihr folgen konnte, packte mich Charles am Arm. Er drohte mir, wenn Elizabeth ihn verlassen sollte, würde sie ihre Söhne niemals wiedersehen.«

»Was? Das konnte er doch nicht tun!«

»Vergiss nicht, das waren die siebziger Jahre. Damals war das noch anders. Er schwor mir, er würde vor Gericht aussagen, sie sei ein Flittchen, als Mutter ungeeignet. Damals rauchte ich gerne mal einen Joint, und er drohte mir, mich als drogenabhängigen Freund darzustellen. Es war nicht schwer vorstellbar, wem das Gericht recht geben würde. Ich war für sie nur eine Belastung.«

»O Gott, das ist ja furchtbar!«

»Joad und Jay zu verlieren, hätte sie um den Verstand gebracht. Am Ende log ich ihr etwas vor, damit sie keine Entscheidung treffen musste. Ich behauptete, ich wollte keine feste Beziehung.« John schüttelt den Kopf, als wolle er sich von einem Albtraum befreien. »Das hat mich fast fertiggemacht. Aber ich kannte deine Mutter. Wenn sie ihre Söhne verloren hätte, hätte sie sich niemals davon erholt.«

Wir standen vorne auf der Veranda. An dem Tag war es höllisch heiß draußen. Alle Fenster im Haus waren geöffnet. Ich war mir sicher, dass Charles lauschte. Aber es war mir egal. Ich sagte deiner Mutter, ich würde sie lieben, ich würde sie immer lieben. Ich wäre bloß kein sesshafter Typ. Ich schwöre dir, dass sie mich durchschaute. Als sie mich zum letzten Mal küsste, flüsterte sie: ›Du weißt, wo du mich findest.‹«

Ich sehne mich nach der traurigen Frau im dunkelblauen Umstandsmantel, die ihre Söhne auf dem Schlitten hinter sich herzieht. »Sie dachte, du würdest zurückkommen.«

John nickt und muss sich zusammenreißen, um weiterzusprechen. »O Gott, ich kann immer noch diese Augen vor mir sehen, grün wie die irischen Hügel und unerschütterlich in ihrem Glauben an mich.«

Ich schlucke den Kloß im Hals hinunter. »Aber sie haben sich doch später scheiden lassen. Konntest du da nicht zu ihr zurück?«

»Ich habe sie aus den Augen verloren. Als ich sie verließ, redete ich mir ein, das Richtige getan zu haben. Ich habe mein Bestes getan, um mich nicht mit Fragen nach ›was wäre wenn‹ zu quälen. Jahrelang war diese alte Gitarre so gut wie das einzige, an dem ich irgendeine Freude hatte. Fünfzehn Jahre später lernte ich Zoës Mutter kennen. Wir waren acht Jahre zusammen, heirateten aber nicht.«

»Wo ist sie jetzt?«

»Melinda ist zurück nach Aspen gezogen – da lebt ihre Familie. Mutter zu sein war nichts für sie.«

Ich würde gerne mehr erfahren, frage aber nicht. Ich nehme an, ein Kind mit Down-Syndrom war nichts für sie.

»Es tut mir leid, dass du so viel verloren hast.«

Johnny schüttelt den Kopf. »Ich bin der Letzte, der Mitleid verdient hat. Das Leben ist schön, sagt man doch.« Er beugt sich vor und drückt meine Hand. »Und es wird immer schöner.«

Ich lächele ihn an. »Ich frage mich, warum meine Mutter keinen Kontakt zu dir aufgenommen hat, nachdem sie geschieden war, oder nach Charles' Tod.«

»Ich schätze, dass sie in den ersten Jahren auf mich wartete, auf einen Brief oder einen Anruf hoffte, irgendein Lebenszeichen. Aber als die Zeit verging und sie nichts von mir hörte, kam sie wohl zu dem Schluss, dass ich sie doch nicht geliebt hatte.«

Ein Schauer läuft mir über den Rücken. Starb meine Mutter in der Überzeugung, die große Liebe ihres Lebens sei ein Irrtum gewesen? Jetzt kann ich die Frage, die mich seit Wochen quält, nicht mehr zurückhalten:

»John, warum hast du keinen Vaterschaftstest von mir verlangt? Vielleicht willst du ja jetzt einen machen lassen, das wäre völlig in Ordnung für mich.«

»Nein. Nein, das will ich nicht. Ich habe keine Sekunde daran gezweifelt, dass du meine Tochter bist.«

»Warum nicht? Alle anderen haben das getan. Ich könnte genauso gut Charles' Tochter sein wie deine.«

Er überlegt und schlägt eine Saite an. »Nach der Geburt von Jay ließ sich Charles sterilisieren. Das erzählte mir deine Mutter, als wir uns anfreundeten.«

Völlig perplex blinzele ich ihn an. »Er wusste, dass ich gar nicht sein Kind war? Mein Gott, kein Wunder, dass er mich nicht mochte.«

»Und er musste dich nur ansehen, wenn er einen zusätzlichen Beweis brauchte.«

»Ich war ein ungewolltes Kind. Das wusste ich nicht.«

»Nein, da liegst du falsch. Deine Mutter war fix und fertig, als sie herausfand, dass Charles sich hatte sterilisieren lassen. Das erzählte sie mir. Sie hatte noch ein Kind gewollt. Sie hat mir sogar gestanden, dass sie sich immer eine Tochter gewünscht hatte.«

»Wirklich?«

»Und wie! Du kannst dir gar nicht vorstellen, wie ich mich gefreut habe, als Mr Pohlonski mir mitteilte, dass ich ihr so ein kostbares Geschenk gemacht hatte.«

Ich schlage die Hand vor den Mund. »Und sie machte uns aufs Neue das Geschenk, als sie mir das Tagebuch hinterließ.«

John lächelt und streckt die Hand nach mir aus. »Du bist ein Geschenk, das deine Mutter, und nun auch mich, für immer glücklich macht.«

Am Samstag habe ich das Gefühl, meine Familie zurückzulassen, nicht zwei Fremde, die ich erst einen Tag zuvor kennengelernt habe. In der Abflughalle hocke ich mich neben Zoë und drücke sie an mich. Sie klammert sich fest, will meinen Pulli nicht loslassen. Als sie sich schließlich löst, hält sie mir ihren Daumen hin.

»Meine Schwester.«

Ich drücke meinen Daumen dagegen, unser neues Ritual. »Ich hab dich lieb, meine Schwester. Heute Abend rufe ich dich an, ja?«

John schließt mich väterlich in die Arme. Sie sind kräftig und beschützend, so wie ich mir die Arme eines Vaters immer vorgestellt habe. Ich atme tief durch und schließe die Augen. Der Duft seiner Lederjacke vermischt sich mit seinem würzigen Aftershave, Gerüche, die nun für immer zu ihm gehören werden. Schließlich hält er mich auf Armeslänge Abstand.

»Wann sehen wir uns wieder?«

»Kommt nach Chicago!«, sage ich. »Ich möchte, dass alle dich und Zoë kennenlernen.«

»Das machen wir.« Er gibt mir einen Kuss und klopft mir auf den Rücken. »Jetzt lauf los, sonst verpasst du noch dein Flugzeug.«

»Warte, ich habe noch was für dich.« Ich greife in meine Tasche und hole das Tagebuch meiner Mutter hervor. »Ich möchte, dass du das behältst.«

Er nimmt es in beide Hände, als wäre es der Heilige Gral. Der kleine Muskel in seinem Kinn zuckt, ich gebe ihm einen Kuss auf die Wange.

»Wenn du je an ihrer Liebe zu dir gezweifelt hast, dann hörst du damit auf, sobald du das gelesen hast. Darin stehen Elizabeths Gefühle, schwarz auf weiß.«

»Gibt es noch mehr Tagebücher? Hat sie später weiter geschrieben?«

»Nein. Ich habe das ganze Haus danach abgesucht, weil ich denselben Gedanken hatte, aber ich habe nichts gefunden. Ich glaube, ihre Geschichte war mit dir zu Ende.«

Fünf Stunden später landet das Flugzeug in Chicago. Ich schaue auf die Uhr. Zehn Uhr fünfunddreißig, zwölf Minuten zu früh. Ich stelle mein Handy an und entdecke eine SMS von Herbert: *Warte an der Gepäckausgabe.*

Ich bin noch nie mit einem netteren Typen zusammen gewesen. Jetzt muss ich mir kein Taxi nehmen. Ich werde mein Gepäck nicht selber schleppen müssen. Ich treffe Herbert wieder. Doch so sehr ich mich auch bemühe, kann ich keine Begeisterung aufbringen. Bin wohl zu müde. Ich kann an nichts anderes denken, als nach Hause in meine kleine Wohnung in Pilsen zu fahren, ins Bett zu gehen und Zoë anzurufen.

Wie versprochen, wartet Herbert an der Gepäckausgabe. Er sitzt auf einer Bank und liest, offenbar ein Lehrbuch. Als er mich sieht, erwacht sein Gesicht zum Leben. Er springt auf, und ich lasse mich vom schönsten Mann im ganzen Flughafen umarmen.

»Willkommen zu Hause«, flüstert er mir ins Ohr. »Du hast mir gefehlt.«

Ich löse mich von ihm und schaue zu ihm auf. Er sieht so toll aus. So wunderschön. »Danke. Du hast mir auch gefehlt.«

Wir stehen da, halten Händchen und schauen zu, wie das Band immer neue Koffer vorbeiträgt. Vor uns späht ein Baby seiner Mutter über die Schulter; die Kleine trägt ein rosa Stirnband mit einer leuchtend grünen Blume. Mit großen blauen Augen starrt sie Herbert an, bewundert wahrscheinlich ebenfalls seinen Anblick. Herbert beugt sich vor und lächelt das kleine Mädchen an.

»Hallo, Mäuschen«, sagt er. »Du bist aber eine Hübsche!«

Das Baby flirtet mit ihm, strahlt über das ganze Gesicht. Herbert lacht laut und sieht mich an. »Gibt es etwas Transzendenteres als das Lächeln eines Kindes?«

Ich brauche eine Weile, um das Wort *transzendent* für mich zu übersetzen. Er meint wohl *außergewöhnlich*. In diesem Moment finde ich auch ihn transzendent. Aus dem Gefühl heraus beuge ich mich vor und küsse ihn auf die Wange. »Danke.«

Er legt den Kopf schräg. »Wofür?«

»Dass du mich vom Flughafen abgeholt hast. Und dass du das lächelnde Baby niedlich findest.«

Er läuft rot an und richtet seine Aufmerksamkeit wieder auf das Gepäckband. »Ich habe was von einer Liste mit Lebenszielen gehört, die du vervollständigen musst.«

Ich stöhne. »Mein Bruder kann seinen Mund nicht halten.« Herbert schmunzelt. »Eins deiner Ziele sind Kinder, oder?«

»Hm«, versuche ich beiläufig zu erwidern. Doch das Herz schlägt mir bis zum Hals. »Und du? Willst du irgendwann Kinder?«

»Auf jeden Fall. Ich liebe Kinder.«

Mein Koffer kommt die Rutsche herunter. Ich will ihn herunterheben, aber Herbert hält mich davon ab. »Ich hab ihn schon.«

Während er den Koffer vom Band hievt, sieht das Baby mir ins Gesicht. Es betrachtet mich, als würde es abschätzen, ob ich eine anständige Mutter abgeben würde. Ich muss an meine Frist denken – sowohl an die von meiner Mutter Elizabeth als auch an die von Mutter Natur – und erwarte, wieder Panik zu verspüren. Aber ich merke nichts.

In einer fließenden Bewegung lädt sich Herbert meine Reisetasche auf und kommt zu mir zurück.

»Sind wir so weit?«, fragt er. »Hast du alles, was du brauchst?«

Ich werfe noch einen kurzen Blick auf das kleine Mädchen, wie zur Bestätigung. Es lächelt mich an. Ich hake mich bei ihm unter. »Ja, ich glaube schon.«

Nachdem ich Rudy um vier Uhr morgens für sein Geschäft rausgelassen habe, sinke ich wieder ins Bett und nutze den Sonntag voll aus, indem ich bis neun Uhr weiterschlafe. Ich rede mir ein, dass ich noch immer auf Westküstenzeit bin. Als ich schließlich aufstehe, gehe ich mit dem Kaffee ins sonnige Wohnzimmer und mache das Kreuzworträtsel der *Tribune*. Ich fühle mich richtig dekadent und zufrieden. Rudy liegt zusammengerollt auf dem Teppich neben mir und sieht zu, wie ich das Rätsel löse. Irgendwann stehe ich auf und gehe zum Kleiderschrank, wo ich den Schlafanzug gegen einen Jogginganzug tausche. Ich hole Rudys

Leine und lege sie ihm an, er dreht sich im Kreis, freut sich auf unseren Spaziergang. Ich stecke iPod und Sonnenbrille ein, öffne die Wohnungstür und hüpfe die Treppe hinunter.

Rudy und ich beginnen mit einem gemächlichen Gang. Ich halte das Gesicht in die Sonne, genieße den wolkenlosen blauen Himmel und den Duft von Frühling in der Luft. Windböen peitschen meine Wangen, doch anders als die grässlichen, übellaunigen Winde im Februar sind sie Ende März freundlicher, nachsichtiger, fast zärtlich. Rudy geht vor, und ich muss an der Leine zupfen, damit er mich nicht hinter sich her zieht. An der 18th Street sehe ich auf die Uhr, schiebe die Ohrstöpsel hinein und fange an zu joggen.

Auf der 18th Street herrscht geschäftiges Treiben: mexikanische Bäckereien, Restaurants, Lebensmittelläden zu beiden Seiten. Während ich über den Bürgersteig laufe, wird mir klar, dass es eine gute Idee meiner Mutter war, mich aus meiner Wohlfühlecke hervorzulocken. Niemals hätte ich mir vorstellen können, dass ich mich in einer so bescheidenen Gegend zu Hause fühlen könnte. Ich stelle mir meine Mutter im Himmel vor, wie sie mit einem Megaphon in der Hand auf dem Regiestuhl sitzt und den Einsatz zu jeder Szene meines Lebens gibt. Jetzt, da die Rolle des Herbert besetzt ist, kann ich mir tatsächlich vorstellen, mich zu verlieben und Kinder zu bekommen – zwei Ziele, die zu erreichen ich immer bezweifelt habe, schon gar nicht innerhalb weniger Monate.

Wir sind schon im Harrison Park, als Rudy endlich sein Häufchen macht. Wir legen eine Minute Pause ein, dann bummeln wir zurück nach Hause. Unterwegs kreisen meine Gedanken um Herbert Moyer.

Er ist erstaunlich. Als wir gestern Abend vom Flughafen losfuhren, war klar, dass er hoffte, ich würde bei ihm übernachten. Ich war auch wirklich versucht. Aber als ich ihm sagte, ich müsse Rudy abholen, ich sei erschöpft und wolle in meinem eigenen Bett schlafen, hatte er vollstes Verständnis. Der Ausdruck *Gentleman* wurde allein für Herbert Moyer erfunden. Außerdem ist er der aufmerksamste Mann, mit dem ich je gegangen bin. Er hält mir die Tür auf, zieht den Stuhl zurück … Wenn ich ihn bitten würde, trüge er mir die Handtasche. Ich habe mich noch nie umsorgter gefühlt.

Warum also, frage ich mich, habe ich nicht beim ihm übernachtet? Hund hin oder her, von Andrew hätte mich nichts ferngehalten. Und das hat nichts mit Herberts Fähigkeiten als Liebhaber zu tun. Er ist wunderbar, viel feinfühliger als Andrew je war. Herbert ist genau der Mann, den ich gehofft hatte zu finden und den sich meine Mutter für mich gewünscht hätte.

Dennoch wehrt sich ein Teil von mir gegen seine Liebe. Manchmal mache ich mir Sorgen, ob ich überhaupt zu einer »normalen« Beziehung fähig bin, denn wenn ich wirklich ehrlich zu mir selbst bin, dann finde ich Herberts Aufmerksamkeit und Freundlichkeit manchmal erdrückend. Ich habe Angst, dass ich nur auf kalte, distanzierte Typen wie Charles Bohlinger und Andrew Benson stehe, dass ich mich bei ihnen am wohlsten fühle. Aber ich kann und ich werde es diesmal nicht verbocken. Ich bin inzwischen klüger, lebe bewusster und weigere mich, meine Zukunft von meiner Vergangenheit zerstören zu lassen. Männer wie Herbert Moyer sind so selten wie echte Handtaschen von Louis Vuitton, und ich muss meinem Glücksstern dafür danken, dass ich so jemanden gefunden habe.

In der Ferne erblicke ich das Haus, in dem ich wohne. Ich lasse Rudy von der Leine, und wir rennen zusammen zur Haustür. Drinnen auf dem Beistelltisch liegt mein Handy und blinkt. Herbert hatte mich schon gefragt, ob ich ihm heute helfe könne, neue Barhocker auszusuchen. Wahrscheinlich will er endlich los. Ich höre die Nachricht auf der Mailbox ab.

»Brett, hier ist Jean Anderson. Sanquita hat Wehen bekommen. Ich bringe sie ins Cook County Memorial. Sie hat nach Ihnen gefragt.«

25

Das Blut steigt mir in den Kopf. Ich springe die Stufen hinunter und hämmere an die Tür von Selina und Blanca, frage sie atemlos, ob sie Rudy nehmen können. Auf dem Weg ins Krankenhaus rufe ich Herbert an.

»Hey«, sagt er. »Ich wollte dich gerade anrufen. Könntest du in einer Stunde fertig sein?«

»Du musst ohne mich einkaufen gehen. Ich bin auf dem Weg zum Krankenhaus. Sanquita hat Wehen bekommen.«

»Oh, das tut mir leid. Kann ich irgendwas tun?«

»Du kannst beten. Sie ist sieben Wochen vor ihrem errechneten Termin. Ich mache mir solche Sorgen um sie und das Baby.«

»Klar. Sag mir, wenn ich dir irgendwie helfen kann.«

Ich stelle das Handy aus und staune über Herberts Mitgefühl. Andrew hätte niemals verstanden, dass ich jetzt bei Sanquita sein will. Er hätte mir Schuldgefühle gemacht, weil ich seinen Plänen in die Quere gekommen wäre. Herbert ist ein Prinz, keine Frage.

Ms Jean erhebt sich von einem schwarzen Vinylstuhl und kommt auf mich zu, als ich das kleine Wartezimmer betrete. Sie packt mich am Arm, und wir gehen auf den Korridor.

»Es sieht nicht gut aus«, sagt sie und schaut mich traurig an. »Sie machen einen Notfall-Kaiserschnitt. Ihr Kaliumspiegel ist zu hoch. Die Ärzte haben Angst, dass sie einen Herzstillstand bekommt.«

Genau wie Dr. Chan gewarnt hatte. »Wie geht es dem Kind?«

»Steht unter riesigem Stress.« Jean schüttelt den Kopf und putzt sich die Nase. »Das darf alles nicht wahr sein. Dieses Mädchen hat so viel Leben in sich. Und das Baby hat es schon so weit geschafft, es darf jetzt nicht sterben.«

»Sie werden nicht sterben«, sage ich überzeugter, als ich mich fühle. »Verlieren Sie jetzt nicht den Glauben. Alles wird gut.« Jean sieht mich mit gerunzelter Stirn an. »Ihr glaubt immer, nach jedem Gewitter kommt ein Regenbogen. Aber so ist das bei uns Schwarzen nicht. Diese Geschichte wird kein gutes Ende nehmen. Das kann ich Ihnen jetzt schon sagen.«

Ich weiche zurück, durchbohrt von einem Stich der Angst.

Zwanzig Minuten später kommt eine Ärztin ins Wartezimmer und zieht die Papiermaske herunter. Es ist eine hübsche Blondine, die aussieht, als würde sie normalerweise keine Kinder auf die Welt holen, sondern im Cheerleadingteam der Footballmannschaft ihrer Schule tanzen. »Sanquita Bell?«, fragt sie, und ihr Blick huscht durch das Wartezimmer.

Jean und ich schießen hoch und kommen ihr entgegen.

»Wie geht es ihr?«, frage ich. Mein Herz pocht so laut, dass ich Angst habe, in Ohnmacht zu fallen, bevor ich die Nachricht höre.

»Ich bin Dr. O'Connor«, stellt sie sich vor. »Ms Bell hat gerade ein Mädchen von 1020 Gramm zur Welt gebracht.«

»Gesund?«, bringe ich hervor.

Dr. O'Connor holt Luft. »Das Kind ist stark unterernährt, und die Lunge ist noch nicht voll entwickelt. Ich habe es an ein Beatmungsgerät legen lassen, bis es selbständig atmen kann. Es ist auf die Neugeborenen-Intensivstation verlegt worden.« Die Ärztin schüttelt den Kopf. »Unter den gegebenen Umständen ist es ein wahres Wunder, das kleine Mäuschen.«

Ich lege die Hand vor den Mund und muss weinen. Es gibt wirklich Wunder, möchte ich Jean versichern. Aber jetzt ist nicht der richtige Moment, um alles besser zu wissen. »Können wir Sanquita sehen?«

»Sie wird gerade auf die Intensivstation verlegt. Sie können dort hingehen.«

»Die Intensivstation?« Ich beobachte das Gesicht der Ärztin. »Sie kommt doch durch, oder?«

Dr. O'Connor lächelt schmallippig. »Wir haben heute ein Wunder erlebt. Auf ein zweites können wir nur hoffen.«

Jean und ich nehmen den Aufzug in den fünften Stock. Es scheint ewig zu dauern.

»Komm schon«, sage ich und drücke immer wieder auf den Knopf.

»Ich muss Ihnen noch etwas sagen.«

Der Ernst in Jeans Stimme alarmiert mich. Ich drehe mich zu ihr um. Im Neonlicht der Kabine tritt jede Falte in ihrem Gesicht hervor. Ihre schwarzen Augen sehen mich unnachgiebig an.

»Sanquita liegt im Sterben. Ihr Kind wird wahrscheinlich ebenfalls sterben.«

Ich wende mich ab und zähle die Ziffern über der Fahrstuhltür. »Vielleicht auch nicht«, flüstere ich.

»Heute Morgen hat Sanquita zu mir gesagt, wenn sie stirbt, dann sollen Sie ihr Baby nehmen.«

Ich sacke gegen die Wand und berge den Kopf in den Händen. »Ich kann doch … ich kann doch nicht …« Ich verziehe das Gesicht und weine in mich hinein.

Jean schüttelt den Kopf und schaut unter die Decke des Fahrstuhls. »Ich habe ihr gesagt, dass Sie vielleicht kein Kind haben wollen, das nicht weiß ist.«

Ein Schlag durchfährt mich. Auf einmal explodiert jeder Nerv und jede Faser meines Körpers gleichzeitig. »Das hat nichts mit der Hautfarbe des Kindes zu tun! Verstehen Sie das? Gar nichts! Ich fühle mich unglaublich geehrt, dass Sanquita überhaupt in Erwägung zieht, ihr Kind von mir aufziehen zu lassen.« Ich hole tief Luft und streiche mein Haar zurück. »Aber Sanquita wird überleben. Beide werden überleben.«

Der Vorhang um Sanquitas Bett ist zugezogen, die Jalousien sind ebenfalls heruntergelassen, so dass eine düstere Nische entstanden ist, voller Kabel, Schläuche und blinkender Lampen. Sie schläft, ihr rissiger Mund steht offen, ihr Atem geht in kurzen, krampfartigen Zügen. Sanquitas Gesicht ist aufgequollen, die Haut zum Zerreißen gespannt, wie eine Blase kurz vorm Platzen. Sie hat die Augen geschlossen, die geschwollenen Lider sehen aus, als seien sie mit Kohle geschwärzt. Ich nehme ihre schlaffe Hand in meine und streiche ihr das Haar aus dem leblosen Gesicht.

»Wir sind hier, Kleine. Ruh dich aus.«

Der schwache Geruch von Ammoniak steigt mir in die Nase. Eine Urämie, eine Ansammlung von Giftstoffen im Blut, genau wie ich gelesen habe. Ich bekomme Angst.

Jean geht ums Bett herum, glättet das Kopfkissen, streicht über die Decken. Danach starrt sie Sanquita nur noch an.

»Gehen Sie nach Hause«, sage ich zu ihr. »Wir können nichts tun. Ich rufe Sie an, wenn Sanquita aufwacht.«

Jean schaut auf die Uhr. »Ich muss zurück zum Frauenhaus, aber zuerst laufen Sie runter und gucken nach dem kleinen Mädchen. Ich warte bei Sanquita, bis Sie wieder zurück sind.«

Eine verschlossene Doppeltür versperrt mir den Eingang zur Neugeborenen-Intensivstation. Daneben sitzt eine hübsche blonde Krankenschwester hinter einem turmhohen Empfangstresen. Lächelnd sieht sie mir entgegen.

»Kann ich Ihnen helfen?«

»Ja. Ich bin hier, um …« Mir fällt auf, dass das Kind noch nicht mal einen Namen hat. »Ich möchte gerne das Baby von Sanquita Bell sehen.«

Sie runzelt die Stirn, als hätte sie noch nie von einer Sanquita Bell gehört, doch dann nickt sie langsam. »Das Kind ist gerade erst reingekommen, oder? Das obdachlose Baby?«

Mein Magen zieht sich zusammen. Noch keine Stunde auf

der Welt, und schon hat das Kind einen Stempel aufgedrückt bekommen.

»Ja, Sanquitas Kind.«

Sie greift zum Telefon, und fast unverzüglich taucht eine kleine dunkelhaarige Frau mit einem Krankenblatt in der Hand auf. Ihr violetter Krankenhausanzug ist mit Disney-Figuren verziert. »Hallo. Ich bin Maureen Marble. Und Sie sind?«, fragt sie und klappt das Blatt auf.

»Ich bin Brett Bohlinger. Sanquitas Lehrerin.«

Sie studiert ihr Blatt. »Ah, ja. Sanquita hat Sie als Kontaktperson angegeben. Wir sehen uns drinnen.«

Ein Summer ertönt, und die Tür wird aufgedrückt. Ich trete in einen grell erleuchteten Gang. Schwester Maureen taucht wieder auf und führt mich den Korridor entlang. »Auf der Neugeborenen-Intensiv gibt es neun Säuglingszimmer, in jedem stehen acht Inkubatoren. Sanquitas Kind ist in Raum sieben.«

Ich folge ihr in Zimmer 7, wo ein älterer Mann und eine Frau ein Baby betrachten, das wohl ihr jüngstes Enkelkind ist. Acht Brutkästen stehen an der Wand des großen Raums. Über fast jedem Apparat sehe ich bunte Schilder oder Buchstaben an der Wand, die den Namen des kleinen Patienten verraten: Isaiah, Kaitlyn, Taylor. In mehreren Inkubatoren entdecke ich Familienfotos und weiche, selbst gestrickte Decken, die nicht vom Krankenhaus stammen können.

Maureen weist auf einen einsamen Kasten in der letzten Ecke, vernachlässigt und frei von jedem Liebesbeweis.

»Da ist sie.«

Auf dem Zettel vorne im Fenster steht: *Kleines Mädchen.* Ich schließe die Augen. Dort könnte genauso gut *kleines Kätzchen* stehen.

Ich spähe durch die Plastikscheibe. Ein winziges Wesen, ungefähr so lang wie ein Lineal, liegt dahinter und schläft, lediglich bekleidet mit einer puppengroßen Windel und einem blassrosa Mützchen. Drei Pflaster kleben auf Brust und Bauch, führen Kabel zu verschiedenen Monitoren. Eine Kanüle, die mit durchsichtigem Klebeband befestigt ist, ragt aus einer Vene am Fuß, und ein dünner Schlauch transportiert eine weiße Flüssigkeit in die Nase. Zwei Gummibänder spannen sich um das apfelgroße Köpfchen, halten einen Apparat aus Plastik über Mund und Nase.

Ich lege eine Hand auf die Brust und schaue Maureen an. »Wird sie durchkommen?«

»Sie müsste es schaffen. Die Maske, die Sie da sehen, heißt CPAP-Maske«, erklärt mir Maureen. »Sie produziert einen kontinuierlichen Atemwegsüberdruck. Die Lunge der Kleinen ist noch nicht ganz entwickelt. Die Maske hilft ihr beim Atmen, bis sie es allein kann.« Sie schaut mich an. »Möchten Sie sie mal halten?«

»Halten? Oh, nein. Nein, danke! Sonst reiße ich noch irgendein Kabel raus.« Ich tarne mein nervöses Lachen, indem ich mich räuspere. »Sanquita soll die erste sein, die die Kleine in den Armen hält.«

Sie wirft mir einen Seitenblick zu. »Lassen Sie sich Zeit, sich mit dem kleinen Mädchen anzufreunden. Ich komme gleich wieder.«

Sie lässt mich allein und ich betrachte dieses runzlige Neugeborene, quasi ein Nadelkissen inmitten von Kanülen und Schläuchen. Das runde Gesichtchen ist verkniffen, als wäre die Kleine ein bisschen verärgert, nicht bei ihrer Mami zu sein. Die karamellbraune Haut ist mit einem weichen Flaum bedeckt und sieht aus, als sei sie mehrere Nummern zu groß für das Kind. Es reckt sich und spreizt die Finger, und ich sehe fünf kleine Streichhölzer. Ich spüre einen Kloß im Hals.

»Kleines Mädchen«, flüstere ich, aber es klingt furchtbar kalt und unpersönlich. Ich muss an die herzzerreißende Geschichte über Sanquitas Bruder denken, über den Jungen, der zu sensibel für die Welt war, in die er geboren wurde. Ich drücke einen Kuss auf meine Finger und lege sie an die Scheibe, wo ich das schlafende Gesicht des kleinen Mädchens sehe. »Austin«, wispere ich. »Willkommen, schöne Austin.«

Ich schließe die Augen und weine. Um die Vergangenheit eines kleinen Jungen und die Zukunft eines Neugeborenen, die schon jetzt so unsicher erscheint.

Als ich in Sanquitas Zimmer zurückkehre, springt Jean vom Lehnstuhl auf. »Wie geht es dem Baby?«

»Super«, sage ich optimistischer, als ich mich fühle. »Gehen Sie auch mal hin!«

Jean schüttelt den Kopf. »Sanquita musste eine Kontaktperson angeben. Und sie hat Sie gewählt.«

Ich beobachte, ob sie enttäuscht oder, schlimmer noch, beleidigt ist. Doch zu meiner Überraschung kann ich in Jeans Gesicht keins von beidem erkennen. Ich trete an Sanquitas Bett. Sie liegt auf dem Rücken und schläft in derselben Haltung wie zuvor, als ich sie verlassen habe. Ihr aufgedunsenes Gesicht ist eine grausame Karikatur des früher hübschen Mädchens. »Dein kleines Baby ist wunderschön, Sanquita.«

Jean greift zu ihrer Tasche. »Kommen Sie allein zurecht?«

»Ja, sicher.«

Sie betupft sich die Augen mit dem Taschentuch. »Rufen Sie mich an, sobald sie aufwacht!«

»Mach ich. Versprochen.«

Jean beugt sich über das Mädchen und reibt ihre Wange an der von Sanquita. »Ich komme wieder, Mausezahn.« Ihr bricht die Stimme. »Halte durch, hörst du?«

Ich wende mich zum Fenster, halte mir den Mund zu und schlucke die Tränen hinunter. Dann spüre ich Jean neben mir. Sie streckt die Hand aus, will mich berühren, aber zieht sich dann doch wieder zurück.

»Passen Sie auf sich auf«, flüstert sie. »Ich glaube, das Baby wird Sie brauchen.«

Alle dreißig Minuten kommt eine Schwester herein und überprüft Sanquitas Vitalfunktionen, doch es scheint sich nichts zu ändern.

Die Stunden vergehen quälend langsam. Ich schiebe einen Stuhl neben das Bett, so nah an Sanquita heran, dass ich ihren flachen Atem beobachten kann. Ich schiebe die Hand durch die Metallstäbe, taste nach ihren Fingern und erzähle ihr von ihrem wundervollen Kind und was für eine tolle Mutter sie sein wird.

Es ist später Nachmittag, als eine junge Frau den düsteren Raum betritt. Sie trägt einen weißen Kittel, blonde Haarsträhnen lugen unter ihrer blauen Kappe hervor. Sie wühlt in Sanquitas Nachtschrank herum und erschrickt, als sie mich auf der anderen Seite des Bettes entdeckt.

»Oh, ich habe Sie gar nicht gesehen. Ich suche den Menüzettel. Hat sie den Zettel ausgefüllt?«

»Sie isst heute Abend nichts, danke.«

Ihre Augen mustern die leblose Gestalt im Bett. »Glauben Sie, die braucht noch Menüpläne? Ich meine, ich kann ja jeden Tag einen Zettel hier lassen, aber ich kann auch einfach warten ...«

Blut steigt mir in den Kopf. Ich stehe auf und reiße der Frau das Blatt aus der Hand. »Ja, sie braucht den Menüplan für morgen. Lassen Sie jeden Tag einen hier. Haben Sie verstanden? Jeden Tag!«

Um fünf Uhr flitze ich runter in den Säuglingssaal, um nach Austin zu schauen. Man lässt mich auf die Station, und ich begebe mich schnurstracks zu Raum 7, um mich umzuziehen. Mit großen Schritten eile ich in die hinterste Ecke und halte die Luft an, als ich Austins Inkubator sehe, denn er leuchtet wie ein Solarium. Sie hat immer noch den CPAP-Apparat über Mund und Nase, aber zusätzlich über den Augen eine Binde. Was ist da los? Mein Herz schlägt mir bis zum Hals.

Suchend sehe ich mich um. »Maureen?« Aber Schwester Maureen ist auf der anderen Seite des Raumes und spricht mit dem älteren Paar, das ich schon gesehen habe.

Ich entdecke eine Frau in einem Laborkittel. »Entschuldigen Sie«, sage ich und folge ihr aus dem Raum heraus. »Könnten Sie mir sagen, was mit Austin passiert ist – dem kleinen Mädchen? Ihr Inkubator ...«

Sie hebt abwehrend die Hand und läuft weiter.»Ich habe einen Notfall. Sprechen Sie mit einer der Schwestern!«

Ich haste zurück in den Säuglingssaal. Irgendwann entschuldigt sich Schwester Maureen bei den engagierten Großeltern.»Was ist denn, Brett?«

»Was ist mit Sanquitas Baby passiert? Das Bettchen ist hell erleuchtet. Sie trägt eine Augenbinde.«

Ein Apparat auf der anderen Seite des Raumes piept wie ein zorniger Wecker, und Maureen schaut hinüber.»Sie bekommt eine Phototherapie«, ruft sie mir zu und huscht durch den Raum.

Ich kehre zurück an Austins Bettchen und weiß immer noch nicht, was los ist. Der ältere Mann, den ich für einen Großvater halte, gesellt sich zu mir und betrachtet die Kleine.»Ist das Ihre?«

»Nein. Ihre Mutter ist eine Schülerin von mir.«

Er runzelt die Stirn.»Ihre Schülerin? Wie alt ist sie denn?«

»Achtzehn.«

Er schüttelt den Kopf.»So eine Schande!« Er schlurft hinüber zu seiner Frau und flüstert ihr etwas zu.

Wird es für dieses Kind immer so weitergehen? Wird sie behandelt werden, als sei sie ein Irrtum, das unselige Produkt eines verantwortungslosen Teenagers? Wird man sie übersehen, weil sie arm und obdachlos ist? Die Vorstellung entsetzt mich.

Ein hübsche dunkelhäutige Rothaarige mit der Aufschrift *Schwester LaDonna* auf ihrem Namensschild tritt an den Brutkasten neben mir.»Entschuldigen Sie«, sage ich, diesmal mit der Autorität einer Betreuungsperson.

Sie schaut auf.»Wie kann ich Ihnen helfen?«

»Das Baby von Sanquita Bell«, sage ich und weise auf den Brutkasten.»Warum liegt es unter einem Solariumlicht?«

Schwester LaDonna lächelt freundlich, man sieht eine Zahnlücke.»Sie bekommt Phototherapie gegen Hyperbilirubinämie.«

»Hyperbili...?« Ich bekomme das fremde Wort nicht heraus und räuspere mich. »Hören Sie, ist mir egal, ob es Hyper... Billythekid ist. Ich will nur wissen, was mit Austin nicht stimmt. In einfachen Worten bitte!«

Ich sehe den Humor in den Augen von Schwester LaDonna, doch sie nickt nur. »Schon klar. Hyperbillythekid« – sie zwinkert mir zu – »wird auch als Gelbsucht bezeichnet. Sie kommt sehr häufig bei Neugeborenen vor. Wir behandeln sie mit einer speziellen Lichttherapie, die dem kleinen Körper hilft, das überschüssige Bilirubin abzubauen. Das blaue Licht schadet nicht, und es stört das kleine Mädchen auch nicht. Ihr Bilirubinspiegel sollte sich innerhalb von ein, zwei Tagen stabilisieren.«

Erleichtert seufze ich auf. »Gott sei Dank.« Ich sehe ihr in die Augen. »Und vielen Dank.«

»Gern geschehen. Sonst noch was?«

»Nein. Im Moment nicht.« Ich will mich wieder dem Kind zuwenden, aber halte dann inne. »Eins wäre da noch«, sage ich zu LaDonna.

»Und zwar?«

»Könnten wir sie bitte Austin nennen, nicht mehr ›kleines Mädchen‹?«

Sie lächelt. »Ja, sicher.«

Draußen ist es inzwischen dunkel. Ich stelle mich ans Fenster und rufe Herbert an. Während ich darauf warte, dass er sich meldet, betrachte ich die geschäftige Stadt. Draußen gehen die Menschen ihrem Leben nach, kaufen ein, gehen Gassi mit dem Hund, machen Essen. Auf einmal erscheint mir der Alltag ein Wunder zu sein. Wissen diese Menschen überhaupt, wie viel Glück sie haben? Eine Einkaufstour mit Herbert kommt mir jetzt so leichtfertig und selbstsüchtig vor.

»Hallo!«, meldet er sich. »Wo bist du?«

»Im Krankenhaus. Sanquita liegt auf der Intensivstation. Sie hat eine Herzinsuffizienz.«

»Ach, mein Schatz, das ist keine gute Nachricht.«

»Ich kann nichts tun.« Ich halte mir ein Taschentuch vor die Nase. »Das Baby ist auch in einem kritischen Zustand.«

»Komm, ich hole dich ab. Ich mache dir was zu essen. Dann gucken wir einen Film, oder wir gehen am See spazieren. Morgen früh fahre ich dich wieder hin.«

Ich schüttele den Kopf. »Ich kann sie nicht allein lassen. Sie braucht mich. Das verstehst du doch, oder?«

»Aber sicher. Ich würde dich nur gerne sehen, mehr nicht.«

»Ich ruf dich wieder an.« Ich will gerade auflegen, als ich ihn noch etwas sagen höre.

»Brett?«

»Ja?«

»Ich liebe dich.«

Ich bin baff. In so einem Moment erklärt er mir seine Liebe? Die Gedanken rasen mir durch den Kopf, mir fällt keine passende Antwort ein … nur die, die auf der Hand liegt.

»Ich dich auch«, sage ich schließlich, ohne zu wissen, ob es auch stimmt.

Als ich zurück ans Bett gehe, sind Sanquitas Augen weit geöffnet und klar. Sie sieht mich durch das Metallgitter ihres Bettes an. Ich erstarre. Meine Mutter ist auch mit offenen Augen gestorben. Doch dann sehe ich, dass sich die Bettdecke leicht hebt und senkt. Sie atmet noch, Gott sei Dank. Ich beuge mich über das Gitter.

»Herzlichen Glückwunsch, Mäuschen. Du hast eine wunderschöne kleine Tochter.«

Ihr Blick versenkt sich in meinem, als wollte sie mehr erfahren.

»Es geht ihr sehr gut«, lüge ich. »Sie ist wirklich perfekt.«

Sanquitas geschwollene Lippe bebt, ihr ganzer Körper zittert. Sie weint. Ich streiche ihr das Haar aus der Stirn. Ihre Haut fühlt sich eisig an.

»Du frierst, Kleine.«

Ihre Zähne klappern, sie nickt mir leicht zu. Ich sehe mich um, finde aber keine zusätzliche Decke. Was für Qualen muss dieses Mädchen eigentlich noch erleiden? Und wo ist ihre Mutter, verdammt nochmal? In all den Jahren, da sie krank gewesen ist, hat da mal irgendjemand dieses Kind getröstet? Hat sie je die zärtliche Umarmung einer Mutter gespürt? Ich will sie nur noch in den Arm nehmen, damit sie sich warm und sicher und geliebt fühlen kann. Und das tue ich auch.

Ich senke das Gitter ab und ordne die Kabel und Schläuche, die in Händen und Brust verschwinden. Behutsam verfrachte ich Sanquita auf die andere Seite des Bettes. Sie ist fast schwerelos. Dann schiebe ich mich ganz vorsichtig neben sie, Zentimeter um Zentimeter.

So zärtlich, als sei das Mädchen aus Kristall, lege ich die Arme um sie. Wieder rieche ich Ammoniak, diesmal deutlicher. Die Urämie. Schafft ihr Körper es nicht mehr? Bitte nicht, lieber Gott! Nicht jetzt!

Ich wickele die Decke enger um ihre zarte Gestalt. Sie zittert am ganzen Körper, als stände sie unter Strom. Ich drücke Sanquita eng an meine Brust, hoffe, dass die Wärme meines Körpers sie erreicht. Die Wange auf ihrem Kopf, wiege ich sie und singe ihr leise mein Lieblingsschlaflied ins Ohr.

»Somewhere ... over the rainbow ...«

Hoffentlich merkt sie nicht, dass meine Stimme bebt und ich nach wenigen Noten innehalten muss, um den Kloß im Hals hinunterzuschlucken. Mitten im Lied beruhigt sich ihr zitternder Körper. Voller Panik höre ich auf, sie zu wiegen. Doch dann vernehme ich ihre Stimme, so rau und schwach, dass sie kaum zu hören ist.

»Baby.«

Ich schaue Sanquita an, ignoriere die kahle Stelle, die sie blutig gekratzt hat, und zwinge mich zu lächeln.

»Warte, bis du sie sehen kannst, Sanquita. Sie ist winzig klein, nicht viel größer als meine Hand, aber sie hat einen starken Willen, genau wie ihre Mami. Das kann man jetzt schon sehen. Und sie hat deine schönen langen Finger.«

Eine Träne läuft über ihr geschwollenes Gesicht. Mein Herz zerbricht.

Ich tupfe ihre Wange mit der Bettdecke ab. »Die Schwestern passen gut auf sie auf, bis du wieder mehr Kraft hast.«

»Hab ... keine Kraft ... mehr«, flüstert sie.

»Hör auf!« Ich beiße mir so heftig auf die Wange, dass ich Blut schmecke. Ich darf ihr nicht zeigen, wie groß meine Angst ist. »Du musst kämpfen, Sanquita! Dein Baby braucht dich!«

Mit ersichtlich übermenschlicher Anstrengung hebt sie mir das Gesicht entgegen. »Du. Nimm ... mein Baby. Bitte.«

Ich muss schlucken. »Das brauche ich gar nicht. Du wirst wieder gesund.«

Böse sieht sie mich an, der Blick voller Verzweiflung. »Bitte!«

Ein Schluchzen entringt sich meiner Brust. Ich kann es nicht mehr vor ihr verbergen. Sie kennt ihr Schicksal. Und sie muss wissen, was aus ihrem Mädchen wird.

»Ich nehme dein Kind«, versichere ich weinend. »Ich sorge dafür, dass die Kleine ein wunderbares Leben hat. Wir werden jeden Tag von dir sprechen.« Ich versuche, ein Stöhnen zurückzuhalten. »Ich werde ihr erzählen, wie klug du warst ... wie hart du gearbeitet hast ...«

»... sie ... geliebt.«

Ich schließe die Augen und nicke, bis ich wieder sprechen kann. »Ich werde ihr sagen, dass du sie mehr geliebt hast als dein Leben.«

26

Sanquitas Beerdigung ist ein armseliges Abbild ihres mutigen jungen Lebens. Sie wird drei Tage nach der Geburt ihrer Tochter mit goldenem Doktorhut und Umhang auf dem Oak Woods Cemetery begraben, begleitet von ihren Freundinnen aus dem Joshua House, Jean Anderson, zwei Lehrern, Herbert und mir. Am Grab betet der von Jean bestellte Priester über dem Sarg und hält eine unpersönliche Totenrede auf das Mädchen, das er nicht gekannt hat. Anschließend löst sich die Gruppe auf, Jean eilt zurück zum Frauenhaus, die Lehrer an ihre Arbeit. Ich sehe Tanya, Julonia und den anderen Frauen nach, die den grasbewachsenen Hügel hinauf zur East 67th Street gehen, um dort den Bus zu nehmen. Tanya zündet sich eine Zigarette an, zieht daran und reicht sie Julonia.

Das war's. Aus und vorbei. Sanquita Bells achtzehn Lebensjahre sind nur noch Erinnerung, eine Erinnerung, die jeden Tag ein wenig schwächer werden wird. Die Vorstellung lässt mich erschaudern.

Herbert sieht mich an. »Alles in Ordnung, Liebes?«

»Ich muss ins Krankenhaus.« Ich will mich anschnallen, aber er nimmt meine Hand.

»Du bist doch völlig fertig, so wie du dich zwischen Arbeit und Krankenhaus aufreibst. Ich habe dich diese Woche kaum gesehen.«

»Austin braucht mich.«

Er führt meine Hand an seine Lippen und küsst sie. »Schätzchen, Austin bekommt alle Pflege, die sie braucht. Mach heute mal Pause. Lass dich von mir zu einem schönen Essen einladen.«

Er hat recht. Austin wird mich wahrscheinlich nicht vermissen. Aber ich vermisse sie. Ich sehe ihm in die Augen und kann nur hoffen, dass er mich versteht. »Ich kann nicht.«

Natürlich versteht er mich. Ohne den kleinsten Seufzer der Enttäuschung legt er einen Gang ein und fährt mich zum Krankenhaus.

Ich eile zu Austins Brutkasten und erwarte, das blaue Licht zu sehen, an das ich mich schon gewöhnt habe. Doch ihre Augenbinde ist ab, das blaue Licht fort. Die Kleine liegt zusammengerollt auf dem Bauch, den Kopf auf der Seite. Ihre Augen sind geöffnet. Ich hocke mich vor die Scheibe und spähe hinein.

»Hallo, kleine Maus«, sage ich. »Du bist so hübsch.«

Neben mir taucht Schwester LaDonna auf. »Ihre Blutwerte haben sich normalisiert. Sie braucht keine Phototherapie mehr. Möchten Sie sie mal halten?«

In den letzten beiden Tagen habe ich während der Phototherapie die Hand in den Inkubator geschoben und dem Baby über die Haut gestreichelt, auf dem Arm hatte ich die Kleine aber noch nicht.

»Oh, ja«, sage ich. »Wenn das geht. Ich möchte ihr nicht weh tun.«

LaDonna schmunzelt. »Das ist kein Problem. Die Frühchen sind widerstandsfähiger, als Sie glauben, und sie braucht jetzt menschliche Nähe.«

Seit Sanquitas Tod sind die Krankenschwestern außerordentlich nett zu mir. Sie wissen, dass ich Austin adoptieren möchte, und behandeln mich deshalb wie eine frisch gebackene Mutter, nicht wie einen Gast. Doch im Gegensatz zu den strahlenden, zuversichtlichen Müttern um mich herum fühle ich mich ungeschickt und unvorbereitet. Sanquita hat mir ihr einziges Kind anvertraut. Das Wohlergehen dieses schrumpeligen kleinen Aliens lastet jetzt allein auf meinen Schultern. Was ist, wenn ich versage, so wie bei Peter Madison?

LaDonna hebt den Deckel des Inkubators an und schiebt die Hand unter Austin. Mit der anderen rückt sie die Schläuche, die Nasensonde und die CPAP-Maske zurecht. Sie richtet das Foto wieder auf, das ich in den Kasten gestellt habe – Sanquitas Highschool-Ausweis – und holt eine Decke, um Austin darin einzuschlagen. »Babys werden gerne eng gewickelt«, erklärt sie und reicht mir das kleine Bündel.

Austin ist fast schwerelos. Seit ihrer Geburt hat sie knapp sechzig Gramm verloren, das sei normal, sagt mir LaDonna, aber ich mache mir trotzdem Sorgen. Anders als gesunde Kinder hat Austin kein Gewicht zu verlieren. Ich lege sie mir in die Armbeuge, sie verschwindet beinahe darin. Dann verzieht sie das Gesicht, aber durch die Maske über Mund und Nase ist ihr Schrei gedämpft.

»Sie weint.« Ich halte LaDonna das Bündel hin und hoffe, dass sie Austin zurücknimmt. Tut sie aber nicht. Ich schiebe das Baby herum, drücke es enger an mich, doch das herzzerreißende stumme Gewimmer hört nicht auf. »Was mache ich falsch?«

»Sie ist schon den ganzen Tag so unruhig.« LaDonna legt den Zeigefinger aufs Kinn. »Wissen Sie, was ich glaube?«

»Hm, dass ich eine miese Mutter bin?«

Kopfschüttelnd winkt sie ab. »Nein! Sie werden eine tolle Mutter! Ich glaube, Austin braucht die Känguruh-Methode.«

»Das habe ich auch gerade gedacht«, versuche ich zu scherzen und sehe sie dann an. »Bitte, LaDonna, Sie sprechen hier mit einer blutigen Anfängerin ... und damit meine ich nicht Austin. Was soll bitte die Känguruh-Methode sein?«

Sie lacht. »So nennt man den Hautkontakt zwischen Eltern und Frühchen, nach dem Vorbild des Känguruh-Babys im Beutel der Mutter. Kinder brauchen Körperkontakt, um eine Beziehung aufzubauen, aber die Studien zeigen auch, dass der Kontakt eines Frühchens mit der Brust der Mutter die Herz- und Atemfrequenz stabilisiert. Körperliche Nähe spart Kalorien, so dass das Kind schneller zunimmt, sie hat sogar Einfluss auf die Körpertemperatur der Kleinen. Der Körper der Mutter ist quasi der Brutkasten.«

»Wirklich?«

»Ja. Die Brust der Mutter verändert tatsächlich ihre Temperatur als Reaktion auf die Körpertemperatur des Kindes. Die Babys sind zufriedener, bekommen seltener einen Atemstillstand, alle möglichen Dinge. Möchten Sie es mal versuchen?«

»Aber ich bin nicht die Mutter ... die leibliche.«

»Ein Grund mehr, die Beziehung zu stärken. Ich stelle einen Sichtschutz auf, damit Sie beide Ihre Ruhe haben. Sie können in der Zwischenzeit Austin auspacken. Ziehen Sie ihr alles aus, außer der Windel. Soll ich Ihnen ein Krankenhaushemd holen, oder möchten Sie lieber Ihre Bluse aufknöpfen?«

»Ähm ... Ich knöpfe einfach meine Bluse auf. Sind Sie sicher, dass es funktioniert, auch wenn man nicht die richtige Mutter ist? Ich möchte nicht, dass die Kleine sich erkältet, weil ich keine ordentliche Känguruh-Mutti bin.«

LaDonna lacht. »Das geht schon.« Sie legt den Kopf schräg und wird ernst. »Und Brett, Sie haben mich doch gebeten, Austin nicht mehr kleines Mädchen zu nennen, oder?«

»Ja.«

»Hören Sie dann bitte auf zu behaupten, Sie wären nicht die Mutter?«

Ich atme tief durch und nicke. »In Ordnung.«

Ich liege in einem Lehnsessel, umgeben von Sichtschutzwänden. Die Bluse habe ich aufgeknöpft, den BH ausgezogen. LaDonna legt Austin auf meine Brust, mein linker Busen dient dem Baby als Kopfkissen. Ihr feiner Flaum kitzelt auf meiner Haut, ich zucke zusammen. LaDonna legt eine Decke über die Kleine.

»Viel Spaß!«, sagt sie und verschwindet.

Moment, will ich ihr hinterher rufen. *Wie lange muss ich das machen? Können Sie mir vielleicht ein Buch oder eine Zeitschrift bringen?*

Ich stoße einen Seufzer aus. Vorsichtig schiebe ich die Hand unter die Decke und ertaste Austins nackten Rücken. Er ist butterweich. Ich spüre, wie sich ihr Brustkorb schnell hebt und senkt. Von oben betrachte ich ihr feines schwarzes Haar. Sie verzieht das Gesicht nicht mehr zu einem stummen Jammern, sondern blinzelt und verrät mir so, dass sie wach ist.

»Hallo, Austin«, sage ich. »Bist du heute traurig, Zuckerpüppchen? Es tut mir so leid, dass deine Mami gestorben ist. Wir haben sie so lieb gehabt, nicht?«

Sie zwinkert, als würde sie mir zuhören.

»Ab jetzt bin ich deine Mami«, flüstere ich. »Für mich ist das alles neu, du musst also ein bisschen Nachsicht mit mir haben, ja?«

Austin sieht mich an.

»Ich werde so manchen Fehler machen, das kann ich dir ruhig jetzt schon sagen. Aber ich verspreche dir, ich tue alles, was in meiner Macht steht, um dir ein sicheres, schönes, glückliches Leben zu bescheren.«

Austin kuschelt sich an meinen Hals. Ich lache leise und reibe die Wange an ihrem Kopf. »Ich bin so stolz darauf, dass du meine Tochter bist.«

Ihre Atemzüge werden ruhiger, die winzigen Augen fallen zu. Ich betrachte dieses unglaubliche Geschenk und werde von einer so puren, so instinktiven Liebe überwältigt, dass es mir den Atem raubt.

Nach kurzer Zeit schaut LaDonna um die Ecke. »Die Besuchszeit ist fast vorbei«, flüstert sie.

Ich werfe einen Blick auf die Wanduhr. »Jetzt schon?«

»Sie sind seit fast drei Stunden hier.«

»Ach, Quatsch!«

»Doch. Austin sieht glücklich aus … und Sie auch. Wie war es?«

»Es war ...« Ich küsse Austin auf den Kopf und suche nach dem passenden Wort. »Magisch.«

Als ich die Kleine wieder in den Brutkasten lege und ihr einen Gutenachtkuss gebe, fällt mein Blick auf Sanquitas Schulausweis – das einzige Bild von ihr, das Jean finden konnte. Ich lehne es gegen die Plastikscheibe, in das Blickfeld der Kleinen. Und nehme mir vor, am nächsten Tag noch ein Foto mitzubringen. Und zwar eins von mir.

Obwohl mein Verstand weiß, dass es bei jedem anderen warmen Körper genauso gewesen wäre, ist es fast schon ein Wunder, Austins Verwandlung zu verfolgen. Nach nur sieben Tagen Hautkontakt durch die Känguruh-Therapie wird die CPAP-Maske entfernt, die Kleine behält nur noch die Nasensonde. Endlich kann ich ihre hübsch geschwungenen Lippen bewundern und mich ohne die störende klobige Plastikmaske an sie schmiegen. Seit ihrer Geburt vor neun Tagen hat sie das verlorene Gewicht wieder zugelegt, sogar noch fünfzig Gramm mehr. Sie sieht immer weniger wie ein kleiner Alien aus.

Es ist drei Uhr am Nachmittag, ich haste über den Parkplatz des Krankenhauses, das Handy am Ohr. Seit Austins Geburt stehe ich jeden Tag vor Sonnenaufgang auf und bin vor sieben Uhr in meinem Büro. Ich arbeite die Mittagspause durch und bin um halb drei mit meinem letzten Schüler fertig. Das bringt mir vier herrliche Stunden Zeit mit Austin.

»Diese Känguruh-Methode wirkt wahre Wunder«, erzähle ich Shelley am Telefon. »Austin kann fast schon selbständig atmen. Und sie strengt sich so an, das Saugen, Schlucken und Atmen zu koordinieren. Sie ist jetzt fast so weit, dass ihr Infusionsschlauch und Nasensonde abgenommen werden können. Sie ist so wunderbar, Shel! Ich kann es nicht erwarten, dass du sie kennenlernst. Hast du die Bilder bekommen, die ich dir geschickt habe?«

Shelley lacht. »Ja. Sie ist wirklich ein Schatz. Herrje, Brett, du hörst dich wirklich wie eine Mutter an.«

Ich ziehe die Tür zum Krankenhaus auf. »Tja, gut, hoffen wir, dass ich das arme Kind nicht mit all meinen Ängsten, Unsicherheiten und Neurosen vermurkse.«

»Da ist was dran. Aber es besteht Hoffnung.«

Wir lachen gemeinsam. »Hör mal, ich bin jetzt da. Liebe Grüße an die Kurzen! Alles Liebe an Jay!«

Ich stopfe das Handy in die Hosentasche und gehe zu den Fahrstühlen. Lächelnd frage ich mich, was für eine Überraschung von Herbert mich wohl heute erwartet. Bisher hat er keinen Tag ausgelassen. Da er die Kleine nicht besuchen darf, schickt er Päckchen für Austin und mich an die Krankenschwestern. Das ist zum Ereignis des Tages geworden; die Schwestern und sogar ein paar junge Mütter scharen sich immer um mich und sehen zu, wie ich Herberts neuestes Geschenk auspacke. Ich glaube, sie freuen sich mehr auf die Überraschungen als ich. LaDonna liebt den silbernen Schlüsselanhänger, in den Austins Geburtsdatum eingraviert ist. Ich finde ihn auch schön, aber mein Lieblingsgeschenk war gestern das Foto von Austin und mir. Herbert druckte das Bild, das ich ihm geschickt hatte, zweimal aus und rahmte beide Abzüge. Auf meinem Silberrahmen steht *Mutter und Tochter*, auf Austins rosa-weißem Rahmen dagegen *Mama und ich*.

Doch als ich heute komme, sieht es aus, als habe es eine Überraschung für den gesamten fünften Stock gegeben: Am Eingang zur Neugeborenen-Intensiv steht eine Frau vor LaDonna, Maureen und einem Wachmann. Die drei versuchen, der Frau den Zugang zu verwehren. Das lange gelbblonde Haar der Fremden erinnert an trockenes Heu im August, und selbst in ihrem dicken Kunstfellmantel sieht sie abgemagert aus.

»Ich hau nich ab.« Sie spricht undeutlich, schwankt auf ihren roten Absätzen. »Ich hab 'n Recht, mein Enkelkind zu sehn.«

Oh je, die arme Frau muss betrunken sein. Wie traurig für die Tochter und das Enkelkind. LaDonna erblickt mich und wirft mir einen warnenden Blick zu. Ich verlangsame und drehe ab, bekomme die Auseinandersetzung hinter mir jedoch weiter mit.

»Ma'am, Sie müssen jetzt gehen«, sagt der Wachmann, »sonst muss ich die Polizei rufen.«

»Sie hetzen mir nich die Bullen auf'n Hals! Hab nichts getan! Bin extra aus Detroit gekommen. Ich geh erst wieder, wenn ich sie gesehen hab, verstanden?«

O Gott! Ich biege um die Ecke, verschwinde aus dem Blickfeld und sacke gegen die Wand. Kann das Sanquitas Mutter sein? Schritte kommen näher, das Geschrei wird lauter. »Nimm deine verfluchten Pfoten weg! Soll ich dich anzeigen, du Wichser?«

Sie kommen um die Ecke, und die Frau ist so nahe, dass ich abgestandenen Zigarettenrauch riechen kann. Ihr Gesicht ist fast farblos, wie Haferschleim, sie verzieht es zu einer hässlichen Fratze. Ich sehe faulige schwarze Zähne, und mein erster Gedanke ist: *Chrystal Meth.* War sie es? Ist sie es? Mir fallen Sanquitas Worte ein: *Ich weiß, warum sie nicht mitgekriegt hat, dass meine Brüder schrien. Als ich von der Schule nach Hause kam, hab ich alles im Klo runtergespült.*

Der Wachmann hält den Arm der Frau umklammert und zerrt sie regelrecht zum Fahrstuhl, überhört die Unflätigkeiten, die sie ihm entgegen schleudert. Als sie an mir vorbeigeht, kneift sie die Augen zusammen, so als wolle sie mich genauer beäugen. Ich halte die Luft an und weiche zurück. Ob sie weiß, wer ich bin? Ob sie weiß, dass ich Austins Mutter sein werde? Angst rollt über mich hinweg.

Der Wachmann zieht die Alte mit sich, doch sie reckt den Hals und sieht mich mit kalten grauen Augen an.

»Was guckst du so blöd?«

Jedes Mitgefühl verflüchtigt sich. An seine Stelle tritt etwas Instinktives, ein uralter mütterlicher Schutzinstinkt, und ich weiß, dass ich für Austins Leben und Sicherheit sterben – oder töten – würde. Der Gedanke erschreckt und erstaunt mich, aber macht mich auch sonderbar stolz.

27

Die Neugeborenenstation summt vor Aufregung. Als LaDonna
mich erblickt, packt sie mich am Ellenbogen und führt mich in
eine abgeschiedene Ecke. »Wir haben ein Problem«, flüstert sie.
»Sanquitas Mutter?«, frage ich, obwohl ich die Antwort bereits kenne.

Sie nickt und vergewissert sich, dass uns auch niemand be-
lauscht. »Tia Robinson. Sie war so betrunken oder abgefüllt
oder wie man das nennt ... sie konnte sich kaum auf den Beinen
halten.«

Wieder ergreift mich Panik.

»Sie wollte zu ihrem Enkelkind.« LaDonna schüttelt den
Kopf, als sei die Vorstellung abwegig.

Ich greife mir an die Kehle, will die bittere Galle hinunter-
schlucken. »Kann sie das denn? Ist es möglich, dass sie das Kind
bekommt?«

LaDonna zuckt die Achseln. »Habe schon alles Mögliche erlebt. Wenn sich ein Verwandter meldet und sich bereit erklärt,
das Kind zu nehmen, bekommt er es meistens auch. Ein Fall weniger, mit dem sich der Staat beschäftigen muss.«

»Nein! Aber nicht sie! Das lasse ich nicht zu. Ich nehme Austin. Ich habe doch erzählt, dass es Sanquitas letzter Wunsch war.«

LaDonna schaut finster drein. »Hören Sie, ich finde das ja toll,
aber das liegt nicht in Ihrer Hand. Haben Sie schon mit Kirsten
Schertzing gesprochen, der Sozialarbeiterin des Krankenhauses?«

»Nein.« Ich komme mir plötzlich dumm vor. Warum bin ich
davon ausgegangen, die Adoption dieses obdachlosen, mutterlo-

sen Kindes sei ein Klacks? »Ich versuche die Frau vom Sozialdienst schon seit Tagen vergeblich telefonisch zu erreichen. Und ich wollte wirklich mit der Sozialarbeiterin vom Krankenhaus sprechen, aber ich war einfach zu beschäftigt mit Austin.«

»Ich rufe Kirsten an. Wenn sie Zeit hat, können Sie sich vielleicht noch heute mit ihr treffen.«

LaDonna verschwindet hinter dem Schwesternzimmer und kehrt kurz darauf mit einem gelben Haftzettel zurück. »Sie hat jetzt gleich eine Besprechung. Aber sie hätte morgen um vier Uhr nachmittags Zeit für Sie. Sie sitzt in der ersten Etage, Zimmer 114.« Die Schwester reicht mir den Zettel. »Hab ich Ihnen aufgeschrieben.«

Mein Kopf dreht sich, ich starre auf die Notiz.

»Sie sollten sich vielleicht auf einen Kampf einstellen. Ms Robinson ist überzeugt, dass die Kleine ihr gehört.«

»Aber warum?«, frage ich. »Sie hatte doch nicht mal Lust, ihre eigene Tochter großzuziehen.«

LaDonna schnaubt verächtlich. »Ist ja wohl klar wie Kloßbrühe. Sie will das Sterbegeld. Außerdem erhält Austin die nächsten achtzehn Jahre Waisenrente – ungefähr tausend Dollar pro Monat.«

Eine dunkle, beklemmende Angst kommt in mir auf. Diese Frau ist versessen darauf, sich mein Kind unter den Nagel zu reißen, und ihr Motiv ist so alt und böse wie nur etwas. Aber sie ist Austins Großmutter mütterlicherseits. Ich bin lediglich Sanquitas Lehrerin und kannte sie knapp fünf Monate.

Die nächsten zwei Stunden verbringe ich hinter dem Sichtschutz mit Austin auf meiner Brust und singe. Das heutige Geschenk von Herbert war ein iPod, auf den er passende Lieder für junge Mütter geladen hat, zum Beispiel *I Hope You Dance* oder *You Make Me Feel Like a Natural Woman*. Ich bin gerührt. Das Zusammenstellen muss Stunden gedauert haben. Aber werde ich jemals eine junge Mutter sein? Meine Brust zieht sich zusammen.

Ich schiele hinunter auf Austin und versuche, mit Alison Krauss zu singen: *It's amazing how you can speak right to my heart.* Die winzigen Fäustchen bohren sich durch die Decke, Austin gähnt und schließt wieder die Augen. Ich lache unter Tränen und tätschele ihr den Rücken. Auf einmal legt mir jemand eine Hand auf die Schulter. Ich zucke zusammen. »Sie haben Besuch, Brett. Er wartet am Empfang.«

Ich wundere mich, als ich meinen Bruder vor der Tür zur Intensivstation entdecke. Er trägt Anzug und Krawatte, kommt also offenbar direkt von der Arbeit.

»Joad!«, sage ich. »Was machst du denn hier?«

»In den letzten Wochen warst du ziemlich schwer zu erwischen.« Er beugt sich vor und gibt mir einen Kuss auf die Wange. »Habe gehört, du hast eine neue kleine Freundin. Catherine ist ganz begeistert von deinen Fotos.«

»Gerade ist etwas Furchtbares passiert. Sanquitas Mutter ist hier aufgetaucht. Sie will mir das Baby wegnehmen!« Als ich die furchtbare Szene Revue passieren lasse, bin ich kurz davor, hysterisch zu werden. »Aber das lasse ich nicht zu, Joad! Das kommt nicht in Frage!«

Er legt den Kopf schräg, Sorgenfalten auf der Stirn. »Und wie genau willst du sie davon abhalten?«

»Ich adoptiere Austin.«

»Komm! Wir gehen eine Tasse Kaffee trinken.« Er mustert mich gründlich. »Oder besser etwas essen. Wann hast du das letzte Mal was gegessen?«

»Ich hab keinen Hunger.«

Er schüttelt den Kopf. »Los, gehen wir! Du wirst jetzt was essen und mir erzählen, was hier los ist.« Er zieht an meinem Arm, aber ich befreie mich.

»Nein! Ich kann die Kleine nicht allein lassen! Vielleicht kommt diese Frau wieder und nimmt sie mit.«

Joad sieht mich an, die Augen groß vor Sorge. »Reiß dich mal zusammen! Du siehst wirklich schlimm aus. Hast du in den letzten zwei Wochen mal geschlafen? Das Kind geht nirgendwo hin.« Er gibt Schwester Kathy am Empfang ein Zeichen. »Wir sind gleich wieder da.«

»Sagen Sie LaDonna, dass sie Austin nicht aus den Augen lassen soll«, rufe ich noch, während Joad mich zum Fahrstuhl schiebt.

In der Plastik-Sitzecke hinten in der Cafeteria des Krankenhauses nimmt Joad einen Teller Spaghetti von einem orangen Tablett und stellt ihn vor mich. »Iss!«, befiehlt er. »Und nebenbei erzählst du mir, was du mit Sanquitas Baby vorhast.«

Es gefällt mir nicht, wie er »Sanquitas Baby« sagt, als sei Austins Schicksal noch nicht geklärt. Ich schiebe den Papierring von der Serviette und ziehe Gabel und Messer heraus. Beim Anblick der Spaghetti dreht sich mir der Magen um, aber ich steche tapfer mit der Gabel hinein und führe sie zum Mund. Ich muss mich unheimlich zusammenreißen, um zu kauen und zu schlucken. Dann tupfe ich mir den Mund mit der Papierserviette ab und lege die Gabel beiseite.

»Das ist mein Kind. Ich werde Austin adoptieren.«

Ich erzähle ihm von Sanquita und ihrem letzten Wunsch, von Ms Robinson und ihrem Auftritt im Krankenhaus. »Morgen habe ich einen Termin bei der Sozialarbeiterin. Ich werde dieses Kind retten. Es braucht mich. Außerdem habe ich es Sanquita versprochen.«

Joad trinkt seinen Kaffee und beäugt mich. Schließlich stellt er die Tasse ab und schüttelt den Kopf. »Mutter hat dir wirklich einen Bärendienst erwiesen mit diesen Zielen, nicht?«

»Was soll das heißen?«

»Du brauchst dieses Baby nicht. Du wirst irgendwann selbst Kinder bekommen. Vielleicht dauert es ein bisschen länger, aber so wird es kommen. Du musst nur Geduld haben.«

Ich schüttele den Kopf. »Ich will *dieses* Kind, Joad. Es hat nichts mit Mamas Zielen zu tun. Ich brauche das Kind, und es braucht mich.«

310

Er scheint mich nicht zu verstehen. »Hör zu, du kannst nicht mehr viel Geld haben. Ich leihe dir gerne …«

Entsetzt starre ich ihn an. »Glaubst du, ich mache das nur, um mein Erbe zu bekommen?« Ich hebe den Kopf zur Decke. »O Gott, Joad! Du musst mich ja für genauso geldgierig halten, wie es Sanquitas Mutter ist!« Ich schiebe den Teller fort und beuge mich vor. »Dieses Erbe ist mir so was von scheißegal. Ich würde für dieses Baby auf alles verzichten. Verstehst du das? Auf – alles – verzichten!«

Er lehnt sich zurück, als hätte er Angst vor mir. »Gut, es geht also nicht um Geld. Trotzdem glaube ich, dass du kurzsichtig handelst. Mutter hat dir diesen Floh ins Ohr gesetzt, und jetzt bist du besessen davon. Dieses Kind sieht nicht aus wie wir, Brett. Was ist sie? Eine Latina? Eine Asiatin?«

In dem Moment habe ich nicht mehr meinen Bruder vor mir. Ich sehe seinen Vater, Charles Bohlinger, der sich kopfschüttelnd fragt, warum um alles in der Welt ich mit Terrell Jones zum Abschlussball gehen will. Mein Blutdruck steigt. »Ihre Mutter war gemischtrassig. Sie war ein armes, obdachloses Mädchen aus einer Sozialsiedlung in Detroit. Ich habe keine Ahnung, wer der Vater des Babys ist, denn es war ein One-Night-Stand. Bitte! Befriedigt das deine Neugier?«

Joad kneift sich in den Nasenrücken. »Herrje, was für ein Genpool. Was sagt Herbert eigentlich dazu?«

Ich beuge mich vor. »Leck mich, Joad! Ich liebe dieses Baby. Ich bete es an. Und die Kleine hat sich schon an mich gewöhnt. Du solltest mal sehen, wie sie sich an mich kuschelt, wenn ich sie halte. Und zu deiner Information: Herbert unterstützt mich bedingungslos, obwohl ich nicht weiß, was das für einen Unterschied macht.«

Er blinzelt mehrmals. »Meinst du das ernst? Der Mann ist in dich verliebt. Er denkt definitiv langfristig.«

Ich winke ab. »Das kommt doch etwas früh, meinst du nicht? Er kennt mich gerade mal zwei Monate.«

»Als wir letzte Woche bei Jay waren, hat er mich beiseite genommen. Keine Ahnung, vielleicht dachte er, da ich dein ältester Bruder bin, wäre ich eine Art Ersatzvater oder so. Jedenfalls sagte er mir, er hoffe auf eine Zukunft mit dir. Es war fast so, als halte er um deine Hand an.«

Ich blicke finster drein. »Na, das lass mal meine Sorge sein, nicht deine oder die von Herbert oder sonst wem.«

»Er ist ein toller Kerl, Brett. Verbock das nicht! Wenn doch, wirst du es bereuen, glaub mir!«

Ich sehe meinem Bruder fest in die Augen. »Glaub mir: Werde ich nicht!« Ich werfe die Serviette auf den Tisch, stehe auf und lasse ihn raten, was ich gemeint habe: ob ich es mit Herbert nicht verbocken oder es nicht bereuen werde.

Als ich am Abend nach Hause komme, steht ein Päckchen mit einem Absender aus Wisconsin auf der Veranda. Carrie. Wie lieb von ihr. Ich nehme es mit nach oben in die Wohnung und schneide es auf. Es enthält eine Sammlung von Stofftieren, Büchern, Stramplern, Lätzchen, Decken und Schühchen. Ich halte jedes Teil vor mich und stelle mir Austin vor, wenn sie einmal groß genug ist, um diese Sachen zu tragen, die sie jetzt noch verschlucken würden. Doch dann denke ich an die fiese Frau mit den fauligen Zähnen, die das Leben meines Kindes zerstören will. Ich greife zum Telefon und rufe Carrie an.

»Ich habe gerade das tolle Päckchen von dir aufgemacht«, sage ich bemüht fröhlich. »Das war ganz lieb von dir.«

»Gern geschehen. Sammy war erst einen Monat alt, als wir ihn bekamen. Wir hatten keine Ahnung, was wir brauchten. Du wirst das Tragetuch lieben, wart's nur ab. Und den ...«

»Sanquitas Mutter will Austin haben.«

Kurz herrscht Schweigen am anderen Ende der Leitung. »O Brett! Das tut mir so leid.«

»Ich hätte ja Verständnis für die Frau, wenn sie nicht so furchtbar wäre.« Ich erzähle ihr die Geschichte von Deonte und

Austin. »Sie war weggetreten, als Deonte starb, trotzdem gab sie Austin die Schuld.« Tränen treten mir in die Augen. »Ich habe solche Angst, Carrie. Was ist, wenn ich sie nicht bekomme? Austins Leben wird die Hölle sein.«

»Bete!«, erwidert sie. »Bete einfach.«

Das tue ich auch. So wie ich gebetet habe, dass meine Mutter überleben würde. Und dass Sanquita gesund würde.

Die Wände von Kirsten Schertzings bescheidenem Büro sind mit Fotos von lächelnden Kindern und Eltern geschmückt, von grinsenden alten Menschen im Rollstuhl, von Amputierten, die fröhlich in die Kamera winken. Die eifrige Sozialarbeiterin mit dem allwissenden Blick hat also offensichtlich ein Herz, obwohl ich bisher nichts davon gemerkt habe.

»Danke für Ihr Kommen«, sagt sie und schließt die Tür hinter uns. »Nehmen Sie Platz!«

Brad und ich hocken nebeneinander auf einem Zweisitzer, Kirsten sitzt uns gegenüber auf einem Holzstuhl, ein Klemmbrett aus Plastik auf dem Schoß. Sie macht sich Notizen, während ich ihr von meiner Beziehung zu Sanquita und von ihrem letzten Wunsch erzähle, ich solle das Baby behalten.

Sie blättert die Seite um, auf die sie geschrieben hat, und überfliegt ihre eigenen Notizen. »Laut Krankenblatt fiel Sanquita nach dem Kaiserschnitt ins Koma. In den folgenden dreizehn Stunden bis zu ihrem Tod gibt es keinen Nachweis, dass sie noch mal das Bewusstsein erlangte ... abgesehen von Ihrer Behauptung.«

Auf einmal kommt mir dieses Gespräch wie eine Vernehmung vor. »Ich weiß nur, dass sie an dem Abend noch mal aufwachte, nachdem sie das Kind bekommen hatte.«

Die Sozialarbeiterin notiert es sich. »Gerade lange genug, um Ihnen zu sagen, dass Sie ihr Kind behalten sollen?«

Mein Puls rast. »Ja, genau.«

Sie schreibt mit erhobenen Augenbrauen. »War sonst noch jemand dabei?«

»Im Krankenhaus nicht. Aber am Vormittag hat sie es auch zu Ms Jean gesagt, der Leiterin des Frauenhauses, als die sie ins Krankenhaus brachte.« Ich schaue beiseite. »Aber ich bezweifele, dass die Frau vor Gericht für mich aussagen würde.« Ich falte die klammen Hände. »Sanquita hat mit mir gesprochen. Ich weiß, dass es verrückt klingt. Aber es stimmt. Sie hat mich angefleht, ihr Baby zu nehmen.«

Kirsten Schertzing legt den Stift beiseite und schaut endlich auf. »Es wäre nicht das erste Mal, dass jemand gerade lange genug das Bewusstsein wiedererlangt, um sich zu verabschieden oder einen letzten Wunsch zu äußern.«

»Das heißt, Sie glauben mir?«

»Was ich glaube, ist uninteressant. Wichtig ist, was das Gericht glaubt.« Sie erhebt sich und geht zum Schreibtisch. »Heute Morgen war eine sehr nüchterne, sehr wohlerzogene Ms Robinson bei mir.«

Ich halte den Atem an. »Was hat sie gesagt?«

»Das darf ich Ihnen nicht verraten. Aber ich muss Sie darauf hinweisen, dass das Gericht in fast allen Fällen von Sorgerechtsstreitigkeiten zugunsten der Familie urteilt. Ich weiß nicht, ob das ein Kampf ist, den Sie aufnehmen wollen.«

Brad räuspert sich. »Ich habe Tia Robinson überprüfen lassen. Sie erhält Invalidenrente aufgrund einer psychischen Erkrankung. Sie war mehrmals im Entzug wegen Alkohol- und Drogenmissbrauchs. Sie wohnt in einer der kriminellsten Sozialsiedlungen von Detroit. Sanquita hat drei Halbbrüder, jeder von einem anderen Vat...«

Kirsten Schertzing lässt ihn nicht ausreden. »Mr Midar, bei allem Respekt, aber der Staat interessiert sich nur dafür, ob diese Frau – die zufällig die Großmutter mütterlicherseits des Kindes ist – jemals eines Schwerverbrechens verurteilt wurde. Sie hat sich zwar verschiedene Vergehen zuschulden kommen lassen, aber ist keine Schwerverbrecherin.«

»Was ist mit ihrem Sohn Deonte, der bei einem Brand ums Leben kam?«, frage ich. »Was für eine Mutter schläft einfach, während ihre Kinder um Hilfe rufen?«

»Das habe ich für Sie geprüft. Es gab keine Anzeige. Die Berichte des Amts lassen darauf schließen, dass sie kurz unter der Dusche stand. Leider geschah der Unfall von einem Augenblick auf den anderen.«

»Nein. Sie war high. Das hat Sanquita mir erzählt.«

»Hörensagen«, werfen die Sozialarbeiterin und Brad gleichzeitig ein.

Ich sehe Brad an, als sei er ein Verräter. Aber er hat natürlich recht. Meine Aussage würde vor Gericht niemals standhalten. »Aber die anderen Sachen«, sage ich. »Die Sucht, die psychische Krankheit. Sind die ganz egal?«

»Im Moment ist das Drogenscreening unauffällig. Hören Sie, wenn wir allen Eltern die Kinder wegnehmen würden, die Depressionen haben oder mal abhängig waren, würde die halbe Stadt bei Pflegeeltern leben. Wann immer möglich, ist es das Ziel des Staats, die Kinder in ihrer Familie zu belassen. Punkt.«

Brad schüttelt den Kopf. »Das ist falsch.«

Kirsten Schertzing zuckt mit den Achseln. »Und was wären wir für eine Gesellschaft, wenn das Sorgerecht dem zugesprochen würde, der das schönste Haus hat oder am glücklichsten ist?«

Meine Gedanken überschlagen sich. Ich kann nicht zulassen, dass dieses Kind zu Ms Robinson kommt. Das geht nicht! Ich habe es Sanquita versprochen. Und ich liebe Austin viel zu sehr.

»Sanquita wollte nicht, dass ihr Kind in der Nähe dieser Frau ist«, sage ich. »Wenn es ein Familienmitglied sein muss, dann suchen wir jemand anderen, einen Verwandten, der keine Probleme hat.«

»Gute Idee, aber bisher hat sich niemand gemeldet. Sanquita hat keine Schwestern, von daher ist die Großmutter mütterlicherseits die nächste Verwandte. Und in diesem Fall ist die Oma erst sechsunddreißig, es ist also nicht besonders schwer vorstellbar, dass diese Frau ein Kind großzieht.«

Sechsunddreißig? Die Frau, die ich auf dem Korridor sah, war mindestens fünfzig! Ich schaue auf, und Ms Schertzing lächelt verständnisvoll. Ich bin am Verlieren. Ich lasse Sanquita im Stich. »Was kann ich tun?«

Ihre Lippen verziehen sich zu einem schmalen Strich. »Ganz ehrlich? Ich schlage vor, dass Sie Ihre Gefühle im Zaum halten, so gut Sie können. Ich habe guten Grund anzunehmen, dass dies eine kurze Angelegenheit wird. Ms Robinson wird das Sorgerecht für ihre Enkeltochter zugesprochen bekommen.«

Ich schlage die Hände vors Gesicht und breche in Tränen aus. Brad legt mir die Hand auf den Rücken, klopft mir auf die Schultern, so wie ich es immer bei Austin mache.

»Das wird schon wieder, B. B.«, flüstert er. »Es wird ein anderes Baby geben.«

Ich weine so heftig, dass ich ihm nicht erklären kann, dass ich nicht um mich weine. Er hat recht. Ich mag ein anderes Baby bekommen. Aber Austin bekommt nur *eine* Mutter.

28

Die nächste Woche verbringe ich damit, jeden Nachmittag nach dem letzten Unterricht zum Krankenhaus zu flitzen. Mir ist egal, was die Sozialarbeiterin sagt, ich werde jede Minute mit diesem Kind verbringen, bis zur letzten. Jedes Mal, wenn ich Austins seidige schwarze Locken berühre oder ihre flaumige Haut streichele, hoffe ich, dass diese Zärtlichkeiten sich irgendwie in ihrer Erinnerung festsetzen und sie ihr Leben lang begleiten werden. Schwester LaDonna nähert sich dem Sessel und beugt sich vor, um mir das Baby abzunehmen. »Kirsten Schertzing hat sich gerade gemeldet. Sie sollen sie bis fünf Uhr zurückrufen.«

Ich jubele innerlich. Vielleicht hat es sich Sanquitas Mutter doch anders überlegt! Oder das Gericht hat ihr das Sorgerecht verweigert!

Ich laufe den Korridor hinunter zu einer Bank vor einem Fenster, von dem man auf die Stadt blickt, die einzige Stelle im Krankenhaus mit ordentlichem Handyempfang. Austin ist mein, das spüre ich. Aber habe ich mich nicht auch schwanger gefühlt? Und dachte ich nicht, Brad sei der Mann meiner Träume?

»Kirsten«, grüße ich. »Hier ist Brett Bohlinger. Was ist passiert? Ich bin gerade im Krankenhaus. Ich kann herunterkommen in Ihr Büro …«

»Nein, das ist nicht nötig. Ich habe gerade Näheres zur Sorgerechtsverhandlung erfahren. Sie ist für morgen früh um acht Uhr angesetzt. Den Vorsitz hat Richter Garcia vom Gericht Cook County.«

Ich stoße den Atem aus. »Es hat sich nichts geändert?«

»Nada. Tia Robinson ist wieder da. Wenn kein Wunder geschieht, wird sie das Gericht morgen mit dem Sorgerecht für ihre Enkeltochter verlassen.«

Ich halte mir die Hand vor den Mund, um nicht laut zu schreien. Tränen treten mir in die Augen.

»Es tut mir leid, Brett. Ich wollte es Ihnen nur für den Fall mitteilen, dass Sie immer noch vorhaben, dagegen anzugehen.«

Ich bringe ein Danke heraus und lege auf. Ein älterer Patient schlurft den Gang entlang, seinen Infusionsständer neben sich herziehend.

»Schlechte Prognose?«, fragt er, als er vor mir steht und die Tränen auf meinen Wangen sieht.

Ich nicke, das Wort *tödlich* bekomme ich nicht heraus.

Als ich auf die Säuglingsstation zurückkehre, sitzt Jean Anderson auf einem Sofa im Empfangsbereich und hat ein pinkfarbenes Päckchen auf dem Schoß. Als sie mich sieht, setzt sie sich auf.

»So«, sagt sie und erhebt sich. »Sehen Sie mal, was ich mitgebracht habe.« Sie hält mir das Geschenk entgegen. »Von den Frauen im Joshua House.«

Ich nehme es an, bringe aber kein Wort heraus.

Jean kneift die Augen zusammen. »Alles in Ordnung?«

»Sanquitas Mutter will das Kind haben.«

Sie runzelt die Stirn. »Aber Sanquita wollte, dass Sie das Baby bekommen. Hat sie mir gesagt.«

»Morgen ist die Verhandlung mit Richter Garcia. Diese Frau ist durchgedreht, Jean. Ich habe solche Angst um Austin. Könnten Sie nicht morgen kommen? Können Sie dem Richter nicht sagen, was Sanquita Ihnen erzählt hat?«

Jean schnaubt verächtlich. »Reine Zeitverschwendung!« Sie lacht höhnisch. »Es ist uninteressant, was Sanquita zu mir gesagt hat. Das ist nur Hörensagen. Wir haben keine Spur von einem Beweis. Und deswegen sticht die Großmutter die Lehrerin, egal wie durchgedreht sie ist.«

Ich sehe sie an. »Dann müssen wir Richter Garcia überzeugen, dass es zu Austins Bestem ist, wenn ich sie adoptiere. Wir sagen ihm, dass Sanquita nicht wollte, dass ihr Kind nach Detroit kommt und dass ...« Ich verstumme, als Jean den Kopf schüttelt. »Sie glauben, dass sich alle an die Regeln halten, nicht? Sie glauben, wenn Sie ganz lieb sind und dem Richter die Wahrheit sagen, könnten Sie ihn überzeugen.« Jean kneift die Augen zusammen und schnaubt. »Nein. Diesmal wird die Wahrheit Ihnen leider nicht helfen.«

Ich breche in Tränen aus.

»Sehen Sie mich an!« Sie umklammert meinen Arm so heftig, dass es weh tut. »Mit Ihren Krokodilstränen sind Sie wahrscheinlich bisher immer weiter gekommen, aber die helfen Ihnen diesmal nicht, das Kind zu kriegen, verstanden? Wenn Sie das Kind wollen, müssen Sie kämpfen. Und zwar mit harten Bandagen, verstanden?«

Schniefend wische ich mir über die Augen. »Mache ich. Ja, klar.«

Ich würde gerne mit harten Bandagen kämpfen. Aber ich habe nur einen Plastikschläger und einen Schaumgummiball.

Gestrichen in der Farbe eines Pappkartons, wirkt der muffige alte Gerichtssaal von Cook County so einsam und verlassen, wie ich mich fühle. Sechs leere Bänke aus Kiefernholz, getrennt durch den Mittelgang, stehen vor dem Richtertisch und dem Zeugenstand. Die für die Geschworenen vorgesehenen Stühle rechts davon bleiben heute leer. Dies ist eine Verhandlung ohne Jury. Richter Garcia wird das Urteil sprechen.

Brad geht seine Unterlagen durch, ich schiele zu dem Tisch rechts neben uns. Dort hocken Tia Robinson und ihr vom Gericht bestellter Anwalt, Mr Croft, und tuscheln miteinander. Ich schaue mich um. Hinter mir nur leere Bänke. Niemanden interessiert diese Verhandlung. Nicht mal Ms Jean.

Um Punkt acht Uhr nimmt Richter Garcia auf seinem Stuhl

Platz und ruft den Saal zur Ordnung. Wir erfahren, dass Ms Robinson heute nicht aussagen wird. Ich bin kein Anwalt, aber selbst ich kann mir denken, dass es zu riskant ist, diese Frau in den Zeugenstand zu holen. Außerdem ist es ja ein eindeutiger Fall. Sie hat durch ihre Aussage nichts zu gewinnen.

Irgendwann werde ich in den Zeugenstand gerufen. Ich werde eingeschworen, und Brad bittet mich, meinen Namen und meine Beziehung zu Sanquita Bell anzugeben. Ich hole tief Luft und rede mir ein, dass alles von meiner Aussage abhängt, dass nicht schon längst alles feststeht.

»Ich bin Brett Bohlinger«, stelle ich mich vor und bemühe mich, ruhig zu atmen. »Ich habe in den fünf Monaten vor Sanquita Bells Tod mit ihr gearbeitet. Ich war ihre Privatlehrerin und Freundin.«

»Würden Sie sagen, dass Sie eine enge Beziehung zu Sanquita hatten?«, fragt Brad.

»Ja, ich habe sie sehr sehr gern gehabt.«

»Hat Sanquita Ihnen gegenüber mal von ihrer Mutter gesprochen?«

Ich achte darauf, Tia Robinson nicht anzusehen, die keine vier Meter von mir entfernt sitzt.

»Ja. Sie hat mir erzählt, ihre Mutter sei nach Detroit gezogen, sie hätte aber nicht mit gewollt. Sanquita sagte, sie wollte nicht, dass ihr Kind so ein Leben habe.«

Brad stützt sich mit einer Hand auf die Kante des Zeugenstands und sieht so locker aus, als würden wir uns in der Imbissbude unterhalten. »Können Sie mir sagen, was im Krankenhaus passiert ist?«

»Ja.« Ich merke, wie mir der Schweiß den Nacken hinunter läuft. »Es war nach der OP, ungefähr um sechs Uhr abends. Ich war mit Sanquita allein. Auf einmal wachte sie auf. Ich ging zu ihr, und sie sagte mir, sie wolle, dass ich das Baby nehme.« Ich beiße mir auf die Lippe, damit sie nicht so zittert. »Ich antwortete ihr, sie würde nicht sterben, aber sie beharrte darauf.« Mir schnürt sich die Kehle zu, meine Stimme ist angespannt. »Sie wusste, dass sie sterben würde. Ich musste ihr versprechen, das Kind zu nehmen.« Brad reicht mir ein Taschentuch, ich betupfe meine Augen. Als ich es sinken lassen, fange ich den Blick von Tia Robinson auf. Sie sitzt mit gefalteten Händen da und zeigt nicht die Spur einer Reaktion auf die letzten Worte ihrer Tochter.

»Ich möchte dieses Versprechen halten.«

»Danke, Ms Bohlinger. Keine weiteren Fragen.«

Das ekelhaft süße Aftershave von Mr Croft erreicht den Zeugenstand zehn Sekunden vor ihm. Er zieht seine braune Hose hoch, bevor er sich an mich wendet. Sein Bauch sieht dicker aus, als Sanquitas je war.

»Ms Bohlinger, hat es irgendjemand gehört, als Sanquita Ihnen sagte, Sie sollten ihr Kind nehmen?«

»Nein. Wir waren allein im Zimmer. Aber sie hat es vorher noch jemandem gesagt, nämlich Jean Anderson, der Leiterin vom Joshua House.«

Er droht mir mit dem Finger. »Bitte antworten Sie nur mit Ja oder Nein. Kann noch jemand anders dieses Wunder bezeugen, das sich Ihrer Aussage nach ereignete, als Sanguita gerade lange genug aus dem Koma erwachte, um Ihnen zu sagen, Sie sollten ihr Baby behalten?«

Er glaubt, ich lüge! Ich suche nach Brads Gesicht, er nickt mir nur zu, ich solle weitersprechen.

Ich zwinge mich, in die wässrigen grauen Augen von Mr Croft hinter seiner Nickelbrille zu blicken. »Nein.«

»Wusste Sanquita, dass sie sterben würde?«

»Ja.«

Er nickt. »Sie wollte das also geregelt haben.«

»Genau.«

»Fanden Sie Sanquita klug?«

»Ja, sie war sehr intelligent.«

»Dann hat sie ihre Wünsche ja bestimmt schriftlich festgehalten, oder?«

Plötzlich bekomme ich kaum noch Luft. »Nein. Nicht dass ich wüsste.«

Er kratzt sich am Kopf. »Das ist aber sehr seltsam, finden Sie nicht?«

»Ich ... ich weiß nicht.«

»Das wissen Sie nicht?« Er schreitet vor mir auf und ab. »Ein kluges Mädchen, das wusste, es würde sterben, sorgt nicht vor für die Zukunft seines Babys? Erstaunlich, finden Sie nicht? Besonders wenn ihre häusliche Umgebung so erbärmlich ist, wie Sie behaupten.«

»Ich ... ich weiß nicht, warum sie das nicht getan hat.«

»Dieses Leben, von dem Sanquita sprach ... dieses Leben in Detroit mit ihrer Mutter. Erzählte sie Ihnen, dass sie in Detroit schwanger wurde?«

»Ja.«

»Sie wissen also, dass Sie sich gegen den Willen ihrer Mutter aus der Wohnung schlich und ungeschützten Geschlechtsverkehr hatte?«

Ich blinzele. »Nein. Das hat sie mir nicht erzählt. Ich glaube auch nicht, dass sie weggeschlichen ist, wie Sie es behaupten.«

Sein Gesicht ist die pure Selbstgefälligkeit, die Nase gereckt, der Kopf so geneigt, dass er auf mich herabsieht. »Hat sie Ihnen nicht erzählt, dass sie an jenem Abend zum Jazz Festival lief und Geschlechtsverkehr mit einem Fremden hatte? Mit jemandem, dessen Namen sie nicht mal mehr wusste?«

»Das ... das war nicht so. Sie war einsam ... und verwirrt ...«

Der Anwalt hebt die Augenbraue. »Hat sie Ihnen nicht erzählt, dass sie noch sechs Wochen in Detroit blieb? Dass sie erst ging, als sie herausfand, dass sie schwanger war?«

»Das ... das wusste ich nicht. Aber wichtig ist, dass sie überhaupt ging. Wie gesagt, sie wollte nicht, dass ihr Kind in dieser Umgebung aufwächst.«

»Und sie selbst wollte auch nicht mehr in dieser Umgebung sein, ja?«

»Ja, genau.«

»Hat sie Ihnen erzählt, dass ihre Mutter auf einen Schwangerschaftsabbruch drängte?«

Ich werde wach. »Nein.«

»Sanquitas Nierenerkrankung war so schwer, dass der Arzt einen Abbruch empfahl, um ihr Leben zu retten.«

In meinem Kopf dreht sich alles. »Das hat Dr. Chan ihr auch gesagt.«

»Und hörte sie auf Dr. Chan?«

»Nein. Sie sagte, sie wolle das Kind mehr als ihr Leben.«

Er grinst so schmierig, dass ich ihm am liebsten die Fresse polieren würde. »Die Wahrheit ist, Sanquita hatte einen Dickkopf. Sie hat sich geweigert zu glauben, dass ihre Mutter nur ihr Bestes wollte.«

»Einspruch!«, ruft Brad.

»Stattgegeben.«

Mr Croft fährt fort: »Sanquita verließ Detroit an dem Tag, als sie sich mit ihrer Mutter über den Schwangerschaftsabbruch stritt.«

Ich bin sprachlos. Ob das wahr ist?

Mr Croft wendet sich an den Richter. »Das Ganze hat nichts mit der häuslichen Umgebung von Ms Robinson zu tun, Euer Ehren. Ms Robinson hat schlicht und einfach versucht, ihrer Tochter das Leben zu retten.« Er lässt den Kopf hängen. »Ich habe keine weiteren Fragen.«

Meine Hände zittern so stark, dass ich sie nur mit Mühe verschränken kann. Ms Robinson wird hier als Sanquitas Retterin dargestellt ... und Sanquita als das ungezogene Kind, das nicht hören wollte.

»Danke, Mr Croft«, sagt Richter Garcia. Er nickt mir zu, ein Zeichen, dass ich auf meinen Platz zurückkehren darf. »Danke, Ms Bohlinger.«

»Möchten Sie Ihren nächsten Zeugen aufrufen?«, fragt er Brad.

»Euer Ehren, ich möchte eine Unterbrechung beantragen«, sagt Brad. »Meine Mandantin braucht eine kurze Pause.«

Richter Garcia sieht auf die Uhr, dann schlägt er mit dem Hämmerchen. »Die Verhandlung wird in einer Viertelstunde weitergeführt.«

Brad schleift mich praktisch durch die Türen in den Gang. Mein Körper ist wie aus Blei, ich kann nicht mehr geradeaus denken. Mein Baby bekommt gerade eine lebenslängliche Strafe. Ich muss es retten, aber ich bin machtlos. Ich bin der einzige Mensch, dem Sanquita vertraut hat. Und jetzt verrate ich sie. Brad lehnt mich gegen die Wand und hält meine Arme fest.

»Mach jetzt bloß nicht schlapp, B. B.! Wir haben getan, was wir konnten. Es liegt jetzt nicht mehr in unseren Händen.«

Mein Atem kommt stoßweise, mir ist schwindelig. »Er hat Sanquita wie eine Straftäterin dargestellt.«

»Kann es denn sein?«, fragt Brett. »Kann es sein, dass Sanquita nach einem Streit über ihre Gesundheit Detroit verließ?«

Ich werfe die Arme hoch. »Weiß ich doch nicht. Das ist doch auch egal. Was jetzt zählt, ist Austin. Diese Frau hat keine einzige Träne vergossen, als ich von Sanquitas letzten Minuten erzählte. Und du weißt, was sie mit ihrem Sohn gemacht hat. Sie hat kein Herz, Brad!« Ich greife nach seinem Ärmel und sehe ihn eindringlich an. »Du hättest sie mal letzte Woche sehen sollen, als sie von den Wachleuten rausgeworfen wurde. Es war so ekelig. Das können wir Austin nicht antun. Wir müssen was unternehmen!«

»Wir haben getan, was wir können.«

Ich fange an zu weinen, doch Brad schüttelt mich. »Jetzt reiß dich zusammen! Du kannst später noch genug heulen. Wir müssen diese Verhandlung hinter uns bringen.«

Fünfzehn Minuten später begeben wir uns wieder in den Gerichtssaal. Ich lasse mich auf den Stuhl neben Brad fallen. Noch nie habe ich mich so machtlos gefühlt. Das Leben meines Kindes ist kurz davor, zu einer Geisterbahnfahrt zu werden, und ich kann nichts dagegen tun! Ich erinnere mich an Garretts Worte: *Man kann sie nicht alle retten.* Nur dieses eine Kind, bete ich. Bitte, lieber Gott, nur dieses eine! Ich bemühe mich zu atmen, aber bekomme einfach keine Luft. Panik erfasst mich. Jeden Moment werde ich umkippen. Ich schaffe das nicht. Ich ertrage nicht noch so einen Verlust.

Als der Gerichtsdiener gerade die Flügeltüren hinter uns schließen will, höre ich eine Stimme. Neugierig drehe ich mich um. Jean Anderson kommt den Gang entlang gestapft, sie trägt einen eleganten Hosenanzug. Am Hinterkopf ist ihr Haar jedoch platt gedrückt, und sie hat Turnschuhe an, keine Pumps wie sonst.

»Jean?«, frage ich. Dann sehe ich Brad fragend an.

»Bleib einfach ruhig sitzen«, flüstert er.

Anstatt sich in eine der Bänke zu verdrücken, marschiert Jean direkt auf den Richter zu. Sie flüstert ihm etwas zu, er murmelt eine Antwort. Dann holt sie ein Blatt Papier aus ihrer Handtasche und reicht es nach oben. Richter Garcia setzt seine Lesebrille auf und untersucht das Blatt. Schließlich blickt er auf.

»Könnten die Anwälte bitte einmal nach vorne kommen?«

Die vier beraten sich im Flüsterton eine gefühlte Ewigkeit. Ich kann vor allem Mr Croft hören, dann den Richter, der ihm sagt, er solle sich mäßigen. Als sie schließlich auf ihre Plätze zurückkehren, lächeln Brad und Jean. Ich warne mich, mich nicht zu früh zu freuen.

Richter Garcia hält den Zettel hoch, damit ihn alle sehen können. »Es sieht so aus, als hätte Ms Bell ihr Anliegen doch noch schriftlich verfasst. Wir haben ein notariell beglaubigtes Schreiben vom fünften März, mehrere Wochen vor ihrem Tod.« Er räuspert sich und liest mit monotoner Stimme vor: »Ich, Sanquita Jahzmen Bell, erkläre hiermit, dass ich bei klarem Verstand bin. Dies ist meine Absicht für mein ungeborenes Kind, sollte es mich überleben: Es ist mein tief empfundener Wunsch, dass Ms Brett Bohlinger, meine beste Freundin und Hauslehrerin, das alleinige Sorgerecht für mein Kind erhält.« Der Richter nimmt die Brille ab.»Unterschrieben: Sanquita Jahzmen Bell.« Er räuspert sich.

»In Anbetracht dieser beurkundeten Absicht gewähre ich Ms Bohlinger das vorläufige Sorgerecht, bis die Adoption abgeschlossen ist.« Er schlägt mit dem Hammer auf den Tisch. »Die Verhandlung ist vertagt.«

Ich schlage die Hände vors Gesicht und schluchze.

Ich frage Jean nicht nach der notariellen Beurkundung. Ich will nicht wissen, wie oder wann sie daran gekommen ist. Es ist unwichtig. Wir haben uns gegenüber Sanquita und ihrem Kind richtig verhalten. Das ist alles, was zählt. Nach der Verhandlung schlägt Brad vor, dass wir drei feiern, aber ich kann nicht. Ich will direkt ins Krankenhaus, um mein Baby zu sehen. *Mein Baby!* Ich husche den Flur entlang. Die Türen zur Säuglingsstation sind offen, ich renne praktisch zu Zimmer 7. Als ich den Raum betrete, setzt mein Herz kurz aus. In Cargohose und einem dunkelblauen Sakko sitzt Herbert in einem Schaukelstuhl und hat Austin auf dem Arm. Er lächelt sie an, sieht ihr beim Schlafen zu. Ich trete hinter ihn und küsse ihn in den Nacken.

»Was machst du denn hier?«

»Glückwunsch, Liebes«, sagt er. »Ich bin sofort hergefahren, als ich deine Nachricht bekam. Ich wusste, dass du nicht lange auf dich warten lassen würdest.«

»Aber wer hat dich hereingelassen?«

»Schwester LaDonna.«

Na klar. Jede Schwester auf der Station ist völlig vernarrt in den freundlichen, spendablen Herbert – und nun, da sie ihn persönlich kennengelernt haben, wird es kein Halten mehr geben.

»Da du nun offizell Austins Vormund bist«, sagt er, »darfst du einen Vertreter bestimmen. Ich darf doch, oder?«

Ich schiebe die Gedanken an Shelley, Carrie und Brad beiseite, betrachte meine wunderschöne Tochter und schlinge die

Arme um mich. »Ich kann's noch gar nicht glauben, Herbert! Ich bin Mutter!«

»Und was für eine gute du sein wirst.« Er steht auf und hält mir das schlafende Bündel hin. »Setz dich hin! Vielleicht willst du dich bei der Kleinen jetzt mal ordentlich vorstellen.«

Austin streckt eine Faust empor, dann kuschelt sie sich an mich. Ihre Augen sind auf Halbmast, ich küsse sie auf die Nase – in der kein Sauerstoffschlauch und keine Ernährungssonde mehr stecken. »Hallo, meine Hübsche. Rate mal! Ich bin ab jetzt deine Mama! Und zwar für immer, versprochen.« Sie runzelt die Stirn, und ich lächele durch Tränen. »Womit habe ich dich bloß verdient?«

Herbert hockt sich mit seiner Kamera vor uns und kommt näher, um eine Großaufnahme zu machen. In diesem intimen Moment kommt mir das Fotografieren aufdringlich vor. Aber Herbert freut sich, und von so einer Begeisterung und Unterstützung kann man doch nur träumen!

Er holt Sandwiches und Kaffee aus der Cafeteria und bleibt mit mir bei Austin, bis die Besuchszeit vorbei ist. Seltsamerweise fällt es mir an diesem Tag einfacher zu gehen, da ich weiß, dass sie mein ist. Ich werde sie nicht verlieren, jetzt nicht und niemals mehr. Als wir zum Fahrstuhl gehen, bleibt Herbert plötzlich stehen und schnippt mit den Fingern. »Hab meinen Mantel vergessen. Laufe eben zurück.«

Als er wiederkommt, hat er einen khakifarbenen Trenchcoat von Burberry über dem Arm.

Ich schnappe nach Luft. »Der Mantel!«, stoße ich hervor und starre ihn an wie den Umhang eines Zauberers.

Herbert wirkt beschämt. »Ja, es war heute Morgen ein wenig frisch.«

Lachend schüttele ich den Kopf. Natürlich ist er nicht der Mann aus Andrews Haus, den ich im Zug und beim Joggen gesehen habe. Aber vielleicht, ganz vielleicht, ist Herbert nun mein Burberry-Mann.

Der Aprilabend ist warm, und der süße Geruch von Flieder liegt in der Luft. Im Osten steht ein schmaler, sichelförmiger Mond tief am schiefergrauen Himmel. Herbert bringt mich zu meinem Wagen, seinen Mantel über die Schulter gelegt.

»Wenn die Kleine sich weiterhin so gut macht, kann sie in den nächsten zwei Wochen nach Hause. Ich muss noch so viel vorbereiten. Bei der Arbeit habe ich um Beurlaubung gebeten. In ein paar Wochen sind eh Ferien, und Eve meinte, sie fänden schon einen Ersatz für mich. Ich muss das Schlafzimmer fertig machen, muss einen Teppich und ein paar Möbel besorgen. Ich denke, fürs Erste reichen ein Stubenwagen und eine Wickelkommode, mehr passt eh nicht in mein winziges Schlafzimmer.« Ich lache. »Und ich dachte …«

Herbert dreht sich zu mir um und legt mir den Zeigefinger auf die Lippen. »Pst! Ich höre die ganze Zeit nur, was *du* noch alles machen musst. Aber wir sind zu zweit. Lass mich dir helfen!«

»Gut. Danke.«

»Du musst dich nicht bedanken. Ich möchte das gerne tun.« Er hält meine Arme fest und blickt mir in die Augen. »Ich liebe dich. Ist dir das klar?«

Ich schaue zu ihm auf. »Ja.«

»Und wenn ich glauben darf, was du mir gegenüber bekundet hast, dann liebst du mich auch.«

Ich mache einen Schritt nach hinten. »Yep.«

»Werfen wir noch mal einen Blick auf die Wunschliste, die du abarbeiten sollst.«

Ich schüttele den Kopf und wende mich ab, aber Herbert kommt näher. »Hör zu, sie macht mir keine Angst, wenn es das ist, was du befürchtest. Ich will dir helfen. Du solltest jedes einzelne dieser Ziele für erreicht betrachten, verstehst du mich?«

Bevor ich etwas erwidern kann, nimmt er meine Hand in seine. »Mir ist bewusst, dass wir uns erst seit kurzer Zeit kennen, aber angesichts der Tatsache, dass du jetzt ein Kind hast und ich wie von Sinnen in dich verliebt bin, sollten wir an eine Hochzeit denken.«

Ich schnappe nach Luft. »Du meinst … du willst …?«

Er schmunzelt und weist auf den Parkplatz. »Keine Sorge, mein Schatz. Ich würde niemals eine so unwürdige Kulisse für einen offiziellen Antrag wählen. Ich möchte einfach nur den Samen säen. Ich möchte, dass du darüber nachdenkst, dass du beginnst, uns als Paar zu sehen – als dauerhaftes –, und zwar in näherer Zukunft.« Herbert grinst. »Und mir wäre es lieber, wenn der Weg dahin eine Autobahn wäre, keine kurvenreiche Landstraße.«

Ich will etwas sagen, aber bringe kein Wort heraus.

Herbert streicht mir über die Wange. »Ich weiß, dass es verrückt klingt, aber von dem Moment an, als ich dich sah, an jenem ersten Abend bei Jay, da wusste ich, dass du eines Tages meine Frau sein würdest.«

»Ja?« Sofort muss ich an meine Mutter denken. Steckt sie doch irgendwie dahinter, dass sich dieser Mann in mich verliebt hat?

»Ja.« Lächelnd küsst er mich auf die Nasenspitze. »Aber ich will dich auf gar keinen Fall unter Druck setzen. Versprich mir nur, dass du darüber nachdenkst, ja?«

Sein dichtes Haar ist zerzaust, seine Augen funkeln wie zwei Saphire. Sein Lächeln gleicht einer erblühenden Lilie. Ich werde niemals einen anderen Mann finden, der so perfekt ist wie er. Herbert ist klug und freundlich, ehrgeizig und liebevoll. Mein Gott, er spielt sogar Geige! Und aus einem unerfindlichen Grund liebt er mich. Und was das Beste ist: Er liebt meine Tochter.

»Ja«, bringe ich hervor. »Natürlich denke ich darüber nach.«

29

Graue Wolken streuen feine Nebel in die warme Mailuft. Mit meinem roten Regenschirm hüpfe ich die Veranda hinunter, in der Hand Rudys Leine. Wie das Kind geschiedener Eltern wurde mein armer Hund in den letzten sechs Wochen zwischen meiner Wohnung und Selina und Blanca hin- und hergeschoben. Zum Glück lieben meine wunderbaren Vermieter den verrückten Mischling genausosehr wie ich. Aber an diesem Wochenende sind sie auf einem Wettbewerb für Marschkapellen in Springfield, deshalb lade ich Rudy ins Auto und fahre zu Brad.

»Das ist heute das letzte Mal, dass ich dich jemand anderem geben muss, Rudy«, versichere ich ihm, als wir gen Norden nach Bucktown fahren. »Morgen kommt unser Baby nach Hause.«

Brad wartet mit Kaffee und warmen Mohnmuffins, als ich sein Haus betrete. Ich setze mich an den Küchentisch und entdecke unter einer Schale mit Erdbeeren zwei rosa Umschläge. Seit Richter Garcias Entscheidung rechne ich mit dem Brief zum Ziel Nr. 1, aber als ich den zweiten Umschlag für Ziel Nr. 17 entdecke, *Mich in den Richtigen verlieben*, beschleunigt sich mein Puls.

Brad setzt sich mir gegenüber. »Willst du die jetzt oder nach dem Frühstück?«

»Jetzt bitte«, sage ich und verstecke mich hinter meiner Kaffeetasse. »Aber heute bitte nur Umschlag Nr. 1.«

Er schmunzelt. »Du hast erzählt, ihr sprecht schon übers Heiraten. Das muss doch wohl heißen, dass du dich verliebt hast, oder?«

Ich nehme eine Erdbeere aus der Schale und betrachte sie.

»Ich will bloß nicht alles auf einmal hören. Es sind nicht mehr viele Ziele übrig.«

Brad sieht mich von der Seite an.

Ich drücke ihm den ersten Umschlag in die Hände. »Los, mach ihn auf!«

Er wartet kurz, dann schlitzt er ihn mit dem Finger auf. Bevor er merkt, dass er seine Brille nicht auf der Nase hat, habe ich sie ihm vom Beistelltisch geholt. Er grinst mich an.

»Wir sind kein schlechtes Team, was?«

»Ein Superteam«, erwidere ich und spüre ein leichtes Stechen in der Herzgegend. Hätten wir ein Team werden können, wenn die Umstände anders gewesen wären? Mein Gott, wie gemein von mir, überhaupt über so was nachzudenken. Ich bin praktisch mit Herbert verlobt!

»Liebe Brett, einmal wurde Michelangelo gefragt, wie es ihm gelungen sei, das wunderbare Standbild von David zu erschaffen. Er erwiderte: ›Ich habe David nicht geschaffen. Er war die ganze Zeit da, verborgen in dem Marmorblock. Ich musste nur den überflüssigen Marmor darum herum entfernen.‹

Ich hoffe, ich habe Dir in den letzten Monaten geholfen, Dich zu finden, so wie es Michelangelo tat – dass ich den überflüssigen Marmor entfernt habe, bis Dein wahres Ich darunter zum Vorschein kam. Du bist eine Mutter, mein Schatz! Ich bin überzeugt, dass diese liebevolle, sorgende Frau die ganze Zeit in Dir war, und ich freue mich, zu ihrer Entdeckung beigetragen zu haben.

Ich glaube, dass das Muttersein das bahnbrechende Ereignis Deines Lebens sein wird. Du wirst es abwechselnd befriedigend, frustrierend, unglaublich und überwältigend finden. Es wird die herrlichste, herausforderndste und anstrengendste Rolle sein, die Du jemals spielen wirst.

Mir hat mal jemand gesagt: ›Als Mutter haben wir nicht die Aufgabe, Kinder großzuziehen, sondern Erwachsene.‹ Ich bin zuversichtlich, dass Dein Kind unter Deiner behutsamen Hand ein wunderbarer Erwachsener werden wird. Und nimm Dir hin und

wieder mal die Zeit, Dir eine Welt vorzustellen, in der wir unseren
Kindern nicht beibringen, stark zu sein, sondern sanftmütig.
Jetzt trockne Deine Tränen und lächele. Was für ein glückliches
Kind Du hast! Wenn es einen Himmel gibt und ich dorthin gehe,
und wenn man mir ein Flügelpaar anvertraut, dann verspreche ich,
auf sie aufzupassen und sie zu beschützen.
Ich liebe Euch beide mehr, als ich in Worte fassen kann. Mama.«
Brad nimmt mir mein nasses Taschentuch ab und reicht mir
ein neues. Er legt mir die Hand auf den Rücken. Ich schluchze.
»Wenn Austin sie doch hätte kennenlernen können!«
»Das wird sie«, sagt Brad. Und er hat recht. Sie wird meine
und ihre Mutter kennenlernen, dafür werde ich sorgen.
Ich putze mir die Nase und schaue Brad an. »Sie wusste, dass
ich eine Tochter bekommen würde. Ist dir das aufgefallen?« Ich
nehme ihm den Brief aus der Hand und zeige auf die Zeile. »Hier
steht es«, sage ich. »... dann verspreche ich, auf sie aufzupassen
und sie zu beschützen. Wie konnte sie das wissen?«
Er liest die Stelle nach. »Das hat sie wahrscheinlich unbeab-
sichtigt geschrieben. Sie wollte sich bestimmt nicht auf ein Ge-
schlecht festlegen.«
Ich schüttele den Kopf. »Doch. Sie wusste es. Sie wusste, dass
ich ein kleines Mädchen haben würde. Und ich bin mir sicher,
dass sie mir geholfen hat, Austin Elizabeth zu bekommen. Sie hat
Jeans Herz erweicht.«
»Wie du meinst.« Brad legt den Brief beiseite und greift nach
seiner Kaffeetasse. »Meinst du, sie wäre mit deiner Beziehung zu
Herbert einverstanden?«
Aus irgendeinem Grund beginnt mein Herz zu klopfen. »Ja,
sicher!« Rudy kommt zu mir, ich kraule ihn am Kinn. »Herbert
ist genau der Typ Mann, den meine Mutter sich für mich gewünscht hätte. Warum fragst du?«
Er zuckt mit den Achseln. »Och, nur so ... ich ...« Er schüttelt
den Kopf. »Weißt du, ich habe *Doktor* Moyer ja nur einmal getroffen. Du kennst ihn besser als ich.«

»Das stimmt. Und er ist wunderbar.«

»Ah, das bezweifele ich nicht. Ich hab nur …« Er verstummt.

»Hör zu, Midar, wenn du etwas sagen willst, dann spuck es aus!«

Er sieht mir in die Augen. »Ich frage mich nur, ob ›wunderbar‹ reicht.«

O Gott, er durchschaut mich. Er sieht den winzigen Riss in der schönen Oberfläche. Den ich die ganze Zeit ignoriert habe in der Hoffnung, dass er noch zuwächst. Ich habe es niemandem erzählt – nicht mal Shelley oder Carrie. Weil sich dieser Riss bald ebnen wird, und dann will ich nicht, dass jemand an meiner Liebe zu ihm zweifelt. Ich kann – und werde – Herbert lieben.

»Was willst du damit sagen?«, frage ich betont beiläufig.

Brad schiebt die Schale mit Erdbeeren beiseite und beugt sich vor. »*Bist du glücklich, B. B.? Und ich meine: wie von Sinnen und über alle Maßen?*«

Ich gehe zur Spüle und wasche meine Tasse aus. Ich denke an Herbert und all die anderen guten Dinge in meinem Leben: Austin, die Arbeit, meine neuen Freunde, meine Familie …

Ich strahle Brad an. »Du machst dir keine Vorstellung!«

Kurz mustert er mich, dann wirft er kapitulierend die Hände hoch. »Na gut. Dann steht es fest. Tut mir leid, dass ich dran gezweifelt habe. Herbert ist es.«

Am folgenden Sonntagmorgen, einem Tag im Mai, kommt Austin nach Hause. Sie wiegt zwei Kilo und hundertfünfzig Gramm und trägt eine rosa Erstausstattung von ihrer Tante Catherine. Herbert zettelt einen heftigen Streit an, will unbedingt, dass das Baby und ich in die Astor Street ziehen, aber ich will nichts davon hören. Pilsen ist fürs Erste unsere Heimat, außerdem wären Selina und Blanca untröstlich. Seit einem Monat stürzen sie sich auf die Bilder von Austin, haben ihr kleine Turnschühchen und Stofftiere gekauft. Sie jetzt zu enttäuschen kommt nicht in Frage.

Herbert macht ein Foto nach dem anderen, im Gang des Krankenhauses bis zum Auto. Kichernd bemühen wir uns, den winzigen Körper im Autositz anzuschnallen. In der Plastikschale sieht die Kleine so verloren aus. Ich stopfe ihr von allen Seiten Decken unter, damit sie nicht umkippt.

»Bist du sicher, dass der Kindersitz die richtige Größe hat?«, fragt Herbert.

»Ja. Das Krankenhaus hat ihn geprüft, und ob du's glaubst oder nicht, es ist die richtige Größe.«

Er schaut skeptisch drein, aber schließt die Tür, dann eilt er hinüber auf meine Seite, um mir zu helfen, neben dem Babysitz Platz zu nehmen. Er zieht am Sicherheitsgurt und beugt sich vor, um ihn einzustecken, als wäre ich das zweite Kind.

»Bitte, Herbert! Du darfst das Baby gerne verwöhnen, aber mich nicht.«

»Da wage ich zu widersprechen. Ich möchte meine beiden Mädchen verwöhnen.«

Plötzlich fühle ich mich eingeengt und gefangen. Ich lockere den Sicherheitsgurt. Seine Sorge um Austin rührt mich, aber seine Ergebenheit mir gegenüber finde ich immer noch manchmal erstickend. Ich will die Tür zuschlagen. Doch auch das hat Herbert bereits für mich getan. Mein Blutdruck steigt, und innerlich schelte ich mich. Ich bin diejenige, die ein Problem hat, nicht er.

Als ich mit dem Baby auf dem Arm meine kleine Wohnung betrete, spüre ich die Gegenwart meiner Mutter so deutlich, dass ich sie am liebsten rufen würde. Sie würde diesen Augenblick genießen, den Anblick des Säuglings und der Frau, zu der ich geworden bin. Sie würde mich mit einem Kuss begrüßen, sich dann über die Kleine beugen und sie mir so schnell wie möglich stibitzen.

»Wo soll ich das hier hinstellen?«

Herbert hält die Krankenhaustasche hoch. Er hat hier nichts zu suchen. Dieser besondere Moment gehört meiner Mutter, Austin und mir. Er ist ein Eindringling.

Aber er weiß es nicht, und er sieht so toll aus, wie er die Tasche mit den rosa und braunen Punkten hochhält. Ich lächele ihn an. »Stell sie bitte einfach auf die Küchentheke. Das mache ich später.«

Sofort ist er wieder da, reibt sich die Hände. »Wie wär's mit Mittagessen? Ich kann uns ein leckeres Omelett zaubern ... es sei denn, du möchtest lieber ...«

»Nein!«, fahre ich ihn an, und sofort bekomme ich Schuldgefühle. Was bin ich für ein kalter, undankbarer Mensch? Ich streichele ihm über den Arm. »Ich meine ... ja. Ein Omelett wäre schön, danke.«

Ich erinnere mich an einen Spruch aus dem Film *Zeit der Zärtlichkeit*. »Verehre mich erst, wenn ich es verdient habe.« Diese stolze, unabhängige Einstellung hat mir immer imponiert. Aber warum? Wieder einmal frage ich mich, ob der Mann, der mich großzog, eine so tiefe Narbe in mir hinterlassen hat, dass ich selbst als Erwachsene keine wahre Zuneigung annehmen kann. Ich war immer so erpicht darauf, mir Charles' Anerkennung zu »verdienen« – und auch die von Andrew –, dass ich mein wahres Ich opferte. Und selbst damit gelang es mir nicht. Mit Herbert ist das anders. Endlich kann ich mich ausleben, und er betet mich an – mein wahres Ich. Zum ersten Mal in meinem Leben habe ich eine gesunde Beziehung, genau wie es meine Mutter gehofft hatte.

Herbert späht um die Ecke, einen Eierkarton in der einen und ein Pfund Butter in der anderen Hand. Er grinst mich an, ein Lächeln so lieb und unaufdringlich wie das eines Schuljungen. Ich gehe auf ihn zu, nehme sein Gesicht in die Hände und schaue ihm so tief in die Augen, dass er rot wird. Dann beuge ich mich vor und küsse ihn auf den Mund, lang, innig, verzweifelt. In mir schreien mein Geist, meine Seele und jeder Blutstropfen in meinen Adern mit vereinten Kräften: *Liebe ihn!*

Und mit meinem ganzen Wesen flehe ich mein Herz an, es möge gehorchen.

Die Narzissen verwelken, nach ihnen erblühen die Gänseblümchen. Der Sommer verliert an Schwung, und ich sauge jeden Augenblick mit Austin auf. Ich tausche hohe Absätze und Rock gegen Flipflops und Strandkleidchen, aus meiner 3-Meilen-Joggingstrecke wird ein bequemer Bummel mit Kinderwagen. Zum Glück ist meine Tochter ein fröhliches Kind und mit Ausnahme einiger Erkältungen erstaunlich gesund. Wenn ich ihr vorlese, vorsinge oder mit ihr spreche, hört sie mit großen Augen konzentriert zu, und ich kann Sanquita in ihrem neugierigen kleinen Gesicht erkennen. Ich habe begonnen, ein Tagebuch für Austin zu schreiben, in dem ich alle Ähnlichkeiten und Einzelheiten über die mutige, schöne Frau festhalte, die ihr – und mir – das Leben schenkte.

Zu Ehren von Austins dreimonatigem Geburtstag flitze ich durch den vertrauten Korridor zur Säuglingsstation, meine Tochter im Wickeltuch eng an meine Brust gedrückt. LaDonna entdeckt uns schon von weitem und springt hinter ihrem Tisch auf.

»Brett!« Sie wirft mir die Arme um den Hals und schielt dann in das Tuch. »Ach, du meine Güte! Austin Elizabeth! Ihr habt mir so gefehlt!«

Ich küsse die Kleine auf die Stirn. »Ihr habt uns auch gefehlt.« Ich hebe Austin aus dem Tuch, und LaDonna nimmt sie auf den Arm.

»Hallo, Schneckchen!«, sagt sie und hält die Kleine vor sich in die Höhe. Austin strampelt und kräht. »Wie groß du geworden bist!«

»Dreitausendsiebenhundert Gramm«, erkläre ich grinsend. »Wir waren gerade bei Dr. McGlew. Sie ist ein kerngesundes Mädchen.«

LaDonna drückt Austin einen Kuss auf die Stirn. »Das ist herrlich!«

Ich reiche ihr einen Teller mit Plätzchen und eine Karte mit Austins Fußabdruck in Violett. »Wir haben euch was mitgebracht, weil ihr euch die ganze Zeit so toll um uns gekümmert habt.«

»Oh, Brett, danke! Stellen Sie sie doch bitte auf die Theke. Heute Abend wird alles weg sein.« Ich spüre ihre Augen auf mir. »Das Muttersein steht Ihnen.«

»Wirklich? Sind sie nicht hübsch, die dunklen Ringe unter meinen Augen?« Ich lache. »Ehrlich, LaDonna, ich bin in meinem ganzen Leben noch nicht so erschöpft gewesen. Und so dankbar.« Ich schaue auf das Wunder, das ich mein Kind nennen darf. Als Austin meinen Blick auffängt, strahlt sie vor Freude, wie die Sonne, und ich schmelze dahin. »Jeden Tag bedanke ich mich bei Sanquita. Austin ist das Beste, was mir je passiert ist.« Meine Stimme ist belegt vor Gefühl. »In meinem ganzen Leben.«

LaDonna zwinkert mir zu. »Wie schön für Sie! So, und jetzt setzen Sie sich mal. Maureen und Kathy sind gerade zur Pause gegangen. Die werden die Kleine auch sehen wollen.«

»Wir können nicht lange bleiben.« Ich schiele auf die Uhr hinter ihrem Tisch. »Ich habe heute Nachtschicht im Joshua House. Aber wir kommen gerne ein andermal wieder.«

»Aber bevor Sie gehen, müssen Sie mir noch erzählen, wie es weitergegangen ist. Haben Sie sich schon mit Dr. Moyer verlobt?« Verschmitzt hebt sie die Augenbrauen. »Wissen Sie, jede Schwester hier war ein klein bisschen verknallt in Hubert.«

»Herbert«, verbessere ich sie. »Er wollte eine kleine Feier am 7. August, dem Geburtstag meiner Mutter, aber das ist mir zu schnell. Fürs Erste möchte ich mich auf den kleinen Mausezahn hier konzentrieren.«

»Gut«, sagt LaDonna.

Ich senke den Blick auf meine Tochter. »Aber irgendwann wird es natürlich so weit sein. Herbert ist wunderbar mit Austin. Sie müssten sie mal zusammen sehen.«

LaDonna tätschelt mir lächelnd die Hand. »Ach, Brett, es freut mich so, dass alles gut ausgegangen ist für Sie. Das Baby … Ihr toller Freund. Ihre gute Fee passt wirklich bestens auf Sie auf.«

Ich denke an meine Mutter und Sanquita, an die Rollen, die sie beim Zustandekommen meiner Träume spielten. Aber das ist nur der eine Teil …

»Das stimmt, ich habe unglaubliches Glück. Aber gute Feen können auch nicht alles erreichen. Ich glaube, dass jeder von uns die Macht hat, seine eigenen Wünsche wahr zu machen. Wir müssen nur den Mut dazu finden.«

LaDonna lächelt. »Na, Sie haben es auf jeden Fall getan. Freut mich für Sie!«

Mein Mut sinkt. Wäre meine Mutter einer Meinung mit La-Donna? Oder gebe ich das einzige Ziel auf, bei dem ich ihrer Ansicht nach keine Kompromisse machen sollte? Habe ich so spät noch den Mut, den Prototyp des Traummannes über Bord zu werfen in der Hoffnung, den absoluten Traummann zu finden? Und ist das überhaupt mutig? Oder eher dumm und unreif? Wo genau ist die Grenze zwischen Mut und Hochmut, zwischen der Sehnsucht nach dem, was richtig ist, und der Hoffnung auf mehr, als man verdient?

Nachdem ich eine halbe Stunde lang unsere Sachen zusammen-gepackt, in letzter Minute die Windeln gewechselt und meine kleine Tochter in ihren Wagen gesteckt habe, können wir endlich die Tür hinter uns zumachen. Was habe ich nur mit der ganzen Zeit angefangen, bevor ich Mutter wurde?

Anders als an den sonst so heißen Julitagen ist der Himmel heute bedeckt, und eine leichte Brise kitzelt meine nackten Arme. Als wir uns Efebina's Café nähern, entdecke ich Brad unter einem Schirm am Tisch. Er steht auf, umarmt mich und begrüßt mich mit einem Caffè latte.

»Wie geht's denn meinem großen Mädchen?«, fragt er und hebt Austin aus ihrem Wagen.

»Zeig Onkel Brad mal, wie süß du bist, Austin! Zeig ihm mal, wie du deine Mami anstrahlen kannst!«

»Bist du ein kleines Glückskind?«, flüstert er und schmiegt

Austin an sich. Mit der freien Hand zieht er einen Umschlag aus der Tasche. Ziel Nr. 17.

»Mich in den Richtigen verlieben«, murmele ich.

»Glückwunsch, B. B.! Nur noch zwei Monate bis zum Ende der Frist im September, und du bist auf dem besten Wege. Wird Zeit, dass du weitermachst und Pferd und Haus kaufst. Herbert ist einverstanden, sagst du?«

»Yep.«

Brad rückt näher an mich heran. »Ist irgendwas?«

»Nein, ist nichts.« Ich nehme ihm meine müde Tochter ab und lege sie wieder in den Kinderwagen. »Los. Mach ihn auf!«

Sein Blick bohrt sich in mich. »Was hast du nur mit diesem Brief? Wenn ich sonst mit einem Umschlag da bin, kannst du es nicht erwarten, ihn zu lesen. Als ich den hier das letzte Mal öffnen wollte, durfte ich nicht. Also, was ist los?«

»Nichts. Mach ihn auf!«

Er legt den Kopf schräg, und ich merke, dass er es mir nicht abkauft, dennoch öffnet er den Umschlag. Er faltet das rosa Briefpapier auseinander, legt es verkehrt herum auf den Tisch und schaut mir tief in die Augen.

»Das ist deine letzte Chance, B. B.« Er greift nach meinen Armen. »Wenn du nicht in Herbert verliebt bist, musst du es jetzt sagen.«

Mein Herz schlägt mir bis zum Hals. Ich erwidere seinen Blick, bis ich es nicht länger aushalte. Vier Monate Zweifel und Frust steigen an die Oberfläche. Ich stütze die Ellenbogen auf den Tisch und schlage die Hände vors Gesicht. »Ich bin so fertig, Brad. Ich dachte, ich würde Andrew lieben, den egoistischsten Mann, den ich je kannte. Aber aus irgendeinem Grund kann ich keine tieferen Gefühle für diesen tollen Kerl aufbringen, der alles für mich tun würde.« Ich raufe mir die Haare. »Was ist bloß los mit mir, Midar? Suche ich immer noch jemanden, den ich überzeugen muss, wie Charles?«

Er zerzaust mir die Haare. »Die Liebe ist wankelmütig. Wenn

wir uns aussuchen könnten, in wen wir uns verlieben, würde ich keine Frau wählen, die zweitausend Meilen entfernt lebt, oder?«

»Aber Herbert ist so toll. Er liebt mich. Und er liebt mein Kind. Und er will mich heiraten. Was ist, wenn ich ihn verliere? Wenn ich nie mehr jemanden finde, der uns so liebt wie er? Ich würde für immer allein sein, und Austin würde ohne Vater aufwachsen.«

»Das wird nicht passieren.«

»Das weißt du nicht.«

»Doch. Deine Mutter hätte dieses Ziel nicht auf deiner Liste stehen lassen, wenn du es nicht erreichen könntest. Sie weiß, dass du jemanden kennenlernst.«

Ich stöhne. »Du klingst schon genauso verrückt wie ich.«

»Ich meine es ernst. Ich hatte mehr als einmal das Gefühl, dass sie einige Dinge in die Wege geleitet hat.«

»Tja, wenn das stimmt, dann hat sie vielleicht auch meine Beziehung zu Herbert in die Wege geleitet. Vielleicht hat sie ihn nach Chicago gelotst, in die Abteilung meines Bruders, damit wir uns kennenlernen und verlieben.«

»Das Gefühl habe ich nicht.«

»Warum nicht?«

Er lächelt mich matt an. »Weil du nicht in ihn verliebt bist.«

Ich schaue beiseite. »Sollte ich aber sein. Wenn ich mich einfach noch ein bisschen mehr anstrenge, uns ein bisschen mehr Zeit gebe …«

»Liebe ist keine Ausdauerprüfung.«

»Aber Herbert glaubt, dass wir füreinander bestimmt sind – vielleicht hat er recht.« Seufzend reibe ich mir die Schläfen. »Wenn meine Mutter mir doch nur ein Zeichen geben würde. Wenn sie mir bloß ein großes, unmissverständliches Zeichen schicken könnte, das mir sagt, ob er derjenige ist oder nicht.«

Brad schaut auf den Brief auf dem Tisch. »Soll ich?«

Der Anblick des rosa Papiers lässt mein Herz aussetzen. »Ich weiß nicht. Wäre das gerecht?«

»Ich glaube, wir dürfen einen kurzen Blick riskieren. Wer weiß? Vielleicht wirft er neues Licht auf deine Gefühle.«
Ich atme aus, ohne gemerkt zu haben, dass ich die Luft angehalten habe. »Gut, lies vor!«

Brad dreht den Brief um und räuspert sich:
»Liebe Brett, es tut mir leid, mein Schatz, aber dies ist nicht der richtige Mann für Dich. Du bist nicht verliebt. Such weiter, meine Süße.«

Mir fällt die Kinnlade runter, erleichtert atme ich auf. »Oh, Gott sei Dank!« Lachend werfe ich den Kopf in den Nacken. »Sie hat mir ein Zeichen gegeben, Brad! Meine Mutter hat gesprochen. Ich bin frei!«

Ich spüre Brads Blick auf mir. Er liest nicht weiter. Er faltet den Brief zusammen und schiebt ihn zurück in den Umschlag. Und wo ist seine Lesebrille? Wie konnte er Mutters Nachricht ohne Brille lesen? Mir bleibt die Spucke weg.

»Du Mistkerl! Das hast du dir gerade ausgedacht.« Ich will ihm den Brief aus der Hand reißen, aber er lässt mich nicht dran.

»Das ist jetzt egal. Du hast deine Antwort.«

»Aber er liebt Austin. Und er glaubt, dass wir eine Familie werden. Er wird total fertig sein.«

»Möchtest du lieber so lange warten, bis er vor dir kniet und dir einen Diamantring schenkt?«

Mir dreht sich der Magen um, ich zwicke mich in den Nasenrücken. »Nein, natürlich nicht.« Ich brauche eine Weile, bevor ich Brad wieder in die Augen sehen kann. »Ich muss Herbert das Herz brechen, nicht wahr?«

»Niemand hat gesagt, die Liebe wäre einfach.« Er schiebt den rosa Umschlag zurück in seine Hemdtasche. »Den bewahren wir uns für ein andermal auf«, sagt er und klopft auf die Tasche. »Ich habe so ein Gefühl, es ist das Warten wert.«

Mit Magenschmerzen warte ich darauf, dass es sieben Uhr wird und Herbert kommt. Als ich Austin gefüttert habe, klingelt das

Telefon. Ich springe auf, hoffe, dass Herbert absagt. Doch stattdessen höre ich Catherines kühle Stimme. Sie ist von dem einwöchigen Urlaub mit Joad auf Saint Bart zurück. Ich stelle das Telefon auf Lautsprecher und lege Austin über meine Schulter. »Willkommen zurück!« Ich klopfe der Kleinen auf den Rücken. »Wie war euer Urlaub?«

»Absolut herrlich«, erwidert Catherine. »Die Anlage war allinclusive, das habe ich dir doch erzählt, oder?«

»Ja, ich glaube …«

»Ich sage dir, Brett, wir sind noch nie derart verwöhnt worden. Wir konnten jeden Tag zwischen drei Fünf-Sterne-Restaurants wählen, und jedes einzelne war göttlich. Wenn wir nicht diese erstklassigen Sportmöglichkeiten gehabt hätten, wäre ich jetzt fünf Kilo schwerer!« Sie lacht. »Jeder Wunsch wurde uns von den Augen abgelesen, bevor er uns überhaupt bewusst war.«

»Hört sich toll an«, sage ich fröhlich, doch innerlich habe ich ein Bild meines eigenen All-inclusive-Lebens vor Augen: Hotel Herbert, der mich fragt, ob ich etwas brauche, ob es irgendwas gibt, das er für mich tun kann.

»War es auch. Es war wirklich eine der besten Ferienanlagen, die wir je besucht haben, und wir waren schon in absolut spektakulären Hotels. Da müsstest du auch mal mit Herbert hinfahren! Man muss verrückt sein, wenn man so was nicht zu schätzen weiß.«

Ich bekomme einen Magenkrampf. Ich bin verrückt, wenn ich mit Herbert Schluss mache! Jeder normale Mensch würde ihn lieben.

Plötzlich werde ich fast dreizehn Jahre zurückversetzt, nach Puerto Vallarta, wo ich mit meiner Mutter Urlaub machte. Sie nahm mich mit in die mexikanische Hafenstadt, um meinen Abschluss an der Northwestern University zu feiern. Es war das erste Mal, dass wir beide einen All-inclusive-Urlaub machten. Und genau wie bei Catherine war das Palladium Vallarta ein Stück vom Himmel. Ein Wellnessbereich mit kostenlosen Behandlungen, drei Infinity-Pools und mehr Gourmetessen und Cocktails, als wir zu uns nehmen konnten. Doch am dritten Tag wäre ich am liebsten geflohen. Ich hatte Schuldgefühle, weil ich das künstliche Paradies nicht genoss. Es musste meine Mutter ein Vermögen gekostet haben. Sie wäre erschüttert, wenn sie wüsste, was für eine undankbare Tochter sie großgezogen hatte.

Doch als der Poolkellner uns an einem Nachmittag zum zehnten Mal fragte, ob wir noch etwas trinken oder ein trockenes Handtuch wollten, schüttelte meine Mutter nur den Kopf. Hellseherisch, wie sie war, vermutete ich, sie habe meine Gedanken gelesen.

»Gracias, Fernando, aber wir brauchen nichts. Sie müssen uns nicht noch mal fragen.«

Sie lächelte freundlich, bis er außer Reichweite war, dann drehte sie sich zu mir um: »Tut mir leid, mein Schatz, aber ich drehe noch durch in diesem Paradies.«

Bis heute weiß ich nicht genau, ob sie es ernst meinte oder nur mir zuliebe behauptete. Dessen ungeachtet fiel ich vor Lachen beinahe vom Liegestuhl.

Danach liefen wir hoch zu unserem Zimmer, zogen uns kichernd Strandkleider und Sandalen an. Mit einem klapprigen alten Bus fuhren wir nach Viejo Vallarta – in die Altstadt – und feilschten mit den Verkäufern im *mercado*. Später gerieten wir in eine Kneipe. Eine Mariachi-Band in Anzügen mit silbernen Nieten und Sombreros spielte auf einer verstaubten Holzbühne. Meine Mutter und ich saßen an der Bar, tranken *cerveza* und sangen mit der Band und den Stammgästen in den Pausen nach Leibeskräften. Es war der beste Abend unseres Urlaubs.

Es klingelt an der Tür, und mein Herz setzt aus. »Tut mir leid, Catherine, Herbert kommt gerade. Schön, dass ihr wieder da seid. Grüß Joad von mir.«

Mit Austin auf dem Arm gehe ich zur Tür, dankbar für die schöne Erinnerung, die Catherines Anruf heraufbeschworen hat. Kann es sein, dass es zwei Sorten Menschen gibt? Eine, die All-inclusive-Anlagen liebt, und eine andere, die so was erstickend findet? Und vielleicht, ganz vielleicht, sind die unter uns, die nicht rund um die Uhr betüddelt werden wollen, doch keine undankbaren Spinner.

Ich warte, bis Austin schläft. Als ich auf Zehenspitzen zurück ins Wohnzimmer tippele, sitzt Herbert auf dem Sofa, nippt an einem Glas Chardonnay und blättert in einem meiner Bücher. Mein Herz zieht sich zusammen. Als er mich erblickt, lächelt er.

»Auftrag ausgeführt?«

Ich halte ihm den ausgestreckten Daumen hin. »So weit, so gut.«

Ich setze mich neben ihn und schaue nach, was er da liest. Von all meinen herrlichen Büchern hat er sich ausgerechnet James Joyces *Ulysses* herausgesucht, womöglich das schwerste Werk der englischen Literatur. »Das war meine Pflichtlektüre an der Loyola Academy«, erkläre ich. »Gott, wie ich das gehasst habe …«

»Es ist Jahre her, dass ich das gelesen habe«, unterbricht er mich. »Ich würde es gerne noch mal lesen. Darf ich es mir ausleihen?«

»Behalt es.«

Ich nehme ihm das Buch aus den Händen und lege es auf den Couchtisch. Als sei das sein Stichwort, beugt er sich vor, um mich zu küssen. In der verzweifelten Hoffnung, dass es mich diesmal von den Füßen reißt und ich Schmetterlinge im Bauch bekomme, lasse ich es zu.

Aber es passiert nichts. Ich fühle nichts.

Ich ziehe mich zurück. Als würde ich ein Pflaster abreißen, stoße ich schnell aus: »Herbert, wir können uns nicht mehr sehen.«

Er sieht mir ins Gesicht. »Was?«

Tränen treten mir in die Augen, ich lege die Hand vor meine zitternden Lippen. »Es tut mir so leid. Ich weiß nicht, was mit mir nicht stimmt. Du bist ein wunderbarer Mann. Der Beste, mit dem ich je zusammen war. Aber …«

»Du liebst mich nicht.« Es ist eine Feststellung, keine Frage.

»Ich weiß es nicht«, erwidere ich vorsichtig. »Und ich kann nicht dein Glück oder meins aufs Spiel setzen, bis ich es herausgefunden habe.«

»Du setzt doch nichts aufs Spiel …« Er unterbricht sich, schaut unter die Decke und beißt sich auf die Lippe.

Ich wende mich ab und kneife die Augen zu. Was mache ich hier nur? Dieser Mann liebt mich. Eigentlich müsste ich jetzt aufspringen, lachen und sagen, es sei nur ein Scherz gewesen. Doch ich sitze wie angewurzelt auf dem Sofa und bringe kein Wort heraus.

Schließlich erhebt er sich. Er schaut auf mich herab, und aus seiner Traurigkeit wird Wut. Plötzlich ist er stark, stärker als ich ihn bisher erlebt habe.

»Weißt du überhaupt, was du willst, Brett? Noch so ein Arschloch wie deinen letzten Freund? Ja, willst du so was?«

Mein Herz schlägt schneller. Meine Güte, Herbert hat also doch Eier. Ich habe ihn noch nie zuvor fluchen hören … und irgendwie gefällt es mir. Vielleicht war meine Entscheidung doch voreilig … Vielleicht könnte es doch klappen, wenn …

Nein. Ich habe mich entschlossen. Ich kann nicht mehr zurück.

»Ich … ich weiß nicht.« Wie soll ich ihm erklären, dass ich etwas ganz Besonderen suche, jemanden, bei dem ich mich nicht mehr fragen brauche, ob er der Richtige ist?

»Du musst noch mal darüber nachdenken, Brett, denn du machst gerade einen gewaltigen Fehler. Tief in dir drin weißt du das. Ich warte nicht ewig auf dich. Du musst dir darüber klarwerden, bevor es zu spät ist.«

Mir verschlägt es die Sprache. Was, wenn er doch der Richtige ist und ich es zu spät erkenne? Betäubt schaue ich zu, wie Herbert den Raum verlässt und seinen Burberry-Mantel von der Garderobe holt. Mit einer Hand auf dem Türknauf dreht er sich um und schaut in mein tränenüberströmtes Gesicht.

»Ich liebe dich wirklich, Brett. Und Austin auch. Umarm sie noch einmal von mir, ja?« Damit verlässt er die Wohnung und zieht die Tür hinter sich zu.

Ich breche in Tränen aus. Was habe ich nur getan? Habe ich gerade den Mann meiner Träume – meinen wunderbaren Burberry-Mann – gehen lassen? Ich rolle mich in dem Sessel neben dem Vorderfenster zusammen und blicke nach draußen in den trüben Himmel, als suchte ich dort nach einer Antwort, irgendwo in der Dunkelheit. Passt meine Mutter in diesem Moment auf mich auf? Was will sie mir sagen? Bis zwei Uhr nachts sitze ich dort, hinterfrage meine Entscheidung und warte auf die Worte meiner Mutter: »Morgen kommt ein neuer Himmel, mein Schatz.«

Aber diese Worte wollen nicht kommen.

30

Anstatt für den 7. August die Hochzeit vorzubereiten, wie Herbert es sich gewünscht hatte, plane ich eine Party zum dreiundsechzigsten Geburtstag meiner Muter. Am Freitagmorgen landen Zoë und John am Flughafen, und die Begrüßung könnte sich nicht stärker von der damals in Seattle unterscheiden. Nachdem wir nun monatelang fast jeden Tag miteinander gesprochen haben, fallen wir uns in die Arme, sobald wir uns entdecken. Auf der Fahrt in Brads Büro unterhalte ich mich pausenlos mit John, während Zoë auf dem Rücksitz mit Austin Elizabeth plaudert.

»Du bist meine Nichti«, sagt sie und nimmt Austins Hand in ihre.

»Nichte«, korrigiert John seine Tochter, und wir müssen schmunzeln. Dann schaut er mich ernst an. »Wie fändest du es, wenn Austin mich Großvater nennen würde? Oder Opa?«

Ich lächele. »Wunderbar!«

»Und Brett, für dich bin ich Papa, ja?«

Mein Glück ist vollkommen.

Mein Vater gibt Brad die Hand, und die beiden Männer in meinem Leben lernen sich endlich kennen. Nur Zoë interessiert sich viel mehr für den Blick auf die Stadt als für Brad. Völlig fasziniert steht sie vor den raumhohen Fenstern, und ich setze mich an den Mahagonitisch, denselben Tisch, an dem ich vor fast einem Jahr verbittert und tief betrübt hockte. An jenem Tag dachte ich, mein Leben sei zerstört, und auf gewisse Weise war es das auch.

Doch wie ein gebrochener Knochen ist es jetzt stärker an den Stellen, die geheilt sind.

Während mein Vater neben mir Platz nimmt, geht Brad zum Fenster und hockt sich neben Zoë.

»Hey, Zoë, hast du Lust, mit mir Fahrstuhl zu fahren? Ich zeige dir ein noch cooleres Fenster!«

Sie macht große Augen und schaut fragend ihren Vater an, ob er es ihr erlaubt.

»Sicher, Süße, aber könntest du noch kurz warten? Mr Midar möchte einen Brief von Bretts Mama vorlesen.«

Brad steht auf und schüttelt den Kopf. »Diesen nicht. Den lest ihr beide gemeinsam, ohne mich. Ich glaube, so hätte Elizabeth es gewollt.« Mit Zoë an der Hand verlässt er das Büro und zieht die Tür hinter sich zu.

Ich hole den Brief aus dem Umschlag und breite ihn vor uns auf dem Tisch aus. Mein Vater legt seine Hand auf meine, und gemeinsam lesen wir schweigend den Brief.

Liebe Brett,

vor vierunddreißig Jahren habe ich ein Versprechen gegeben – ein Versprechen, das ich später bitter bereut habe. Ich habe Charles Bohlinger geschworen, niemals das Geheimnis Deiner Empfängnis zu verraten. Dafür versprach er mir, dass er Dich wie seine eigene Tochter aufziehen würde. Inwieweit er seinen Teil des Abkommens erfüllt hat, ist fraglich. Aber ich weiß, dass ich mein Versprechen gehalten habe, bis jetzt.

So oft wollte ich Dir die Wahrheit sagen. Deine Beziehung zu Charles bereitete Dir so große Probleme. Ich flehte ihn an, es Dir sagen zu dürfen, aber er war unerbittlich. Ob aus Schuldgefühl oder Dummheit, ich meinte, ihm seine Würde nicht nehmen zu dürfen. Und da ich nichts über den Aufenthaltsort Deines richtigen Vaters wusste, befürchtete ich, das Ganze würde Dein Gefühl nur noch verstärken, zurückgewiesen zu werden.

Ich hoffe, Du findest die Kraft, mir zu verzeihen und Charles ebenfalls. Du musst wissen, es war nicht leicht für ihn. Statt die

Schönheit und Tugend in Dir zu sehen, warst Du für ihn eine stete Erinnerung an meine Untreue. Aber für mich warst Du ein Geschenk, eine Freude, ein Regenbogen nach einem heftigen Gewitter. Ich habe es weiß Gott nicht verdient, aber ein Teil des Mannes, den ich liebte, war durch Dich zu mir zurückgekommen, und das erfüllte meine Seele wieder mit Musik.

Verstehst Du, in den Wochen, nachdem Dein Vater mich verließ, wurde meine Welt still. Erst Jahre später erkannte ich, wie ritterlich und selbstlos er sich mir zuliebe verhalten hatte. Ich liebte ihn so sehr, dass ich alles getan hätte, um bei ihm zu bleiben – auch wenn es irgendwann meine Seele zerstört hätte. Doch das ersparte er mir, und dafür bin ich ihm ewig dankbar.

Obwohl ich es versucht habe, ist es mir nie gelungen, Deinen Vater aufzuspüren. Nach der Scheidung von Charles engagierte ich einen Detektiv, aber die Suche war erfolglos. Trotzdem weiß ich jetzt, da ich diesen Brief schreibe, ganz sicher, dass Du ihn finden wirst. Und wenn Du ihn gefunden hast, dann feiere! Dein Vater ist ein außergewöhnlicher Mensch. Und auch wenn ich weiß, dass eine außereheliche Affäre etwas Egoistisches und Feiges ist, glaube ich doch bis heute, dass das, was ich für Deinen Vater empfand, Liebe war – so rein und wahr und stark wie der Präriewind.

Du hast mich oft gefragt, warum ich nach der Scheidung von Charles keine neue Beziehung mehr einging. Dann lächelte ich immer und sagte Dir, ich bräuchte es nicht. Ich hätte die Liebe meines Lebens schon gefunden. Und das stimmte.

Danke, dass Du die Brücke zwischen zwei Menschen geschlagen hast, meine wunderbare Tochter. Dein Geist, Deine Freundlichkeit, alles Gute in Dir kommt von Deinem Vater. Ich danke ihm – und Dir – jeden Tag, dass er mir gezeigt hat, was Liebe ist.

Für immer Dein,
Mama

Am Samstagnachmittag wimmelt es im Haus an der Astor Street nur so vor Menschen. Mama hätte diesen Tag genossen, einen Tag der Liebe – vergangener und gegenwärtiger –, der Freundschaft – alter und neuer – und der Familie – verlorener und wiedergefundener. Gegen Mittag trifft Carrie mit Anhang ein, kurz darauf gefolgt von ihren Eltern Mary und David. Während Carrie, Stella und ich eine Lasagne für vierzehn Personen vorbereiten, trinken Mary und David mit Johnny ein Glas im Sonnenzimmer, erzählen sich lachend Geschichten aus den alten Zeiten in Rogers Park. In ihrer Schaukel am Fenster kaut Austin auf einem Beißring und sieht zu, wie Carries Kinder draußen im Garten mit Zoë Himmel und Hölle spielen.

Um halb fünf beschließt Carrie, ihren Schokoladenkuchen zu backen. »Wenn mein Timing stimmt, ist er noch warm, wenn er auf den Tisch kommt.«

»Mir läuft schon das Wasser im Munde zusammen«, sage ich.

»Die Rührschüsseln stehen im Backregal.«

»Ich decke den Tisch«, bietet sich Stella an, verschwindet ins Esszimmer und ruft von dort: »Wo ist die Tischwäsche, Brett?«

»O nein!« Ich schlage mir vor die Stirn. »Ich hab vergessen, die Tischdecke aus der Reinigung zu holen!«

Sie bringt einen Stapel Damastsets und Servietten in die Küche. »Schon gut, ich habe die hier gefunden.«

»Nein, heute müssen wir die handbestickte irische Leinendecke nehmen. Die hat Mama immer zu besonderen Anlässen aufgelegt, und ihr Geburtstag ist doch wohl was ganz Besonderes, oder?« Ich schaue auf die Uhr. »Bin in einer halben Stunde wieder da.«

Wie Augusttage so sein sollten, strahlt heute die Sonne, und riesengroße Wattebäusche stehen am azurblauen Himmel. Auch wenn die Wettervorhersage sinkende Temperaturen und Gewitter angekündigt hat, merkt man noch nichts davon. Ich summe *What a Wonderful World* und schlendere mit meinem Hund an der Leine über den Bürgersteig, meine Tochter in ihrem Trage-gurt an meine Brust gedrückt.

Vor der Reinigung sitzt eine eindrucksvolle Blondine auf der Bank und hält die Leine eines schwarzen Labradors. Rudy schnuppert an dem sanftmütigen Artgenossen und stößt ihn mit der Schnauze an, will mit ihm spielen.

»Benimm dich, Rudy!«, sage ich und befestige die Leine an einer hölzernen Querstrebe der Bank. Ich lächele der Frau zu, doch sie spricht weiter in ihr Handy und scheint mich nicht zu bemerken.

Als ich die Reinigung betrete, klingelt eine Glocke. Es ist kurz vor fünf – bald Ladenschluss. Ich stelle mich hinter dem ein-zigen anderen Kunden an, einem großen Mann mit gewell-tem dunklen Haar. Er hört der weißhaarigen Frau hinter der Theke zu. Meine Augen bohren sich in seinen Hinterkopf. *Na, mach schon!* Er lacht über etwas, das sie sagt, und reicht ihr end-lich seinen Abholzettel. Die Alte schlurft hinüber zum Dreh-gestell, um sein Kleidungsstück zu suchen, und kommt kurz da-rauf mit einem Mantel in einer durchsichtigen Plastikhülle zurück.

»Bitte sehr!« Sie hängt den Mantel auf einen Metallbügel.

Ich starre ihn an … dann den Mann … dann wieder den Man-tel: ein Trenchcoat von Burberry.

»Sieht gut aus«, sagt der Kunde.

Mir wird schwindelig. Ist das etwa der Burberry-Mann? Also echt, das kann doch wohl kaum sein?

Er bezahlt und greift zu seinem Mantel.

»Danke, Marilyn! Ein schönes Wochenende.«

Er dreht sich um. Braune Augen mit goldenen Splittern regis-trieren zuerst Austin. »Hey, Kleine«, sagt er. Kurz schaut meine Tochter ihn fragend an, dann zieht sich ein breites Grinsen über ihr Gesicht. Lachfältchen bilden sich in den Augenwinkeln des Mannes, er wendet sich an mich. Zuerst ist er verwirrt, dann scheint es ihm langsam zu dämmern.

»He«, sagt er und zeigt auf mich. »Sie sind die Frau, die mir ständig über den Weg gelaufen ist. Vor Ihrem Haus habe ich Kaffee auf Ihren Mantel geschüttet. Einmal habe ich Sie morgens gesehen, als ich joggen war.« Der warme Unterton in seiner tiefen Stimme gibt mir das Gefühl, einen alten Freund wiederzusehen, obwohl ich ihn natürlich kaum kenne. »Das letzte Mal habe ich Sie im Bahnhof gesehen. Sie waren so sauer, dass Sie den Zug verpasst hatten …« Er schüttelt den Kopf, als sei es ihm peinlich. »Wissen Sie wahrscheinlich gar nicht mehr.«

Mein Herz schlägt mir bis zum Hals. Ich bin versucht zu beichten, dass ich in Wirklichkeit ihn erwischen wollte, aber erwidere nur: »Doch, weiß ich noch.«

Er kommt einen Schritt näher. »Wirklich?«

»Yep.«

Er lächelt vorsichtig und hält mir die Hand hin. »Ich heiße Garrett. Garrett Taylor.«

Ich starre ihn mit offenem Mund an. »Sie … Sie sind Dr. Taylor? Der Psychiater?«

Er legt den Kopf schräg. »Ja?«

Zeit und Raum fallen in sich zusammen. Diese Stimme! Na klar! Garrett Taylor ist der Burberry-Mann! Er ist gar kein alter Knacker! Er ist ein gutaussehender Mittvierziger, hat eine leicht krumme Nase und eine Narbe am Kiefer – das schönste Gesicht, das ich je gesehen habe. Tausend Schmetterlinge flattern gleichzeitig in meinem Bauch. Ich werfe den Kopf in den Nacken und lache, dann ergreife ich seine dargebotene Hand.

»Garrett, ich bin's. Brett Bohlinger.«

Er reißt die Augen auf. »Du meine Güte! Das ist doch nicht zu fassen, Brett! Ich habe so oft an Sie gedacht. Ich wollte Sie anrufen, aber es kam mir einfach …« Er hält inne, lässt den Satz in der Luft hängen.

»Aber Sie sind doch ganz alt«, werfe ich ein. »Ihre Mutter hat noch in einer Zwergschule unterrichtet. Ihre Schwestern sind pensionierte Lehrerinnen …«

Er grinst. »Ich bin neunzehn Jahre jünger als meine jüngste Schwester. Ich war das, was man eine Überraschung nennt.«

Und was für eine Überraschung!

»Wohnen Sie hier?«, will ich wissen.

»Drüben auf der Goethe.«

»Ich auf der Astor.«

Er lacht. »Wir leben nur ein paar Querstraßen voneinander entfernt.«

»Genau genommen, ist es das Haus meiner Mutter. Ich bin letzten Winter nach Pilsen gezogen.«

Er hält Austin den kleinen Finger hin, sie greift danach. »Und Sie haben ein Baby.« Eine Spur Traurigkeit kriecht in seine Stimme. »Glückwunsch.«

»Das ist Austin Elizabeth.«

Er streicht über ihre seidigen Locken und lächelt, doch seine Augen haben ihre Fröhlichkeit verloren.

»So was von niedlich.« Er schaut mich an. »Sie sind glücklich, das kann ich sehen.«

»Stimmt. Überglücklich.«

»Sie sind offenbar ein ganzes Stück vorangekommen mit Ihrer Wunschliste. Freut mich für Sie, Brett.« Er nickt knapp und legt die Hand auf meinen Arm. »Ich freue mich, dass wir uns endlich kennengelernt haben. Ich wünsche Ihnen alles Glück der Welt mit Ihrer neuen Familie.«

Er begibt sich zur Tür. Mist. Er glaubt, ich sei verheiratet. Ich kann ihn nicht gehen lassen! Was ist, wenn ich ihn niemals wiedersehe? Er legt die Hand auf den Türknauf.

»Erinnern Sie sich noch an Sanquita?«, rufe ich ihm nach. »Meine nierenkranke Schülerin?«

Garrett dreht sich um. »Das Mädchen aus dem Frauenhaus?«

Ich nicke. »Sie ist im Frühjahr gestorben. Dies ist ihre Tochter.«

»Das tut mir unglaublich leid.« Er kommt auf mich zu. »Das heißt, Austin ist adoptiert?«

»Ja, nach wochenlangem Papierkrieg ist es gerade letzte Woche offiziell geworden.«

Er lächelt mich an. »Sie hat großes Glück.«

Wir sehen uns in die Augen, bis schließlich Marilyn hinter der Theke ruft: »Ich störe Ihr kleines Wiedersehen ja nur ungern, aber wir möchten jetzt schließen.«

»Oh, Entschuldigung.« Ich husche zur Theke, suche in der Tasche nach meinem Abholzettel und reiche ihn ihr. Dann drehe ich mich wieder zu Garrett um.

»Hören Sie«, sage ich und hoffe still, dass er durch mein dünnes T-Shirt nicht sehen kann, wie wild mein Herz pocht. »Wenn Sie heute Abend noch nichts vorhaben, ich gebe eine kleine Party, hauptsächlich Verwandte und ein paar Freunde. Wir feiern den Geburtstag meiner Mutter. Würde mich freuen, wenn Sie vorbeikommen könnten: North Astor Street 113.«

Er macht ein enttäuschtes Gesicht. »Ich bin heute Abend schon verabredet.« Eine Millisekunde lang huscht sein Blick zum Schaufenster, ich folge ihm. Die Blondine mit dem schwarzen Labrador quasselt nicht mehr in ihr Handy, sondern steht vor der Scheibe und beobachtet uns, fragt sich wahrscheinlich, was ihren Freund … oder Mann … so lange aufhält.

»Oh, kein Problem«, sage ich und spüre, wir mir die Hitze in die Wangen steigt.

»Muss mich beeilen«, sagt Garrett. »Sieht aus, als würde mein Hund da draußen langsam unruhig.«

Ein Dutzend Antworten fallen mir ein, und sie wären lustig, wenn ich nicht wie vom Donner gerührt in der Reinigung stände und eine Frau anschaute, die überhaupt nicht wie ein Hund aussieht.

Marilyn bringt meine Tischwäsche. »Siebzehn fünfzig«, sagt sie.

Ich suche nach dem Geld, schaue mich noch mal nach Garrett um. »Hat mich total gefreut, Sie kennenzulernen.« Ich bemühe mich, locker zu klingen. »Alles Gute!«

»Ihnen auch.« Er zögert kurz, dann öffnet er die Tür und geht.

Die Wolken sind schwerer geworden, ziehen in Grautönen über den Himmel. Fast kann man sehen, wie der Regen in den drohenden Gebilden lauert und seinen Angriff plant. Ich atme den staubigen Geruch des aufziehenden Gewitters ein und gehe etwas schneller, damit ich das Haus erreiche, bevor die Sintflut losbricht.

Auf dem Heimweg fluche ich vor mich hin. Warum habe ich bloß den Mund aufgerissen und ihn eingeladen, warum nur? Er muss mich für völlig verrückt halten, dass ich ihn zu einer privaten Familienfeier einlade, obwohl ich ihn kaum kenne. Wie konnte ich nur so blöd sein? Ein Mann wie Garrett ist doch nicht allein. Er ist ein gutaussehender Arzt – und nett obendrein. Kein Wunder, dass wir es die ganze Zeit nicht geschafft haben, uns zu treffen. Wahrscheinlich hat Mama uns diese Straßensperren in den Weg gestellt, um diesen unerreichbaren Mann von mir fernzuhalten. Werde ich jemals einen netten Typ kennenlernen? Einen netten Typ, der Single ist? Und der Austin ebenfalls liebt?

Das Bild von Herbert Moyer erscheint vor meinem inneren Auge und setzt sich fest.

Im Haus riecht es nach geschmortem Knoblauch, aus der Küche dringen Geplauder und lautes Lachen. Ich löse Rudys Leine und bemühe mich, die Erinnerung an meine demütigende Begegnung mit Garrett Taylor zu verbannen. Wir feiern heute Mamas Geburtstag, das will ich mir von nichts und niemandem verderben lassen.

Brad kommt aus dem Wohnzimmer und nimmt mir die Tischwäsche ab. »Jenna hat gerade angerufen. Sie ist pünktlich gelandet und schon auf dem Weg hierher.«

»Super! Dann sind ja alle da.« Ich hebe Austin aus der Trage und drehe mich um, damit Brad die Riemen lösen kann.

»Und Zoë hat mir gerade von ihrem Pferd Pluto erzählt.« Er schaut mich über meine Schulter an. »So wie dein Vater sagt, hat ein anonymer Spender dem Nelson Center eine beträchtliche Summe geschenkt, damit das therapeutische Reiten wieder aufgenommen werden kann.« Er beugt sich vor und flüstert mir ins Ohr: »Was hast du dafür verkauft, B. B.? Noch eine Rolex?«

»Nein, ich habe Geld aus meinem Rentenfonds entnommen. Zoës Reittherapie ist die Strafsteuer wert.«

»Na, herzlichen Glückwunsch! Ziel Nr. 14 ist im Sack – im Futtersack!« Er bricht in Lachen aus, und ich kann mir ein Grinsen nicht verkneifen.

»Du bist so ein Loser.«

»Nein, der einzige Loser in dieser Geschichte ist Lady Lulu. Erinnerst du dich an Lulu, das Pferd im Tierheim, das wir retten wollten?« Er schüttelt den Kopf und wischt sich eine imaginäre Träne von der Wange. »Wahrscheinlich ist die arme alte Lulu gerade auf dem Weg zur Seifenfabrik.«

»Ist sie nicht. Lulu hat schon vor Monaten ein gutes Zuhause gefunden.«

»Moment! Du hast da wirklich nachgehakt?«

Ich zucke mit den Achseln. »Rechne mir das nicht zu hoch an. Du hast ja keine Ahnung, wie erleichtert ich war, als ich hörte, dass jemand sie genommen hatte.«

Brad lacht und hält mir die Hand zum Abklatschen hin. »Ich bin beeindruckt, Mädchen! Ein weiteres Ziel abgehakt. Du hast es fast geschafft.«

»Ja, nur das schwerste fehlt noch.« Mein verletztes Ego flackert wieder auf. Ich schüttele den Kopf. »Mir läuft die Zeit weg, Brad. Ich habe nur noch einen Monat Zeit, um mich zu verlieben.«

»Hör mal zu, ich habe darüber nachgedacht. Du bist doch in Austin verliebt, oder? Ich meine, zählt das nicht auch als überwältigende Liebe, für die man sterben würde, also das, was deine Mutter meinte?«

Ich schaue in das Gesicht des Kindes, für das ich bereitwillig sterben würde. Wenn ich Ja sage, bekomme ich Umschlag

Nr. 17. Ich könnte das Haus meiner Mutter kaufen und dann auch das letzte Ziel erreicht haben, ganz nach Plan. Austin und ich würden das Erbe antreten, unsere Zukunft wäre gesichert. Ich öffne den Mund, um Brad zuzustimmen, doch halte inne, als vor meinem inneren Auge das Bild der Vierzehnjährigen auftaucht, die mich mit sehnsüchtigem Blick anfleht, ihren Lebenstraum nicht zu verraten. Ich höre die Worte meiner Mutter: *Du sollst wissen, dass man in der Liebe niemals Kompromisse schließt.*

Ich knuffe Brad in den Arm. »Och, danke für diesen Vertrauensbeweis, Midar.«

»Nein, ich wollte nur …«

Ich lächele. »Ich weiß. Du willst mir nur helfen. Das weiß ich wirklich zu schätzen. Aber ich werde diese Liste abarbeiten, egal wie lange es dauert. Es geht mir nicht mehr ums Erbe. Ich will weder meine Mutter enttäuschen – noch das Mädchen, das ich mal war.« Ich drücke einen Kuss auf Austins flaumigen Kopf. »Wir kommen schon zurecht, mit oder ohne Millionen.«

Die goldbraune Lasagne blubbert vor sich hin. Mary stellt eine silberne Schale voller Hortensien in die Mitte des Esszimmertisches, der edel mit Mamas besticktem irischen Leinen gedeckt ist. Catherine zündet die Kerzen an, ich dimme die Lampe. Das Zimmer wird in den lavendelblauen Farbton des nahenden Gewitters getaucht. Wenn Mama hier wäre, würde sie in die Hände klatschen und rufen: »Oh, ist das herrlich!« Ich spüre Stolz und eine plötzlich verzweifelte Sehnsucht nach der Frau, die ich verloren habe.

Ein Donnerschlag holt mich aus meinen Träumen, unmittelbar gefolgt von dem gegen die Fensterscheiben prasselnden Regen. Draußen schwankt die Eiche. Ich reibe mir über die Gänsehaut auf den Armen.

»Das Essen ist fertig!«, verkünde ich.

Ich sehe zu, wie die Menschen, die ich liebe, die Menschen,

die mich und meine Mutter lieben, sich um den wunderschönen Mahagonitisch versammeln. Jay zieht den Stuhl für Shelley hervor, und als sie sich setzt, küsst er sie in den Nacken. Shelley läuft rot an, als sie merkt, dass ich diese kleine Zärtlichkeit bemerkt habe, und ich zwinkere ihr aufmunternd zu. Carrie und ihre Familie nehmen eine Seite des Tisches ein, ihre Kinder streiten sich darum, wer neben Zoë sitzen darf. Brad und Jenna wählen die Stühle neben Shelley, unterhalten sich über Jennas Flug. Ich fasse meinen Vater an der Hand und führe ihn ans Kopfende, an seinen rechtmäßigen Platz. Mary und David setzen sich neben Joad. Auf seiner anderen Seite träumt meine wunderbare Tochter, an ihre Tante Catherine gekuschelt. Joad schlägt ihr vor, Austin doch zum Essen mal kurz abzulegen, doch Catherine will nichts davon hören. Ich erhasche ihren Blick, und wir lächeln uns zu, das Lächeln von zwei sehr unterschiedlichen Frauen mit einer gemeinsamen Liebe.

Als schließlich alle sitzen, nehme ich meinen Platz am anderen Tischende ein, gegenüber meinem Vater.

»Ich möchte gerne etwas sagen«, beginne ich und hebe mein Weinglas. »Auf Elizabeth Bohlinger, die außergewöhnliche Frau, die einige von uns Mama nannten …« Mir schnürt sich die Kehle zu, ich bekomme kein Wort mehr heraus.

»Die anderen eine Freundin war«, ergänzt David, nickt mir zu und hebt ebenfalls sein Glas.

»Für einen die Geliebte.« Johns Stimme ist belegt vor Gefühl.

»Und für manche die Chefin«, fügt Catherine hinzu. Wir lachen laut.

»Und die für drei von uns immer die Großmutter sein wird«, beendet Jay den Trinkspruch.

Mein Blick huscht über Trevor und Emma zu Austin.

»Auf Elizabeth«, sage ich, »diese bemerkenswerte Frau, die jeden von uns so tief berührte.«

Als wir anstoßen, klingelt es an der Tür. Trevor springt von seinem Kinderstuhl und läuft mit Rudy in die Eingangshalle.

»Egal wer es ist, sag ihm, dass wir gerade essen«, ruft Joad.

»Genau«, pflichtet Catherine ihm bei und schaut auf das schlafende Bündel in ihrem Arm. »Klein Austin möchte während des Essens nicht gestört werden.«

Wir reichen die Schüsseln herum, Trevor kehrt zurück an den Tisch. Ich gebe Zoë Salat auf und schaue meinen Neffen fragend an. »Wer war das, Schätzchen?«

»Irgendein Arzt«, sagt Trevor. »Ich hab ihm gesagt, dass er gehen soll.«

»Dr. Moyer?«, fragt Jay.

»Aham«, bestätigt Trevor und reißt sich ein Stück vom Baguette ab.

Jay reckt den Hals und späht durch die verregnete Fensterscheibe. »Na, das ist ja ein Ding! Herbert ist da!« Er schießt hoch, wirft beinahe seinen Stuhl um, hält dann inne und fragt mich: »Hast du ihn eingeladen?«

»Nein«, erwidere ich, schiebe selbst den Stuhl nach hinten und lege meine Serviette beiseite. »Aber wir haben genug zu essen. Setz dich hin, Jay. Ich hole ihn rein.«

In den zwanzig Sekunden, die ich bis zur Haustür brauche, holpern und stolpern meine Gedanken über sich selbst. Mein Gott, Herbert ist zurückgekommen, und zwar an dem Tag, der unser Hochzeitstag hätte sein sollen. Ist das ein Zeichen von meiner Mutter? Vielleicht gefiel ihr die Vorstellung nicht, dass Austin und ich als Zweierteam durchs Leben gehen. Sie will, dass ich ihm noch eine Chance gebe. Und diesmal wird sie vielleicht dafür sorgen, dass ihr Zauber auch wirkt.

Als ich die Tür öffne, raubt eine Windböe mir den Atem. Aus dem Garten höre ich das Klirren von Mamas Windspiel. Ich recke den Hals, aber die Veranda ist leer. Mein Haar wird zerzaust, ich halte es mit der Faust zusammen. Wo ist er bloß? Der Regen peitscht mir ins Gesicht, und es fühlt sich an, als würden mir kleine Stromschläge verpasst. Angestrengt spähe ich in die Wand aus Regen. Schließlich wende ich mich ab. Gerade als ich die Tür schließen will, entdecke ich ihn. Unter einem riesigen schwarzen Schirm überquert er die Straße.

»Herbert!«

Er dreht sich um. Er trägt seinen Burberry-Mantel und hat einen Strauß Wildblumen in der Hand. Ich schlage die Hand vor den Mund und wage mich vor ins tobende Gewitter. Durch den sintflutartigen Regen erkenne ich sein wunderbares Gesicht.

Ohne eine Sekunde zu verlieren, haste ich die Verandatreppe hinunter. Der Regen durchnässt meine Seidenbluse, aber es ist mir egal.

Lachend läuft er mir entgegen. Als wir voreinander stehen, hält er schützend den Regenschirm über mich und zieht mich so nah an sich heran, dass ich eine frische Wunde vom Rasieren an seinem Kinn entdecke.

»Was machst du denn hier?«, frage ich.

Garrett Taylor grinst und hält mir den Blumenstrauß hin. »Ich habe meine Verabredung abgesagt, nicht nur verschoben. Ich hole sie nicht mehr nach. Ich habe sie abgesagt, endgültig.«

Mein Herz macht einen Hüpfer, ich versenke die Nase in einer leuchtend roten Mohnblume. »Das hättest du nicht tun müssen.«

»Doch, das musste ich.« Er schaut mich an und schiebt mir zärtlich eine nasse Haarsträhne hinters Ohr. »Ich weigere mich, noch eine einzige Begegnung mit dir zu verpassen. Ich konnte keinen Tag mehr warten, keine Stunde oder Minute, ohne dir zu sagen, dass du mir gefehlt hast, diese lustige Lehrerin, die ich am Telefon kennengelernt habe und mit der ich lachen konnte. Und solange ich die Möglichkeit habe, muss ich dir schnell sagen, dass ich total verknallt in das schöne Mädchen war, das ich in der Bahn, im Mietshaus und beim Joggen sah.«

Er lächelt und fährt mir mit dem Daumen über die Wange. »Verstehst du, als ich dich heute traf, und ihr beide zu einer Person wurdet, da hatte ich kein anderes Ziel mehr, als heute Abend herzukommen.« Seine Stimme ist rau, er schaut mir tief in die Augen. »Denn ich konnte den Gedanken nicht ertragen, eines

Tages aufzuwachen und festzustellen, dass mein Zug abgefahren ist und die Frau meiner Träume immer noch auf dem Bahnsteig steht und mir nachwinkt.«

Ich falle in seine Arme, und es fühlt sich an, als würde ich an einen Ort zurückkehren, nach dem ich mich mein Leben lang gesehnt habe. »Ich wollte nicht den Zug erwischen, sondern dich«, flüstere ich an seiner Brust.

Er lehnt sich zurück und hebt mein Kinn mit dem Zeigefinger an, dann senkt er den Kopf und küsst mich lang und innig.

»Du hast mich erwischt«, sagt er und lächelt mich an.

In einer Hand den Blumenstrauß, in der anderen Garretts Hand, steige ich unter seinem schwarzen Schirm die Stufen zum Haus meiner Mutter hinauf.

Bevor ich die Tür hinter uns schließe, schaue ich empor in den Himmel. Ein Blitz schlägt eine Schneise durch die trüben Wolken. Wenn Mama hier wäre, würde sie mir die Hand tätscheln und sagen, morgen käme ein neuer Himmel.

Ich würde erwidern, mir gefiele auch dieser, dieser Himmel voller Gewitterwolken.

Epilog

Ich stehe vor dem Kommodenspiegel in dem Zimmer, das einst meiner Mutter gehörte. Es hat sich verändert. Beweise meines neuen Lebens liegen herum, aber es riecht noch nach ihr, und die Erinnerung an sie begrüßt mich jedes Mal, wenn ich den Raum betrete. Schon spannend, wie Menschen und Orte sich verbinden, wie dieses Haus und das alte Eisenbett mich immer wieder anziehen und trösten, wenn ich es nötig habe. Doch anders als in jenen tristen Tagen vor fast zwei Jahren muss ich heute nur noch selten getröstet werden.

Ich schließe die Öse meiner Perlenkette. Aus dem Kinderzimmer – meinem ehemaligen Zimmer – höre ich meine Tochter vor Vergnügen kreischen. Lächelnd überprüfe ich ein letztes Mal mein Gesicht im Spiegel. Da erscheint neben mir die Liebe meines Lebens. Ich drehe mich um, und die Himmelspforten tun sich auf.

»Wer hat denn da mein Mädchen auf dem Arm?«, frage ich Austin.

»Papa«, sagt sie. Sie ist so süß in ihrem schicken Rüschenkleid und dem Stirnband mit den Tupfen.

Garrett drückt der Kleinen einen Kuss auf die Wange und zeigt auf mich. »Guck mal, Mamis schönes weißes Kleid. Ist sie nicht wunderschön?«

Austin kichert und schmiegt ihr Gesicht an seinen Hals. Kluges Mädchen. Ich würde mich auch gerne an diesen Hals kuscheln. Garrett ist glattrasiert und gebräunt, trägt ein gestärktes weißes Hemd und einen schwarzen Anzug.

Er hält mir die Hand hin. »Heute ist es so weit. Bist du nervös?«

»Überhaupt nicht. Nur aufgeregt.«

»Ich auch.« Er beugt sich vor, und seine Lippen streifen mein Ohr. »Niemand hat es verdient, so glücklich zu sein wie ich. Niemand.«

Ich bekomme eine Gänsehaut am gesamten Körper.

Wir stehen schon vorm Auto, als mir einfällt, dass ich die Programmheftchen für die Feier vergessen habe. Während Garrett Austin in ihrem Autositz festschnallt, laufe ich noch mal ins Haus. Jetzt ist es still hier, ohne Austins Geplapper und Garretts herzliches Lachen. Die Heftchen liegen auf dem Couchtisch, wo ich sie vergessen habe. Als ich mich zum Gehen wende, fällt mein Blick auf das Foto meiner Mutter. Ihre Augen funkeln, als sei sie zufrieden mit dem, was ich nun vorhabe. Ich kann es mir gut vorstellen.

»Wünsch mir Glück, Mama«, flüstere ich.

Ich nehme ein rosa Heftchen vom Stapel und lege es neben ihr Foto.

Sonntag, 7. August
13 Uhr
Feierliche Einweihung
Sanquita House
Ulysses Avenue 749
Heim für Frauen mit Kindern in Chicago

Ich schließe die Tür hinter mir und laufe zum Auto, wo mein Schicksal auf mich wartet, die beiden überwältigenden Lieben meines Lebens, für die ich sterben würde: mein Mann und unser kleines Mädchen.

Danksagung

Noch nie zuvor habe ich das Wort »Danke« als so unzulänglich empfunden. Doch so lange niemand einen besseren Ausdruck erfindet, bleibt mir nur diese Platitüde.

Ich danke meiner außerordentlichen Agentin Jenny Bent, die sich auf eine unbekannte Autorin aus dem Mittleren Westen eingelassen und deren Träume hat wahr werden lassen. Ein Hoch auf Nicole Steen, die sich um die geschäftliche Seite des Ganzen gekümmert hat. Ein großes Dankeschön an Carrie Hannigan und Andrea Barzvi, die immer an *Morgen kommt ein neuer Himmel* glaubten. Großen Dank bin ich auch Brandy Ricers von der Gersh Agency schuldig sowie einer Vielzahl von Foreign Rights Agents and Lektoren, denn sie brachten dieses Buch in Länder, von denen ich mir nie hätte träumen lassen.

Tiefste Wertschätzung und Bewunderung hege ich für meine hervorragende Lektorin Shauna Summers, ihre unglaublich effiziente Assistentin Sarah Murphy und alle Mitarbeiter der Random House Publishing Group. Euer Können wird nur noch übertroffen von eurer Freundlichkeit.

Ganz besonderen Dank an meine erste Leserin, meine liebe Mutter, die mir nach der Lektüre eine so begeisterte Nachricht auf den Anrufbeantworter sprach, dass ich sie sechs Wochen lang nicht löschte. Ewig dankbar bin ich auch meinem Vater, dessen ungebrochener Stolz und fester Glaube an mich mir den Mut verliehen, am Ball zu bleiben. Danke ebenfalls an meine frühe und eifrigste Leserin, meine Tante Jackie Moyer, für ihr erstklassiges Feedback und ihre hilfreichen Ratschläge.

Friedrich Nietzsche sagte einmal: »Ein guter Schriftsteller hat nicht nur seinen eigenen Geist, sondern auch noch den Geist seiner Freunde.« Dieses Buch verkörpert den Geist meiner Freunde, und ich bin all denen besonders dankbar, die sich erboten, das Manuskript zu lesen, lange bevor ich eine »Schriftstellerin« wurde. Ich danke meiner wundervollen Freundin und Kollegin Amy Bailey-Olle, die die Geschichte immer mit dem treffenden Wort oder der passenden Wendung zu verbessern wusste. Dank an meine tollen Freundinnen Sherri Bryans Baker und Cindy Weatherby Tousignaut, die mir das Gefühl gaben, mit diesem Buch könne es tatsächlich etwas werden. Ebenso danke ich meiner lieben Freundin, der unglaublich begabten Schriftstellerin Kelly O'Connor McNees, für ihre Tipps, ihre großzügige Resonanz und Inspiration bei diesem wunderbaren Abenteuer. Dank auch der ganz besonderen Pat Coscia, deren Begeisterung ihresgleichen sucht. Gleichfalls an Lee Vernasco, mit zweiundneunzig mein ältester Leser – und der beseeltest. Du bist so eine große Inspiration! Der wunderbaren Nancy Schertzing, die mir ihre hübschen, klugen Töchter als Leserinnen anbot: Claire und Catherine, eure Anmerkungen gehörten mit zu den besten – danke!

Ein Hoch auf die Mädels vom Salon Meridian: insbesondere auf Joni, Carleana und Megan, die das Manuskript herumreichten und mir das Gefühl gaben, eine richtige Schriftstellerin zu sein. Auf Michelle Burnett, die Bill sagte, sie müsse jetzt schnell von der Arbeit nach Hause, um meine Geschichte weiterlesen zu können. Herrlich! Dank an die wunderbare Erin Brown, deren Redaktionsdienst die beste Investition war, die ich je getätigt habe. Ebenfalls an die außergewöhnlichen Schreiblehrer Linda Peckham und Dennis Hinrichsen, ohne die es keinen Roman gäbe. Ich danke meinem Autorentreff mit Lee Reeves und Steve Rall, deren Talent meines bei weitem übersteigt. Ein Augenzwinkern gen Himmel zu unserem verstorbenen Mitglied Ed Noonan, der sich über diese Neuigkeiten gefreut hätte. Besonderen Dank an Maureen Dillon und Kathy Marble, die mir geduldig beibrachten, wie man ein Frühchen pflegt und wie der Alltag auf einer Neugeborenen-Intensivstation aussieht.

Meine größte Dankbarkeit gebührt meinem wunderbaren Ehemann Bill. Dein Stolz, deine Liebe und Unterstützung lassen mein Herz jubeln. Ohne dich wäre dies alles nichts wert.

Demütig danke ich all den Göttern und Göttinnen, Engeln und Heiligen, die meine Gebete erhört haben, und jedem einzelnen Menschen, der sich jemals für meine Schreibversuche interessiert hat. Ich würde alle hier aufführen, aber habe Angst, jemanden zu vergessen. Ihr wisst, wen ich meine, und dafür liebe ich euch. Ich danke auch euch, meinen lieben Lesern, die ihr mich in euer Leben lasst, egal ob einen Tag, eine Woche oder einen Monat lang. Ich fühle mich geehrt, meine Worte und meine Welt mit euch teilen zu dürfen.

Letztlich gehört dieses Buch allen Mädchen und Frauen, die das Verb »träumen« nicht als Infinitiv, sondern als Aufforderung verstehen.